いくつになっても

ボケない脳になる!

〔監修〕

篠原菊紀

PHP

『いくつになってもボケない脳になる！
1日5分脳トレパズル366』
もくじ

人生100年時代、いくつになっても脳を鍛えよう

公立諏訪東京理科大学教授　**篠原菊紀**

あなたの頭の働きは、大丈夫？

次のイラストを90秒でおぼえてください。

①それでは、上のイラストを紙や手で隠してください。

②次の問題に取り組んでみましょう。

・100から7を順番に2回引いて、その数字を言ってください。

・あなたの名前を、逆から言ってみてください。

③では、おぼえた5つのイラストは何だったか、言ってみましょう。

もの忘れが気になり、もの忘れ外来などを訪れると、長谷川式やMMSEなどと呼ばれる認知症のスクリーニングテストが行なわれます。

実は前述の問題は、長谷川式のスクリーニングテストをもとにしてつくったもので、何かをおぼえて、別のことをして、また思いだすかを見ています。

つまり、何かをおぼえて、別のことをして、それでも思いだせる力があるかは、人生100年時代といわれる今、いくつになっても問われているのです。

脳の健康寿命を延ばす努力を！

実際に、このスクリーニングテストでは、初めてだとあまりいい成績を残せません。しかし、繰り返すことで、誰でも成績が上がっていきます。

この本には、記憶をしばらく保持する力がないとできないパズル問題がたくさん入っています。何かをおぼえて、別のことをして、また思いだせる力を、毎日続けることで鍛えてみましょう。

こうした力の維持には、有酸素運動や筋トレ、日本食・地中海食などの健康的でバランスのとれた食事、生活習慣病の予防や治療、人とのかかわりやコミュニケーションが大切だということが、繰り返し報告されています。

ある研究では、1日1時間以上歩くと認知症の発症リスクが3割ほど減る、日本食的な食事をとっている人のほうが日本食傾向が低い人に比べて認知症の発症リスクが2割ほど減る、また他の調査では、友人と交流したりゲームを楽しんだりする機会がある人では認知症発症リスクが2割ほど減る、などといった相関も報告されています。

ですので、この本での脳トレと合わせて、有酸素運動をしたり、栄養バランスのよい食生活を心がけたりすることで、脳の健康寿命を延ばす努力を継続したいものです。

楽しみながら脳を刺激するのがいちばん！

「ワーキングメモリ」とは、脳のメモ帳と呼ばれる機能のことです。これは、記憶や情報をいったん脳にメモし、処理する力です。私たちは、日々、この「ワーキングメモリ」の機能を使い生活をしています。

ちょっと記憶しながら、あれこれ行ない、その間も記憶を保つ。これが脳を鍛える基本になります。この働きにかかわるのが、主に前頭前野、頭頂連合野です。

私たちは、歳を重ねるごとに物事に慣れていってしまいます。日常生活はほぼルーティンでこなせます。そういう慣れた頭の使い方では、前頭前野などはあまり使われないのです。

この部位は、鍛えれば効果は上がりますが、鍛えなければ衰えてしまうものです。やり慣れていることや楽にできることをするときは、脳はあまり活動しないので、頭をしっかり使わないと衰えていってしまうのです。

「ワーキングメモリ」の力は、鍛えれば鍛えるほど伸びていくことが知られています。この本では、計算、言葉、記憶、空間認知などのさまざまな問題が取り上げられています。

「おもしろいとき」「考えたくなるとき」、脳では前頭前野に広がるドーパミン神経系が活性化されます。すると楽しいだけでなく、もの覚えがよくなったり、新しい考え方や技術が身につきやすくなったりするのです。

たとえば、7ページの1日目「クロスワード」の問題を解く際、ただ解くだけではなく、「お店の調理場」に何があるかとか、「野球の試合」でどうなっているかなどを実際に想像してわくわくしてみませんか。非日常的な、さまざまな脳トレ問題を、毎日5分366日、楽しみながら解くことで、脳を刺激していきましょう！

本書の使い方

- 問題は366日分あります。毎日5分以内を目標にやってください。

- もっとやりたい！　という人は、一度に数日分をやっていきましょう。

- 問題は好きなところからやってもOKです。パッと開いたページからやってもかまいません。問題ごとに日付の記入欄がありますので、どの問題をやったのか、やっていないのかがわかるように記入しておきましょう。

- ひと通りできたという人は、1回目よりも目標時間を短く設定して、2回目にチャレンジしてみましょう。

- 解答の書き込みを鉛筆でしておくと、消すことができるので何度でも使えますね。

- クロスワードなど言葉に関する問題は、その言葉から、いろいろなことをイメージして楽しく問題を解くのもいいですね。

この解答は190ページ

クロスワード

タテのカギ、ヨコのカギをヒントに、クロスワードを解いてください。小さい「ッ」や「ャ」なども大きな文字として扱います。

1 チ	2 カ	■	3	
4 ユ				■
5 ウ		■	6	7
ボ	■	8		
9 ウ			■	

〈タテのカギ〉

①お店の調理場
②野球の試合〇〇〇はプレーボール
③太宰治著『人間〇〇〇〇』
⑦令和の四つ前の元号
⑧現在の高知県にあたる旧国名

〈ヨコのカギ〉

①Bで表示される階
③日本にある春夏秋冬
④四字熟語「〇〇〇〇無二」
⑤鳴き声は「モー」
⑥浦島太郎が助けた生き物
⑧苦手の反対
⑨人の〇〇〇も七十五日

この解答は190ページ

2
日目

言葉さがし

すでに線で囲まれている３つのように、＜リスト＞の熟語をすべて一直線上に見つけてください。

前	所	頃	色	金	黄
得	身	電	賃	電	火
前	国	均	発	門	石
等	平	家	前	金	光
大	身	町	試	賃	電
得	見	大	石	験	家

＜リスト＞

- ☐ 大見得
- ☑ 黄金色
- ☐ 国家試験
- ☐ 試金石
- ☑ 所得
- ☐ 電光石火
- ☐ 等身大
- ☑ 発電所
- ☐ 平均賃金
- ☐ 前身頃
- ☐ 門前町
- ☐ 家賃

この解答は190ページ

3
日目

二字熟語ピースしりとり

スタートから二字熟語のしりとりになるように＜リスト＞のピースをうまくあてはめましょう。熟語は矢印の方向に読み、ピースは向きを変えずそのまま入ります。【例】今日→日記→記憶

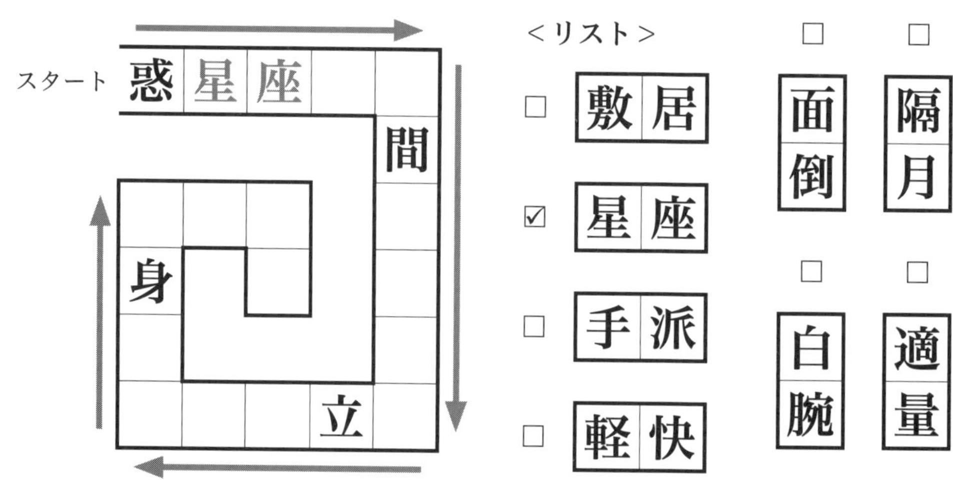

この解答は190ページ

詰めクロス

マス目に＜リスト＞の漢字を入れて、クロスワードを完成させてください。

✎◯月◯日

＜リスト＞

☐ 人	☐ 見	☐ 鳥
☐ 人	☐ 後	☐ 日
☐ 歌	☐ 行	☐ 本
☐ 儀	☐ 雑	☐ 流
☑ 月	☐ 草	

花		風	月	■	無
■	居	■		物	
背	■			■	島
		談	■	平	■
■		■			
他		行		■	詞

この解答は190ページ

スケルトンパズル

マス目と同じ文字数の熟語を＜リスト＞から選び、あてはめてください。

✎ ◯月◯日

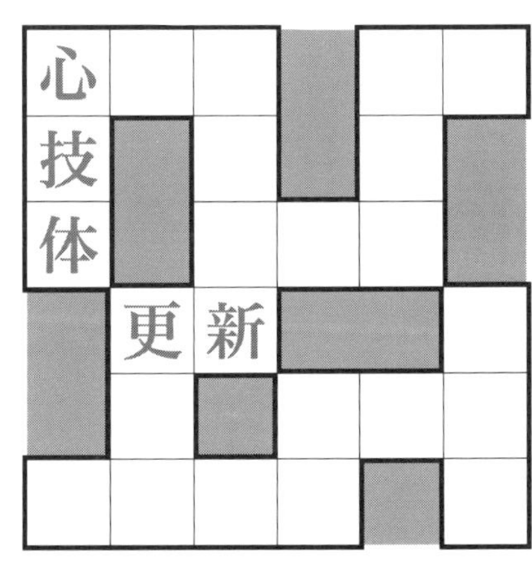

＜リスト＞

2文字	3文字	4文字
☑ 更新	□ 一年生	□ 温室効果
□ 心外	□ 一方的	□ 気分一新
□ 青果	□ 更衣室	
	□ 心意気	
	☑ 心技体	
	□ 心理的	
	□ 青少年	

この解答は11ページ

6
日目

漢字熟語ダイヤモンド

AとBに入れた2つの漢字でできる二字熟語を答えてください。

✎ ◯月◯日

【例】

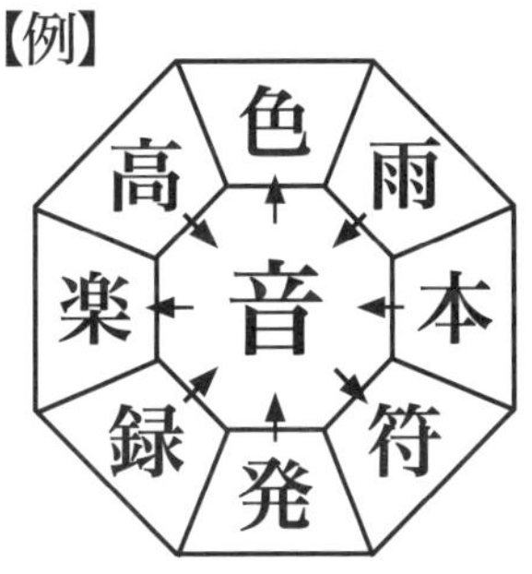

ダイヤモンドの中央に漢字を入れると、矢印の方向に「本音」「音符」…などの二字熟語ができます。

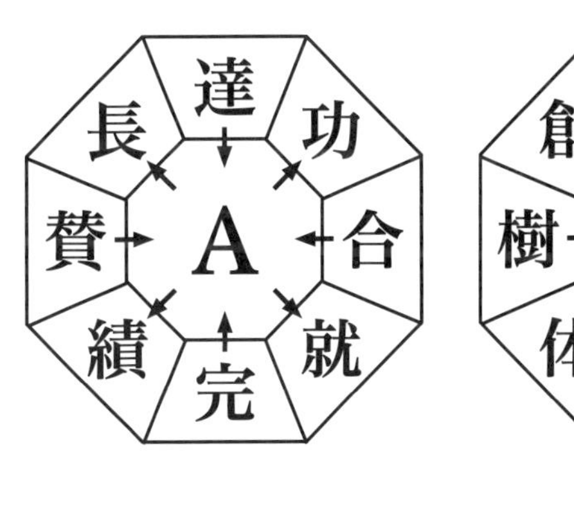

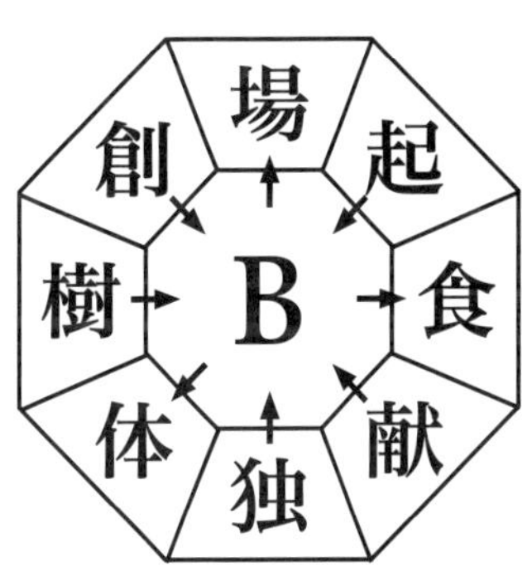

A	B

この解答は12ページ

漢字パーツ組み立て

バラバラになったパーツを組み合わせて四字熟語を作ってください。

【例】角＋刀＋牛＝解

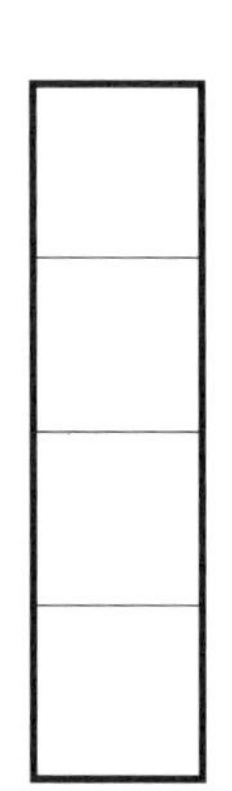

この解答は190ページ

三字熟語リレー

すでに入っている漢字のように＜リスト＞の漢字を空きマスに入れ、三字熟語を作ってください。線でつながれているマスには同じ漢字が入ります。

＜リスト＞

- ☑ 一
- ☐ 所
- ☐ 外
- ☐ 住
- ☐ 番
- ☐ 線
- ☐ 食
- ☐ 在

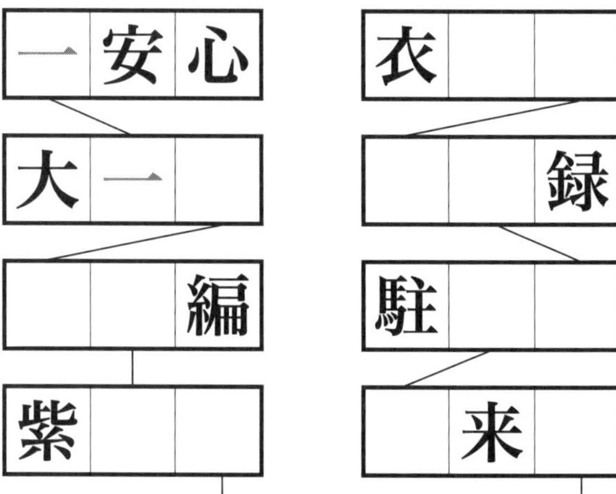

この解答は13ページ

四字熟語合体パズル

四字熟語の隠れた部分を推理して、①と②の四字熟語を答えてください。

○月○日

【例】

反	面	教	師

①

②

この解答は190ページ

10 日目

ブロック分割パズル

<リスト>の熟語をマス目から探し出し、ブロックに分割してください。

※タテまたはヨコにつながるように区切ります。

○月○日

日	木	流	式	金	千
本	地	方	程	方	値
一	図	次	行	行	世
界	世	一	雲	話	間
日	間	食	流	水	山
常	会	話	明	水	紫

<リスト>

2文字

- ☐ 間食
- ☐ 行方
- ☐ 流木

3文字

- ☑ 値千金
- ☐ 世界一
- ☐ 世間話

4文字

- ☐ 行雲流水
- ☐ 山紫水明
- ☐ 日常会話
- ☐ 日本地図

5文字

- ☐ 一次方程式

9ページの解答 【6日目】 A成 B立

この解答は14ページ

キューブ問題

矢印の方向からどう見えるか、ＡＢＣの中から答えてください。

【例題】

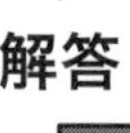

解答

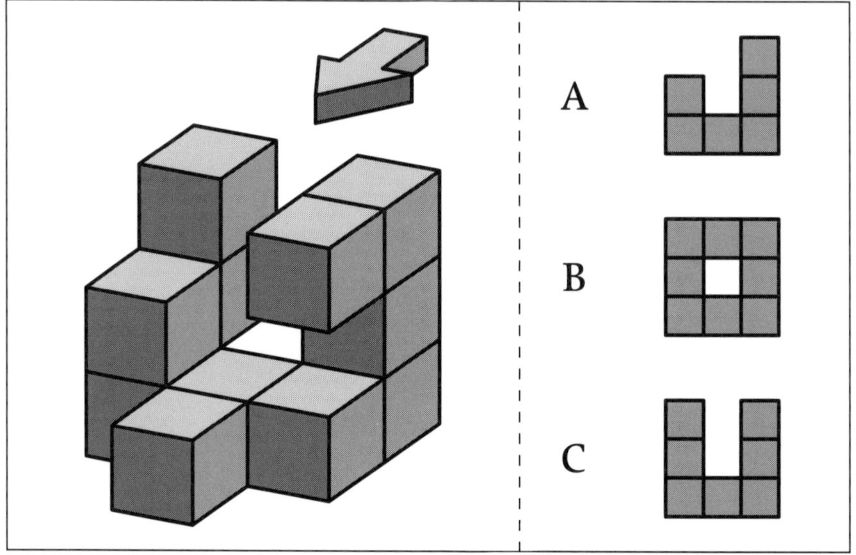

この解答は14ページ

カード推理

表と裏にイラストが描かれたカードを５枚、【見本】のように重ねて置きました。これを裏返して見た時に正しいものは、①〜③のうちどれでしょう？

✎◯月◯日

解答

【裏】【表】

【見本】

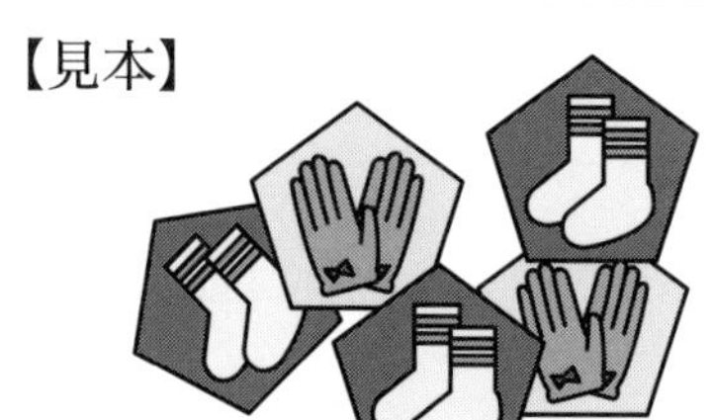

①

②

③

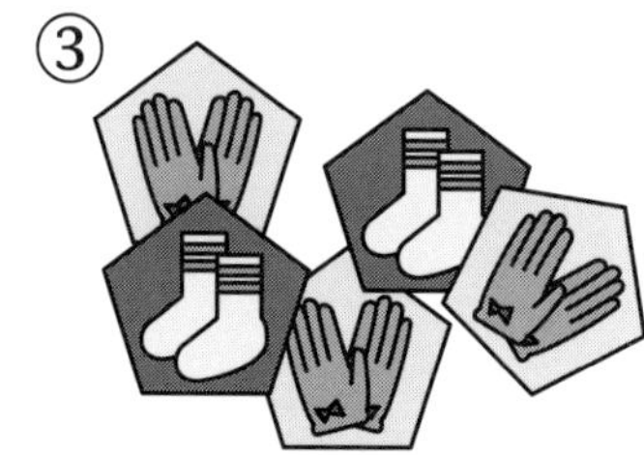

10ページの解答　【7日目】臨機応変

この解答は190ページ

13日目

✎◯月◯日

点つなぎ

☆から★まで番号順に点をつないだ時、あらわれる絵を答えてください。

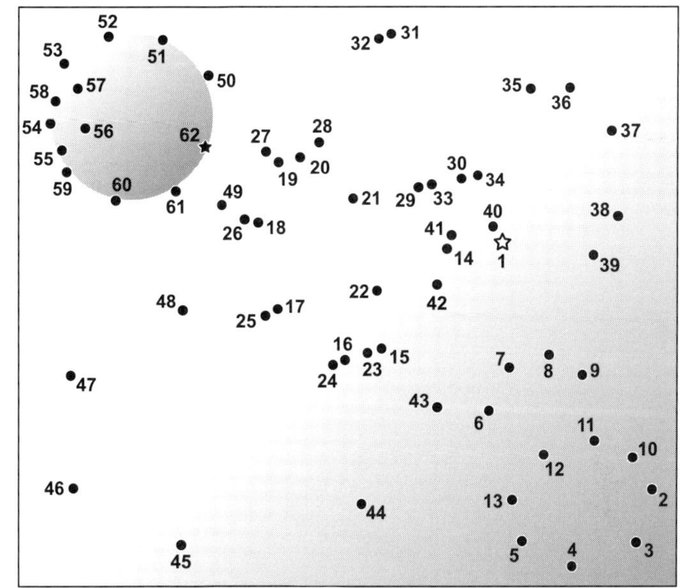

この解答は15ページ

14日目

✎◯月◯日

立方体展開図クイズ

【見本】の展開図を組み立てたときに出来るサイコロとして、正しいものは①～③のうちどれでしょう？

解答

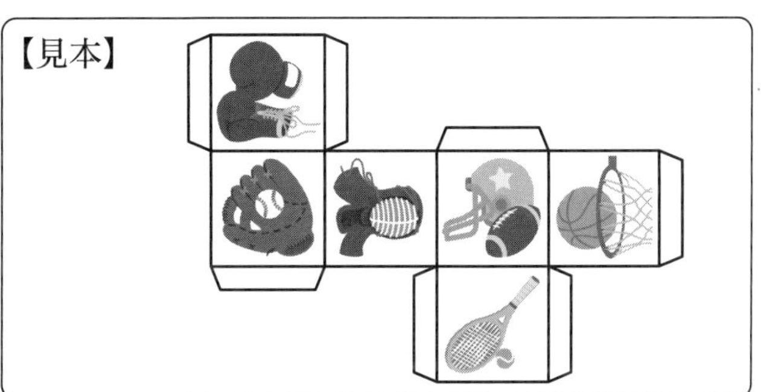

①

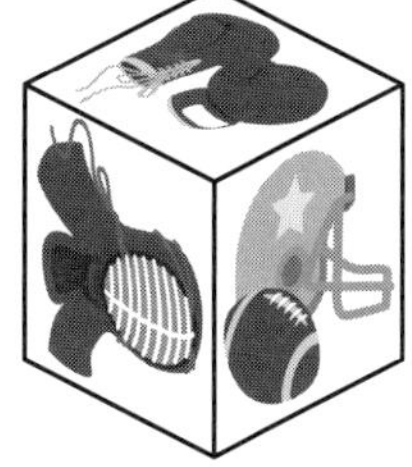

②

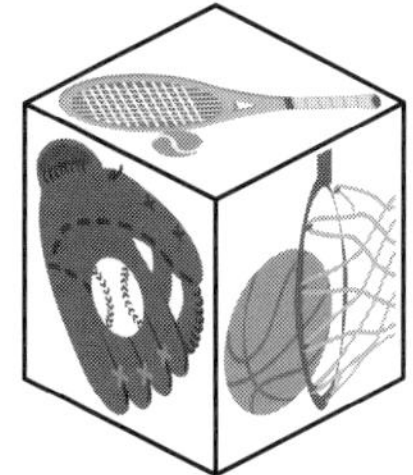

③

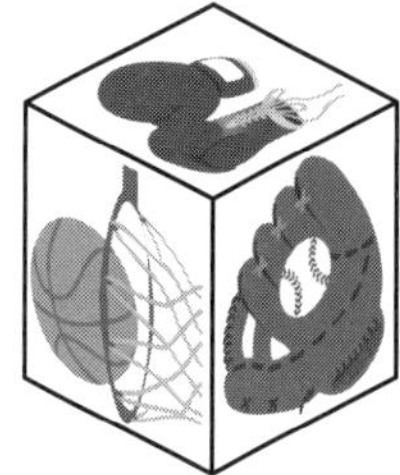

11ページの解答 【9日目】①前代未聞　②電光石火

この解答は16ページ

◯月◯日

同じセットさがし

【見本】と同じ内容のセットを①～③の中から選んでください。

【見本】

この解答は16ページ

16
日目

◯月◯日

足し算迷路

スタートからゴールまで最短距離で進みましょう。通った数字を合計するといくつになるでしょう？

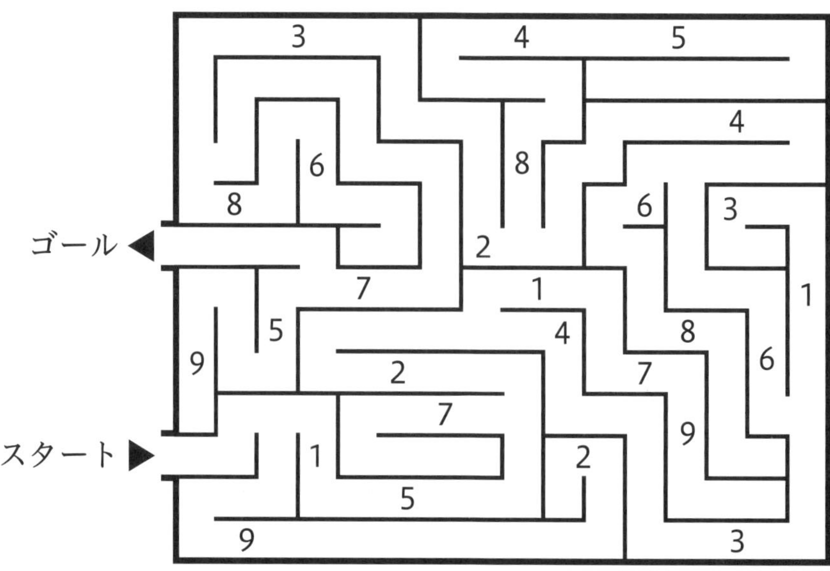

12ページの解答
【11日目】C
【12日目】③

この解答は190ページ

文字アート間違いさがし

文字が集まって出来たイラストがあります。このうちリストの文字以外のものが３つ含まれています。それは何でしょう？

```
　　　　　　　　　　　　　　　　　地地地地地地　　　　球小小小小
　　　　　球　　　　　　　　　　　　　　地地地地　　　球球球球球
　　　球球球球球　　　　型型型型型型型　儀　地地地　　球水小小小
　　　　球球球　　　型型型型型小小小型小小　　地地　　球小小小小
　　　　球　球　　型型型型型小小小小小小小小　地地地　球小小小小
　　球　　　　　　型型型型型型型型小小小小小　　地地　球小小小小
　球球球　　　　型型型型型小小小型型小小小小小　地地　球小小小小
　　球　　　　　小型型型小小小小小小小小小小小　地地　球球球球球
　　　　　　　　小小型型小小小小小小小小小小小　地地
　　　　　　　　小小型型型小小小小小型小小小小　地地
　　　　　　　　小型型型型型小小小小小型堂小小　地地
　　　　　　　　型型型型型型小小小小小型型型小　地地
　　　小小　　　型型型型型小小小小小型型型型型　地地　　　　儀
地　　小小　　　　型型型型小小小小型型型型型　　地地　　　小儀
地球球小小　　　　型型型型小小型型型型型型型　地地地　　　小儀
地球球小小　　　　　型型型型型型型型型型型　　地地　　　　小儀
地球球小小地　地地　　　型型型型型型型　　　地地地　　球球球球
地球球小小地　地地地地　儀　　　　　　　地地地地　　　小小小小
地球球小小地　　池地地地地地地地地地地地地地　　　　　球球球球
地球球小小地　　　　地地地地地地地地地地地　　　　　　球球球球
地球球小小地地　　　　　　　　儀　　　　　　　　　　　球球球球
儀儀儀儀儀儀儀儀儀儀儀儀　地地地地地　儀儀儀儀儀儀儀儀球球球球儀
儀儀儀儀儀儀儀儀儀儀儀　地地地地地地地　儀儀儀儀儀儀儀儀儀儀儀儀
```

リスト

地・球・儀・小・型

解答

この解答は17ページ

18日目

サイコロ回転クイズ

矢印にそってサイコロを転がして進んだとき、最後のマスで一番上になる目の数は？
【ヒント】サイコロは対面の目を足すと7になります。

13ページの解答 【14日目】③

この解答は190ページ

19日目

✎◯月◯日

塗り絵パズル

記号のあるマスを塗りつぶすと、あるイラストが出てきます。それは何でしょう？

解答

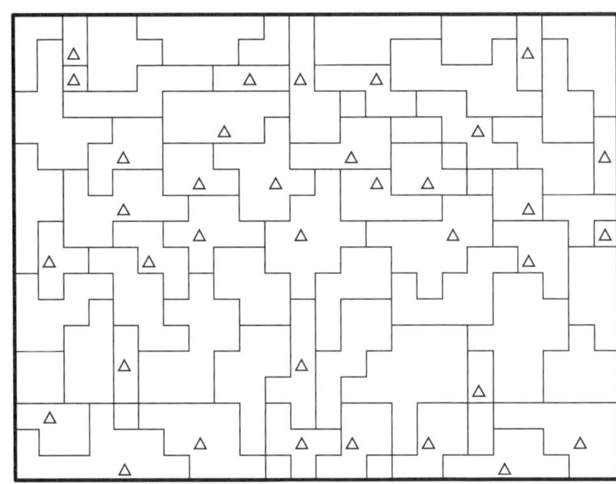

この解答は18ページ

20日目

✎◯月◯日

一筆書き

一筆書きできるか○×で答えましょう。どの線も必ず一度だけ通り、一度ですべての線をなぞります。

①

②

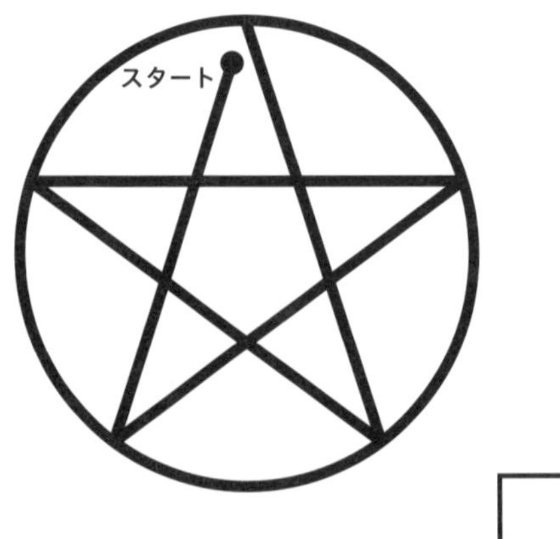

14ページの解答
【15日目】③
【16日目】37

この解答は190ページ

ミニナンプレ

タテ６列、ヨコ６列と、太線で囲まれた６個のブロックにはそれぞれ１～６の数字が必ず一つずつ入ります。すべての空きマスに数字を入れてください。

✎◯月◯日

【例】

5	2	3	6	1	4
1	6	4	2	5	3
4	1	6	3	2	5
3	5	2	4	6	1
2	4	5	1	3	6
6	3	1	5	4	2

3	5	1	6	4	
4	2			5	
	1	3		6	4
6	4		1	2	
	6			3	5
	3	4	2		

この解答は190ページ

かんたんナンプレ

タテ９列、ヨコ９列と、太線で囲まれた９個のブロックにはそれぞれ１～９の数字が必ず一つずつ入ります。すべての空きマスに数字を入れてください。

【例】

2	1	5	3	7	8	9	6	4
7	4	6	2	1	9	5	3	8
3	9	8	6	4	5	2	1	7
5	8	1	7	3	2	4	9	6
9	3	4	5	6	1	8	7	2
6	7	2	8	9	4	3	5	1
1	2	3	4	5	6	7	8	9
4	5	9	1	8	7	6	2	3
8	6	7	9	2	3	1	4	5

	6		2	1	7		9	
4		9	5	6	8	2		1
8	1		9	3	4		6	7
2		5	6	7	1	3		4
3		6	4	2	5	7		9
7	4		3	8	9		2	5
1		7		5		9		6
9		8	7		6	1		3
	5			9			7	

15ページの解答　【18日目】３

この解答は191ページ

23日目

◯月◯日

不等号ナンプレ

タテ列とヨコ列にはマスの個数分の数字が一つずつ入ります。各マスの間の不等号は隣り合ったマスに入る数字の大小をあらわします。すべての空きマスに数字を入れてください。

【例】

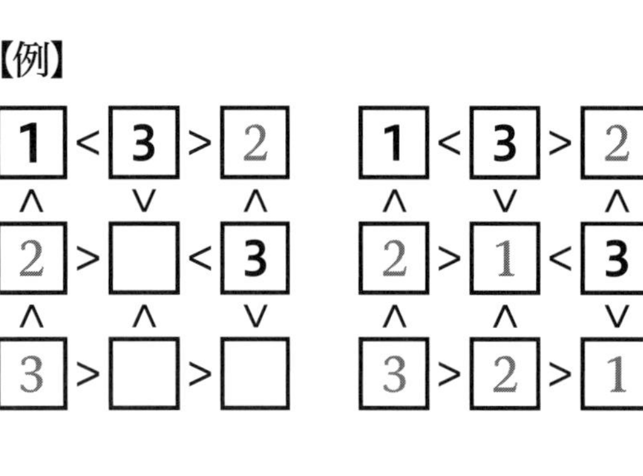

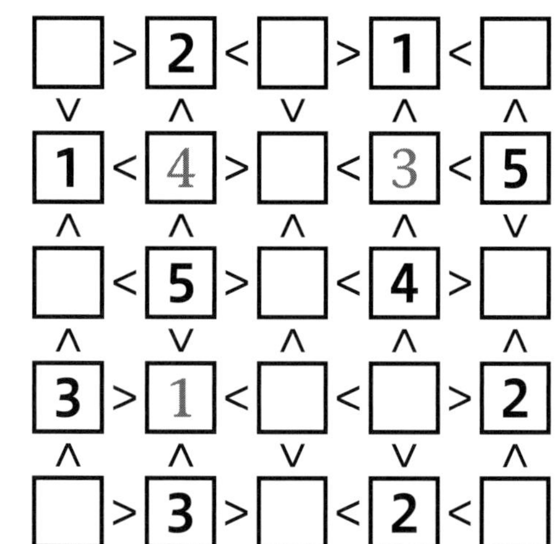

この解答は191ページ

24日目

◯月◯日

イラストつなぎ

同じイラストを線でつないでください。線同士が交差したり、他のイラストの上を通過することはありません。網掛けマスを通るイラストはどれでしょう？

【例】

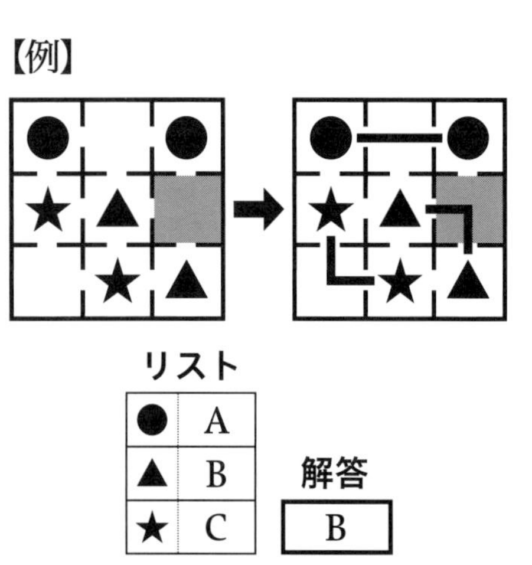

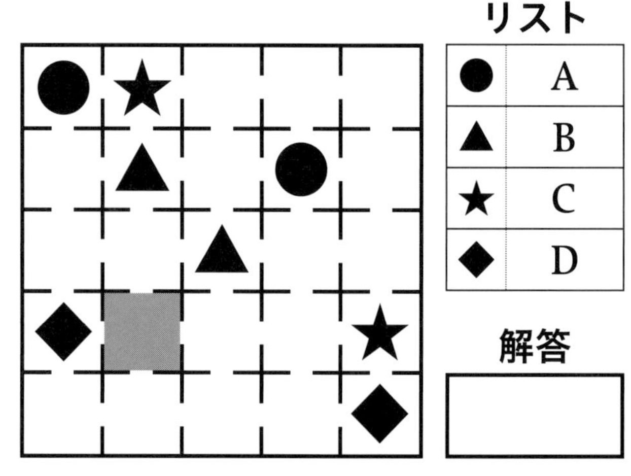

16ページの解答 【20日目】①○　②○

この解答は191ページ

✎○月○日

虫食い算

虫食い穴に数字を入れて、正しい式にしてください。

【例題】

```
  1 □          1 [1]
+   4    ➡   +   4
-----        -----
  □ 5          [1] 5
```

```
   6 □          1 □ 7          2 □ 3 8
+  □ 4       + 3 6 □       + 1 5 4 □
------       --------      ----------
   9 2         □ 1 9         □ 1 □ 0
```

この解答は191ページ

26日目

魔方陣計算クイズ

盤面には1〜16の数字が一つずつ入ります。
タテ・ヨコの各列と、対角線上に並んだ数字の和が34になる数字を書き入れましょう。

【例】

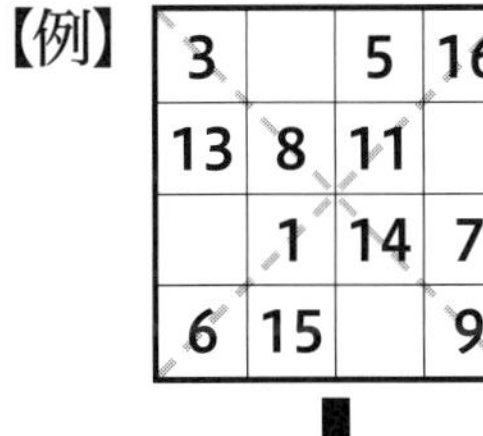

3		5	16
13	8	11	
	1	14	7
6	15		9

⬇

3	10	5	16
13	8	11	2
12	1	14	7
6	15	4	9

①

14		1	15
11	5		10
7		12	6
2	16	13	

②

9	12	6	7
5	8	10	11
		15	14
		3	2

この解答は191ページ

四角に区切ろう

数字とマスの数が同じになるように、盤面を四角（正方形または長方形）に切り分けてください。どの四角にも数字は必ず一つずつ含まれます。

【例】

3			4
		4	
2			
		3	

➡

3			4
		4	
2			
		3	

3			9		
		6			
				2	
	2		3		2
5		4			

この解答は22ページ

28
日目

お釣り枚数クイズ

お釣りの金額と硬貨の枚数を計算してください。ただし、お釣りは一番少ない枚数で返ってくるものとします。

月　日

① **430**円の買い物で**500**円支払うと、

お釣りは［　　　　］円で、硬貨は［　　　　］枚

② **866**円の買い物で**1021**円支払うと、

お釣りは［　　　　］円で、硬貨は［　　　　］枚

③ **1304**円の買い物で**2005**円支払うと、

お釣りは［　　　　］円で、硬貨は［　　　　］枚

この解答は23ページ

29 日目

◯月◯日

アナグラム

文字を並び替えて正しい言葉にしてください。
ヒント：遊び

※記号や読点は使いません。

【例】子(こ)らに「メッ！」→（こらにめっ）→にらめっこ

① 8問目(もんめ)ない！
→（　　　　　　　　）→ ［　　　　　　］

② 枕(まくら)追(お)うシュンジ
→（　　　　　　　　）→ ［　　　　　　］

③ 暖炉(だんろ)、猿(さる)がまだ来(こ)ん
→（　　　　　　　　）→ ［　　　　　　］

この解答は23ページ

30 日目

共通一字

◯の中に共通の１字を入れて言葉を完成させてください（◯の中には長音記号“ー”が入る場合もあります)。【例】れ◯る◯ → れとると

① ◯ て ん ぶ ◯

②

③

④

この解答は24ページ

昭和・平成思いだしクイズ

それぞれの問いに対し、正しい答えをＡＢＣの中から選んでください。

◯月◯日

①昭和34年の、第１回日本レコード大賞大賞受賞曲は？

A こんにちは赤ちゃん　B 天使の誘惑　C 黒い花びら

②昭和40年代のボウリングブームで大活躍した女性プロボウラーは？

A 中山律子　B 樋口久子　C 三屋裕子

③「シェー！」のポーズで知られるイヤミというキャラクターが登場するマンガは？

A パーマン　B マグマ大使　C おそ松くん

④昭和から変わった元号「平成」を発表し、「平成おじさん」と呼ばれた政治家は？

A 村山富市　B 小渕恵三　C 野中広務

この解答は191ページ

32日目

間違いさがし

左右の絵にはよく見ると間違いが５カ所あります。すべて見つけて○で囲みましょう（印刷の汚れやかすれは間違いに入りません）。

20ページの解答　【28日目】①70・3　②155・3　③701・4

この解答は25ページ

33日目

✎ ◯月◯日

円形穴埋め

円の中央にある文字を１文字目、周囲のどれかを２文字目として時計回りに読むと、ある言葉になります。空きマスに入る文字を考え、できる言葉を答えてください。

※大きい「つ」や「や」などは、小さな文字になる場合があります。

【例】

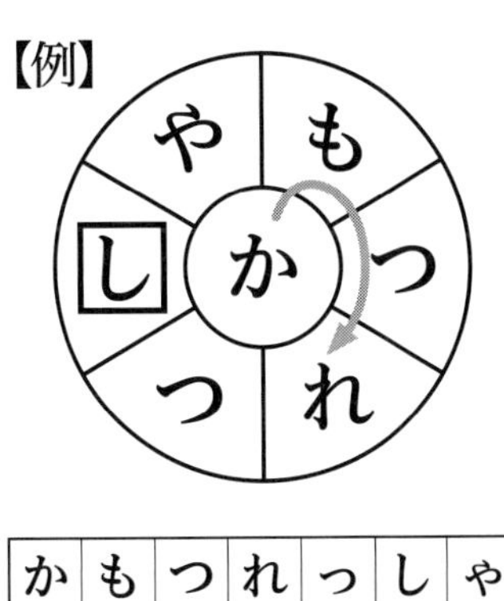

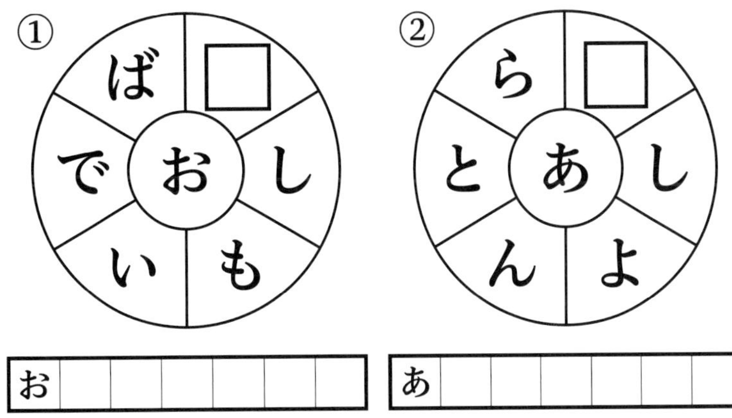

この解答は191ページ

34日目

✎ ◯月◯日

クロスワード

タテのカギ、ヨコのカギをヒントに、クロスワードを解いてください。

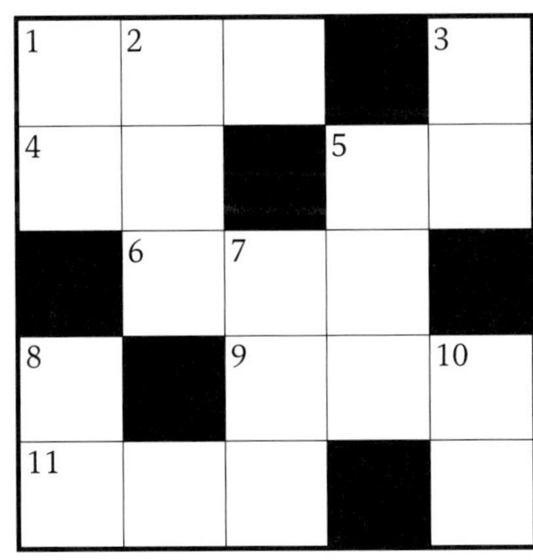

〈タテのカギ〉

①煙突の内側につく真っ黒な汚れ
②「最中」と書く和菓子
③温かい飲み物から立ちのぼる
⑤昼食を食べた後に一眠り
⑦鯛を抱えた、七福神の一人
⑧戦国武将の〇〇信長
⑩かぐや姫が眺めながら涙…

〈ヨコのカギ〉

①力士が土俵で取る
④子どもが公園の〇〇場でお山作り
⑤ヤギのあごに生えている
⑥オタマジャクシが成長した姿
⑨いつもより少し体温が高い状態
⑪男女がペアになって踊る社交〇〇〇

21ページの解答

【29日目】①はないちもんめ　②おしくらまんじゅう　③だるまさんがころんだ【30日目】①ろてんぶろ　②きりぎりす　③かみだのみ　④ぶれすれっと

この解答は191ページ

35日目

✎○月○日

言葉さがし

＜リスト＞の熟語をすべて一直線上に見つけてください。

象	一	大	衆	酒	場
万	止	浴	一	止	盤
羅	林	停	公	張	針
森	番	衆	時	低	羅
酒	浴	一	周	一	出
場	止	波	大	張	本

＜リスト＞

- □ 一時停止
- □ 一張羅
- □ 大一番
- □ 公衆浴場
- □ 出張
- □ 森羅万象
- □ 森林浴
- □ 大衆酒場
- □ 低周波
- □ 波止場
- □ 万一
- □ 羅針盤

この解答は191ページ

36日目

✎○月○日

二字熟語ピースしりとり

スタートから二字熟語のしりとりになるように＜リスト＞のピースをうまくあてはめましょう。熟語は矢印の方向に読み、ピースは向きを変えずそのまま入ります。【例】今日→日記→記憶

スタート 譲 → 考 ↓ 腹 ← 議 ↑

＜リスト＞

- □ 題 目
- □ 金 筋
- □ 歩 調
- □ 整 備
- □ 印 / 籠
- □ 物 / 貨
- □ 察 / 知
- □ 識 / 別

22ページの解答 【31日目】①C ②A ③C ④B

この解答は191ページ

詰めクロス

マス目に<リスト>の漢字を入れて、クロスワードを完成させてください。

◯月◯日

<リスト>

□ 化	□ 植	□ 動
□ 感	□ 水	□ 二
□ 祭	□ 石	□ 物
□ 在	□ 体	□ 変
□ 自	□ 鳥	

この解答は191ページ

38日目

スケルトンパズル

マス目と同じ文字数の熟語を<リスト>から選び、あてはめてください。

◯月◯日

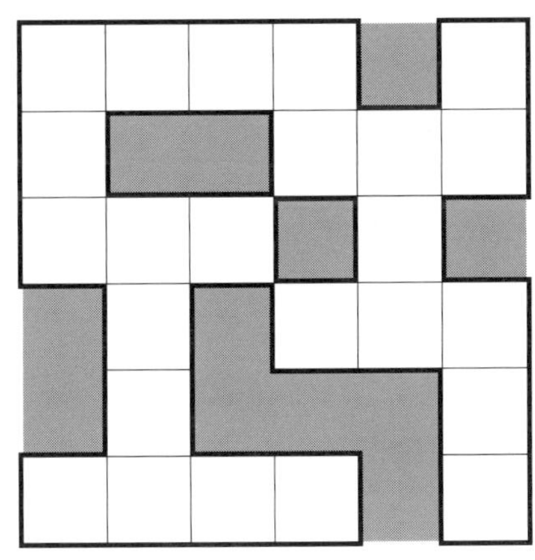

<リスト>

2文字	3文字	4文字
□ 相棒	□ 医学界	□ 学生割引
□ 引用	□ 絵空事	□ 学級文庫
	□ 学校医	□ 車庫証明
	□ 心配顔	
	□ 似顔絵	
	□ 用心棒	

23ページの解答 【33日目】①おもいでばなし　②あとらくしょん

この解答は28ページ

漢字熟語ダイヤモンド

AとBに入れた２つの漢字でできる二字熟語を答えてください。

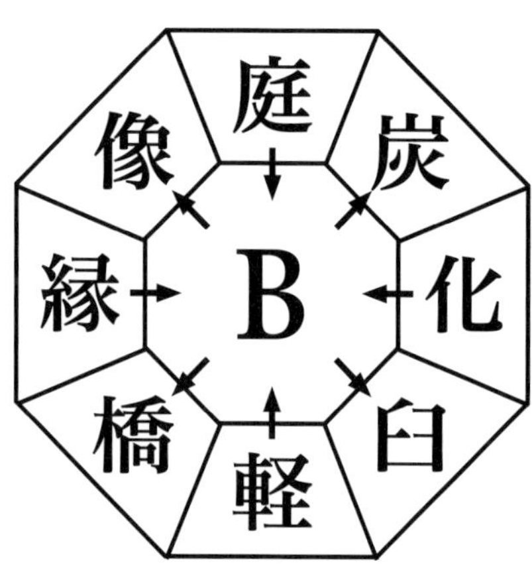

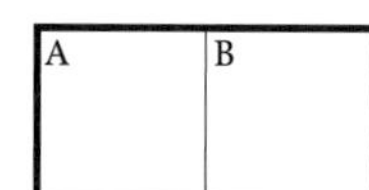

この解答は28ページ

40 日目

漢字パーツ組み立て

バラバラになったパーツを組み合わせて四字熟語を作ってください。

【例】角＋刀＋牛＝解

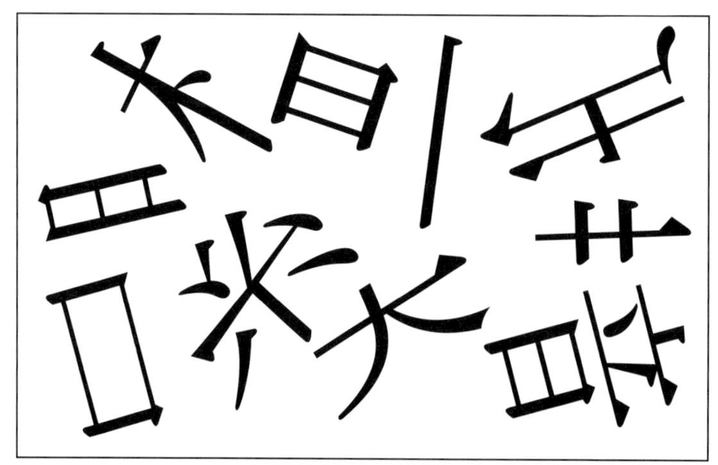

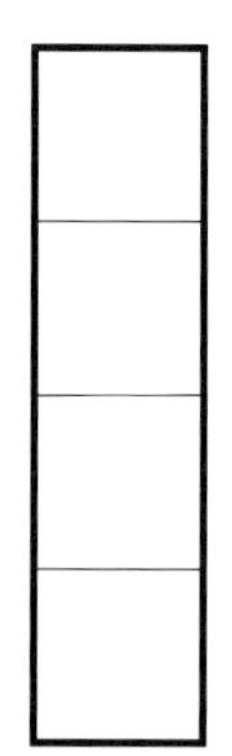

この解答は191ページ

三字熟語リレー

すでに入っている漢字のように＜リスト＞の漢字を空きマスに入れ、三字熟語を作ってください。線でつながれているマスには同じ漢字が入ります。

✎◯月◯日

＜リスト＞

☑	能	☐	千
☐	本	☐	図
☐	楽	☐	鳩
☐	書	☐	家

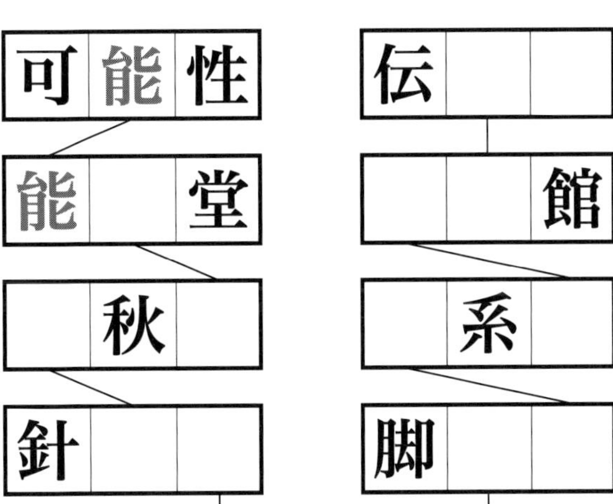

この解答は29ページ

42
日目

四字熟語合体パズル

四字熟語の隠れた部分を推理して、①と②の四字熟語を答えてください。

✎◯月◯日

①

②

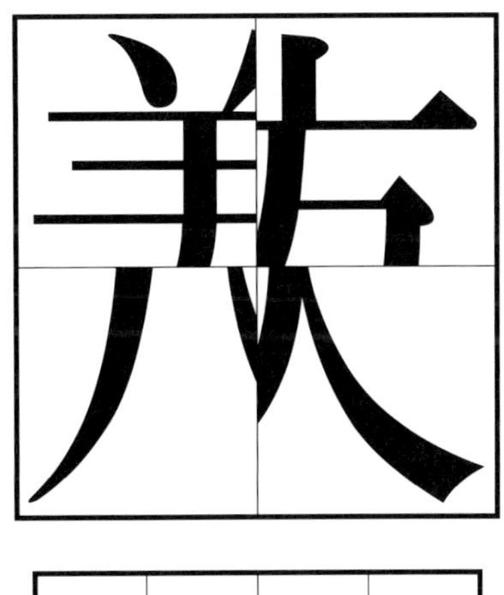

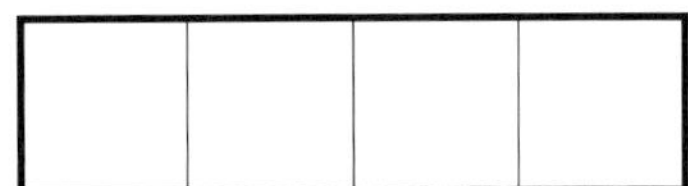

この解答は192ページ

ブロック分割パズル

＜リスト＞の熟語をマス目から探し出し、ブロックに分割してください。

※タテまたはヨコにつながるように区切ります。

新	型	大	千	人	力
人	五	十	鳥	百	十
物	品	歩	百	歩	人
面	目	人	力	色	十
百	一	新	車	大	入
面	相	試	入	学	記

＜リスト＞

2文字
- □ 記入
- □ 品物
- □ 千鳥

3文字
- □ 人力車
- □ 百人力
- □ 百面相

4文字
- □ 大型新人
- □ 十人十色
- □ 大学入試
- □ 面目一新

5文字
- □ 五十歩百歩

この解答は30ページ

44日目

キューブ問題

矢印の方向からどう見えるか、ＡＢＣの中から答えてください。

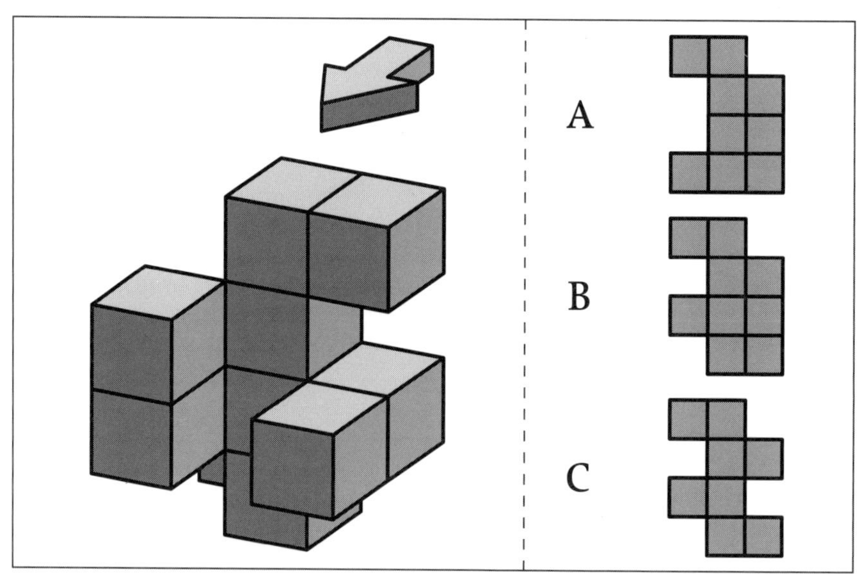

26ページの解答 【39日目】 A宝 B石 【40日目】暗中模索

この解答は31ページ

カード推理

表と裏にイラストが描かれたカードを５枚、【見本】のように重ねて置きました。これを裏返して見た時に正しいものは、①〜③のうちどれでしょう？

◯月◯日

解答

①

②

③

この解答は192ページ

46
日目

点つなぎ

☆から★まで番号順に点をつないだ時、あらわれる絵を答えてください。

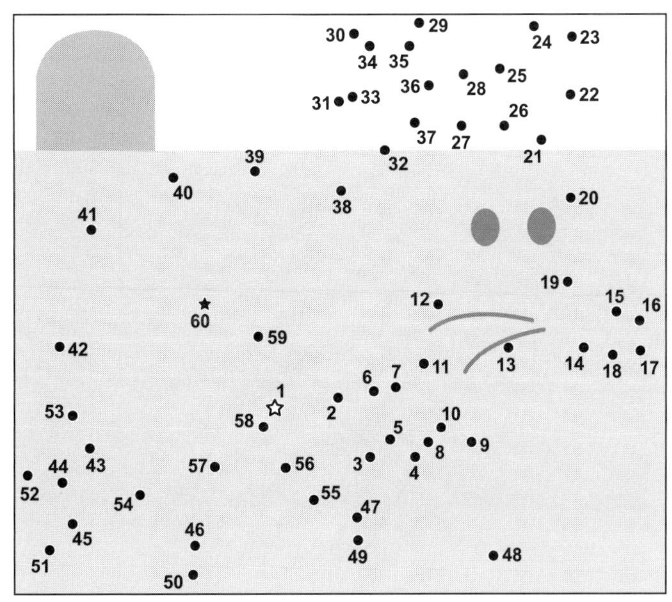

27ページの解答 【42日目】①急転直下　②八方美人

この解答は32ページ

47 日目

立方体展開図クイズ

【見本】の展開図を組み立てたときに出来るサイコロとして、正しいものは①～③のうちどれでしょう？

解答

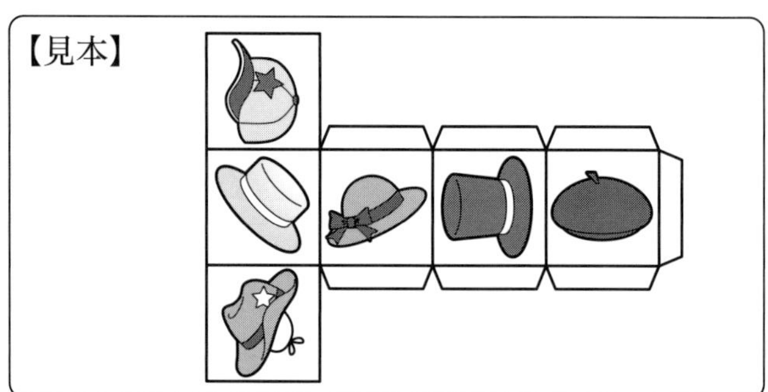

①
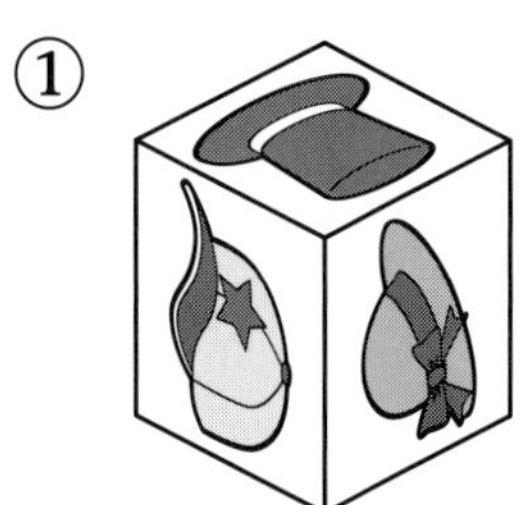

②
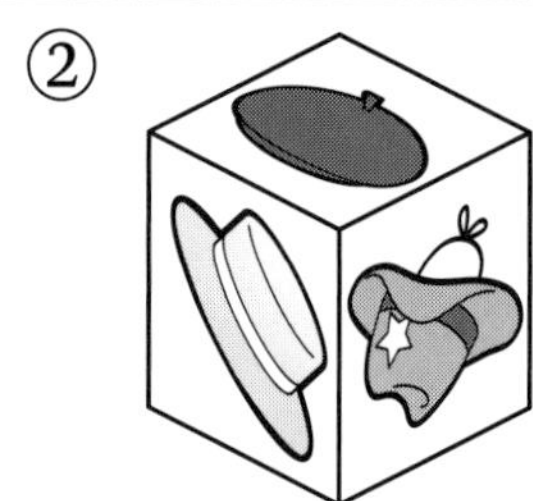

③
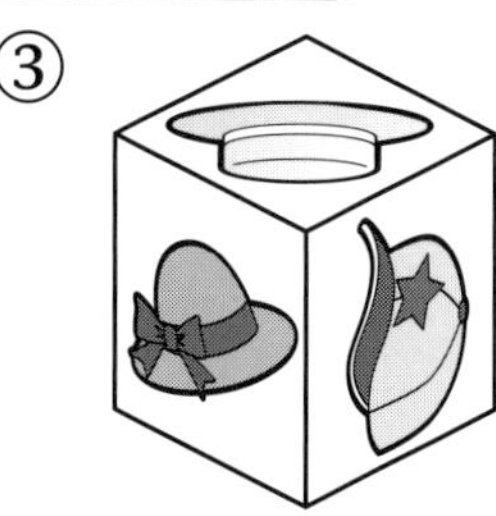

この解答は32ページ

48 日目

月 日

同じセットさがし

【見本】と同じ内容のセットを①～③の中から選んでください。

【見本】

①
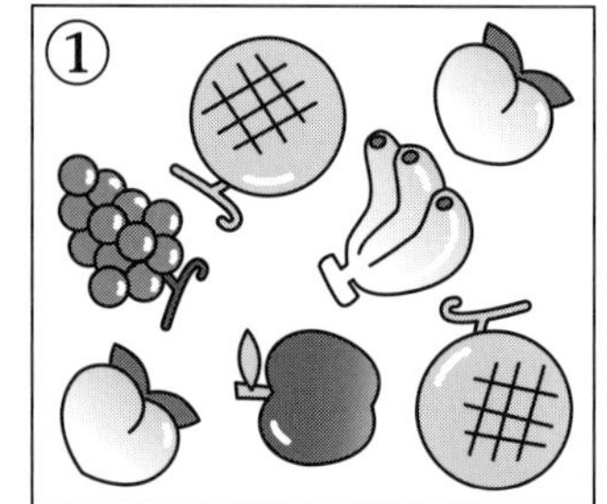

②

③

28ページの解答　【44日目】 B

この解答は33ページ

足し算迷路

スタートからゴールまで最短距離で進みましょう。通った数字を合計するといくつになるでしょう？

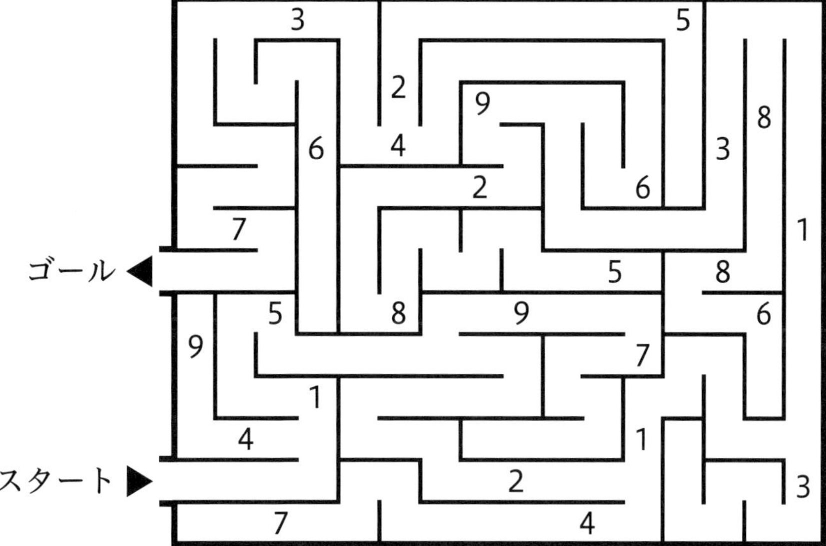

この解答は192ページ

文字アート間違いさがし

文字が集まって出来たイラストがあります。このうちリストの文字以外のものが３つ含まれています。それは何でしょう？

リスト

達・磨・縁・起・目

```
　　　　　　　　　　　　　　　　　　　　　　　目　　　　　　縁縁
　　　　　　　　達達起起起起起起起起起起　　目目目　　　　縁縁縁
　　　　　　達達達起起起起起起起起起起起起　　目　　　　縁縁縁
　目　　　遠達達達磨磨　　　　　　　　磨磨起　　　　磨磨縁縁
　目　　達達達達　磨磨磨　　磨　磨　磨磨磨起　　　磨磨　磨
目目目　達達達　　　磨磨磨磨磨　磨磨磨磨　起起　　磨　　磨
　目　　達達　　磨磨　　磨磨　　　磨　　磨磨起　　縁縁縁縁
　目　達達達　　磨　縁縁　磨　　磨　縁縁　磨起　　縁縁縁
　　　達達達　　磨　縁縁　磨　　磨　縁縁　磨起　縁縁縁
　　　達達達　　磨磨　　磨磨　　磨磨　　磨磨起
　　達達達達　磨　磨磨磨磨　　　　磨磨磨磨　起　　　縁
　　達達達達　磨磨　　　　達達達達　　　　磨起　　　線縁
　　達達達達達　磨磨　磨磨達　　達磨磨　磨磨起起　　縁縁
　　達達達達達達達　磨磨　　　　　　磨磨　起起起起
　　達達達達達達　起起起起起起起起起起起起起　起起
　　達達達達達　達　　起起　起起　　　起　　起　起
　　達達達達達　達　　起　　　起　起　起　　起　起　　　目目目
　　達達達達達　達　起起起起　起　　　起起　起　起　　　目目目
　　達達達達達　達　起起起　起起起　起起起　起起起　縁縁縁縁縁縁
　　　達達達達　達　起起　　　起　起　起起　起起起　縁　縁縁縁縁
目目目達達達達達達達　起起　起起　赴　起　起起達目目縁　縁縁縁縁
目目目目達達達達達達達起起起起起起起起起起達達目目目縁縁縁縁縁縁
目目目目目目目目達達達達達達達達達達達達達達目目目目目目目目目目
```

解答

この解答は34ページ

サイコロ回転クイズ

矢印にそってサイコロを転がして進んだとき、最後のマスで一番上になる目の数は？

【ヒント】サイコロは対面の目を足すと7になります。

この解答は192ページ

52日目

◯月◯日

塗り絵パズル

記号のあるマスを塗りつぶすと、あるイラストが出てきます。それは何でしょう？

解答

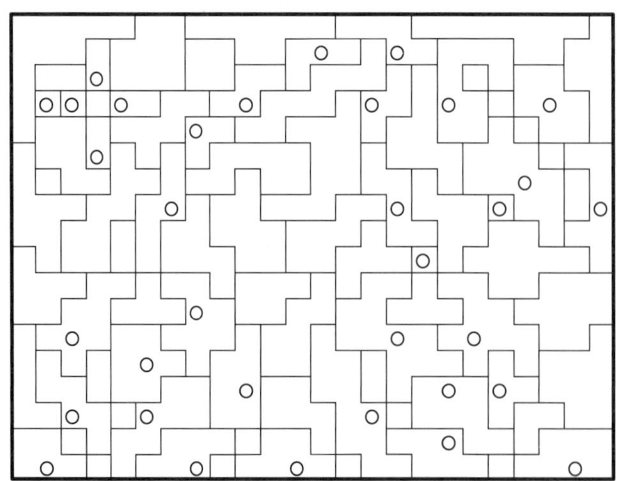

30ページの解答

【47日目】①

【48日目】②

この解答は35ページ

一筆書き

一筆書きできるか○×で答えましょう。どの線も必ず一度だけ通り、一度ですべての線をなぞります。

①

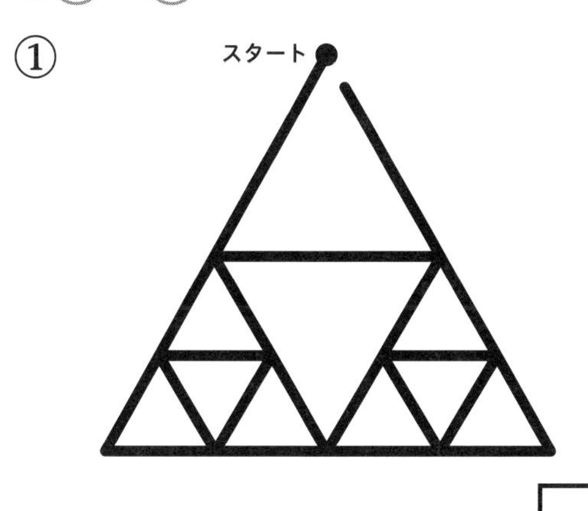

②

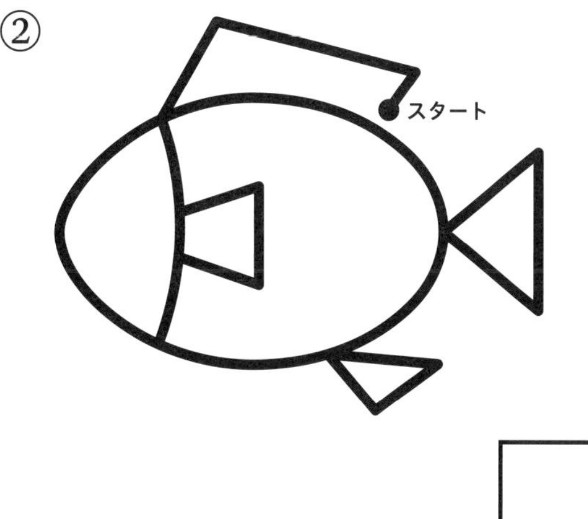

この解答は192ページ

ミニナンプレ

タテ６列、ヨコ６列と、太線で囲まれた６個のブロックにはそれぞれ１～６の数字が必ず一つずつ入ります。
すべての空きマスに数字を入れてください。

○月○日

4	1			5	3
	3	5	6	4	
		2	3		
6	4			1	2
3		1	4		5
	2			3	

この解答は192ページ

かんたんナンプレ

タテ９列、ヨコ９列と、太線で囲まれた９個のブロックにはそれぞれ１～９の数字が必ず一つずつ入ります。すべての空きマスに数字を入れてください。

2	7		1		4		3	6
4		6	2	3	5	7		9
	3			6		8	2	
	2	4		5				7
3	1	8	9		6	4	5	2
5				4		1	6	
	4	2		1			7	
7		1	4	9	3	2		5
8	5		6		7		4	1

この解答は192ページ

56
日目

✎◯月◯日

不等号ナンプレ

タテ列とヨコ列にはマスの個数分の数字が一つずつ入ります。各マスの間の不等号は隣り合ったマスに入る数字の大小をあらわします。すべての空きマスに数字を入れてください。

□	<	3	>	1	<	4	<	□
∧		∨		∧		∨		∨
4	>	□	<	□	>	□	<	3
∨		∧		∨		∨		∧
□	<	□	>	□	>	□	<	□
∧		∨		∧		∧		∨
5	>	□	<	4	>	□	>	1
∨		∧		∨		∧		∧
□	<	4	>	□	<	5	>	□

32ページの解答　【51日目】 4

この解答は192ページ

イラストつなぎ

同じイラストを線でつないでください。線同士が交差したり、他のイラストの上を通過することはありません。網掛けマスを通るイラストはどれでしょう？

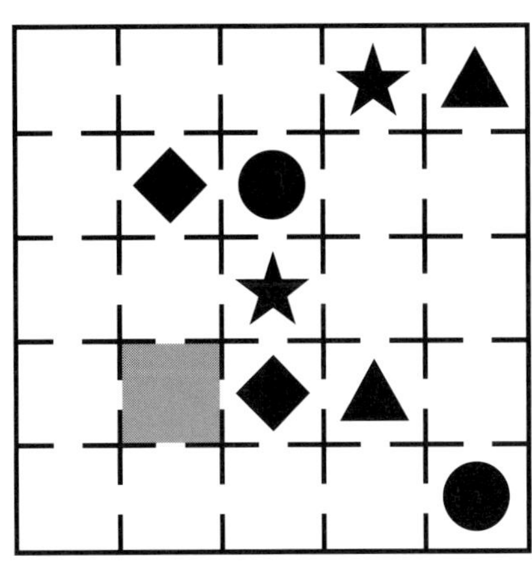

リスト

●	A
▲	B
★	C
◆	D

解答

この解答は192ページ

虫食い算

虫食い穴に数字を入れて、正しい式にしてください。

$$\begin{array}{r} 5\ \square \\ -\ 2\ 4 \\ \hline \square\ 5 \end{array} \qquad \begin{array}{r} 3\ \square\ 6 \\ +\ \square\ 1\ 4 \\ \hline 1\ 0\ 2\ \square \end{array} \qquad \begin{array}{r} 6\ \square\ \square\ 9 \\ +\ \square\ 2\ 1\ 5 \\ \hline \square\ 2\ 6\ 5\ \square \end{array}$$

この解答は192ページ

59日目

魔方陣計算クイズ

盤面には1～16の数字が一つずつ入ります。
タテ・ヨコの各列と、対角線上に並んだ数字の和が34になる数字を書き入れましょう。

①

1	15		4
	10	11	5
12		7	9
13	3		16

②

12	3	6	13
		4	11
		15	8
7	16	9	2

この解答は192ページ

60日目

四角に区切ろう

数字とマスの数が同じになるように、盤面を四角（正方形または長方形）に切り分けてください。どの四角にも数字は必ず一つずつ含まれます。

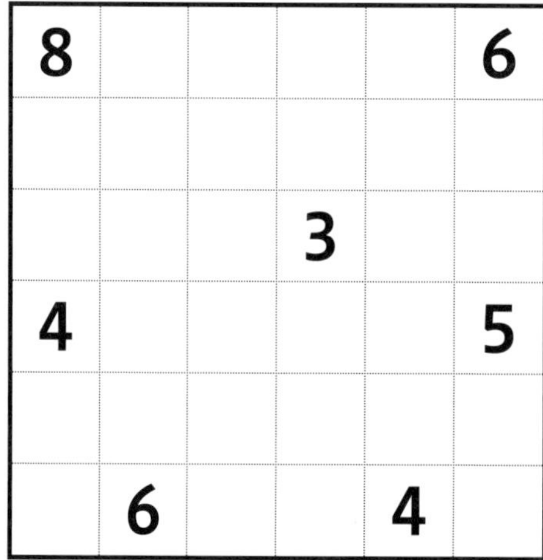

この解答は39ページ

お釣り枚数クイズ

お釣りの金額と硬貨の枚数を計算してください。
ただし、お釣りは一番少ない枚数で返ってくるものとします。

✎◯月◯日

① **1020** 円の買い物で **1050** 円支払うと、

お釣りは［　　　　］円で、硬貨は［　　　　］枚

② **272** 円の買い物で **500** 円支払うと、

お釣りは［　　　　］円で、硬貨は［　　　　］枚

③ **888** 円の買い物で **1000** 円支払うと、

お釣りは［　　　　］円で、硬貨は［　　　　］枚

この解答は39ページ

62 日目

アナグラム

文字を並び替えて正しい言葉にしてください。
ヒント：おとぎ話

※記号や読点は使いません。

✎◯月◯日

【例】子(こ)らに「メッ！」→（こらにめっ）→にらめっこ

① ギョ！　麺(めん)に火(ひ)！
→（　　　　　　　　）→［　　　　］

② オルガン室(しつ)の絵(え)
→（　　　　　　　　）→［　　　　］

③ クイーンのお面(めん)がブレた
→（　　　　　　　　）→［　　　　］

この解答は40ページ

63日目

共通一字

○の中に共通の１字を入れて言葉を完成させてください（○の中には長音記号“ー”が入る場合もあります）。【例】れ○る○ → れとると

① め ろ ○ ぱ ○

② き ○ ぼ ○ ど

③ ○ で ず も ○

④ ○ へ い ○ ま ん

この解答は40ページ

64日目

○月○日

昭和・平成思いだしクイズ

それぞれの問いに対し、正しい答えをＡＢＣの中から選んでください。

①元祖三人娘と呼ばれたのは、美空ひばり、江利チエミと誰？

A 園まり　B 雪村いづみ　C 松山恵子 □

②大橋巨泉が司会者だった番組は？

A お笑いマンガ道場　B 連想ゲーム　C お笑い頭の体操 □

③昭和31年頃の太陽族ブームの際に流行した髪型は？

A 裕次郎刈り　B 慎太郎刈り　C 幸二郎刈り □

④平成12年に発行された二千円紙幣の表の図柄は？

A 守礼門　B 姫路城　C 平等院 □

この解答は192ページ

間違いさがし

左右の絵にはよく見ると間違いが５カ所あります。すべて見つけて○で囲みましょう（印刷の汚れやかすれは間違いに入りません）。

○月○日

この解答は41ページ

円形穴埋め

円の中央にある文字を１文字目、周囲のどれかを２文字目として時計回りに読むと、ある言葉になります。空きマスに入る文字を考え、できる言葉を答えてください。

※大きい「つ」や「や」などは、小さな文字になる場合があります。

○月○日

①

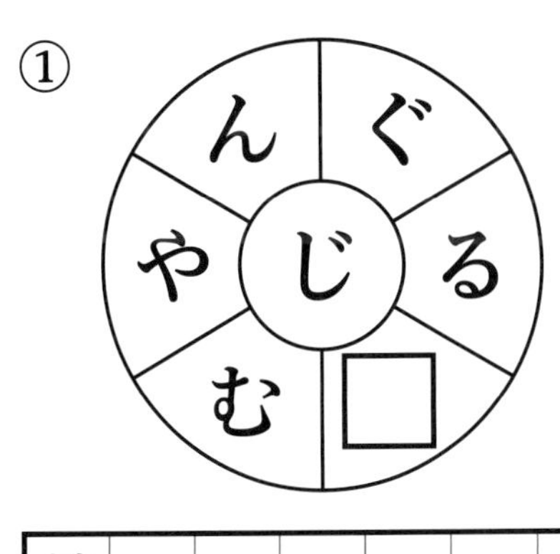

じ						

②

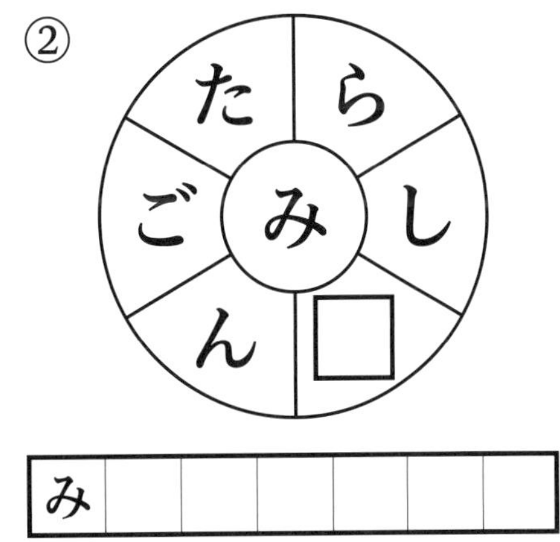

み						

37ページの解答
【61日目】①30・3　②228・8　③112・4
【62日目】①人魚姫　②鶴の恩返し　③ブレーメンの音楽隊

この解答は193ページ

67日目

クロスワード

タテのカギ、ヨコのカギをヒントに、クロスワードを解いてください。

〈タテのカギ〉

②使い古した○○○はぬって雑巾に
③アイロンでのばす
④照りを出すのに使う調味料
⑥源頼朝が幕府を開いた場所
⑦担任の先生が受け持つ
⑨アルファベットでＺの前

〈ヨコのカギ〉

①ぬいぐるみに詰まっている
③普通の洗濯では落ちにくい汚れ？
⑤空になった茶碗を出して「もう一杯！」
⑦若葉マークの人が緊張しながら運転
⑧田畑を耕すのに使う農具
⑩ボウリングで、第一投で全部のピンを倒すこと

この解答は193ページ

68日目

言葉さがし

＜リスト＞の熟語をすべて一直線上に見つけてください。

日	本	食	昔	品	用
会	料	理	質	気	当
品	計	管	料	用	質
昔	理	学	日	席	計
気	用	記	定	念	会
品	本	指	理	食	記

＜リスト＞

- □ 会計学
- □ 会食
- □ 会席料理
- □ 学用品
- □ 記念日
- □ 指定席
- □ 食料品
- □ 当用日記
- □ 日本食
- □ 品質管理
- □ 本気
- □ 昔気質

38ページの解答
【63日目】①めろんぱん　②きーぼーど　③うでずもう　④ふへいふまん
【64日目】①B　②C　③B　④A

この解答は193ページ

✎◯月◯日

二字熟語ピースしりとり

スタートから二字熟語のしりとりになるように＜リスト＞のピースをうまくあてはめましょう。熟語は矢印の方向に読み、ピースは向きを変えずそのまま入ります。【例】今日→日記→記憶

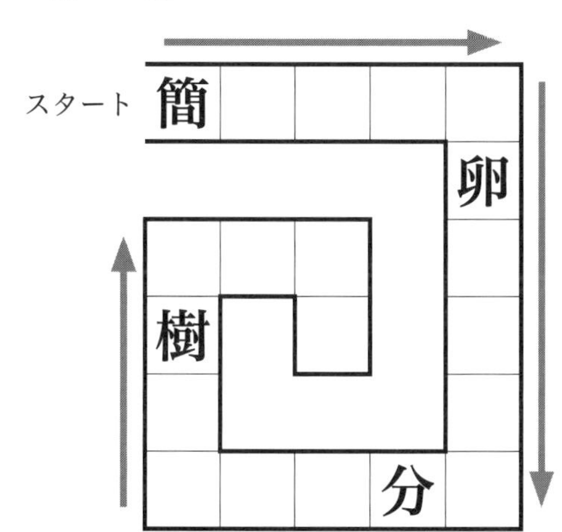

＜リスト＞

□ 団布
□ 脂質
□ 特産
□ 単独
□ 果結
□ 黄砂
□ 岩塩
□ 感銘

この解答は193ページ

70
日目

✎◯月◯日

詰めクロス

マス目に＜リスト＞の漢字を入れて、クロスワードを完成させてください。

＜リスト＞

□ 下	□ 自	□ 昼
□ 化	□ 識	□ 標
□ 家	□ 消	□ 夜
□ 楽	□ 水	□ 路
□ 行	□ 素	

	■			酵	
	勤	■	粧	■	足
兼	■			道	■
		地	■		肩
■	天	■	目		■
		製	■		別

この解答は193ページ

スケルトンパズル

マス目と同じ文字数の熟語を＜リスト＞から選び、あてはめてください。

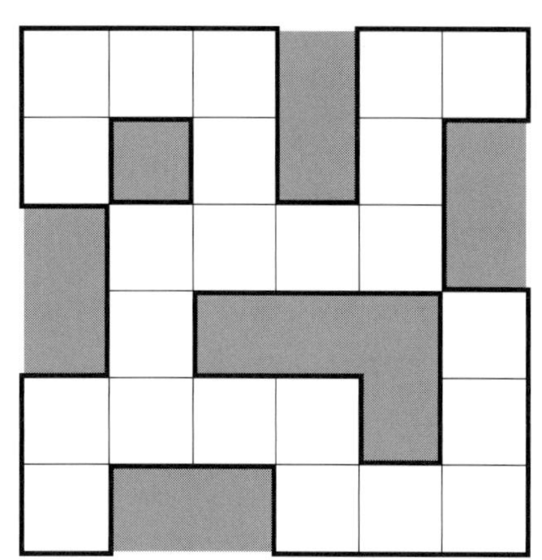

＜リスト＞

2文字	3文字	4文字
□ 弓道	□ 栗金団	□ 吹奏楽団
□ 三脚	□ 月曜日	□ 三日月形
□ 団栗	□ 座布団	
□ 吹雪	□ 三角形	
	□ 三重奏	
	□ 弓張月	

この解答は44ページ

72
日目

漢字熟語ダイヤモンド

AとBに入れた2つの漢字でできる二字熟語を答えてください。

月
日

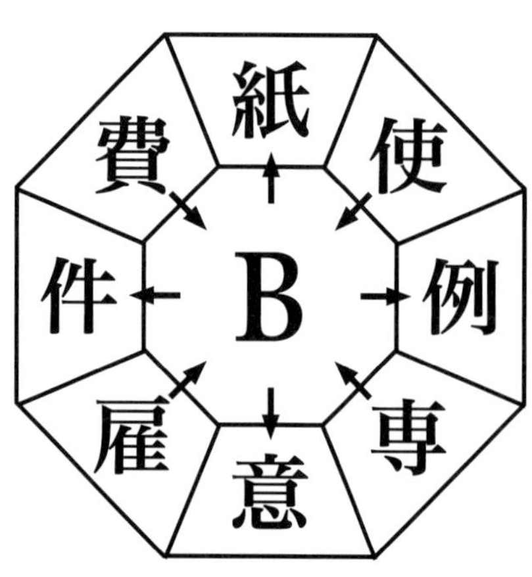

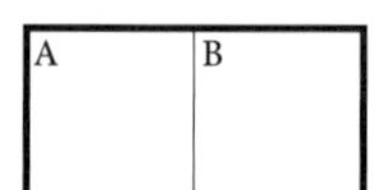

この解答は45ページ

漢字パーツ組み立て

バラバラになったパーツを組み合わせて四字熟語を作ってください。
【例】角＋刀＋牛＝解

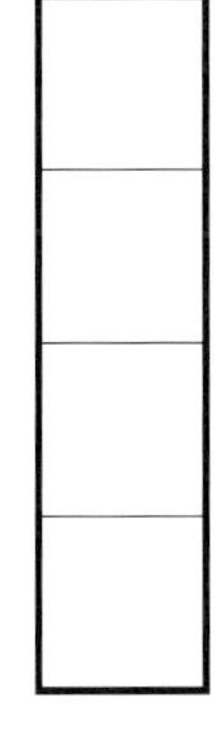

この解答は193ページ

74
日目

月　日

三字熟語リレー

すでに入っている漢字のように＜リスト＞の漢字を空きマスに入れ、三字熟語を作ってください。線でつながれているマスには同じ漢字が入ります。

＜リスト＞

☑ 影　☐ 風
☐ 税　☐ 御
☐ 物　☐ 店
☐ 所　☐ 間

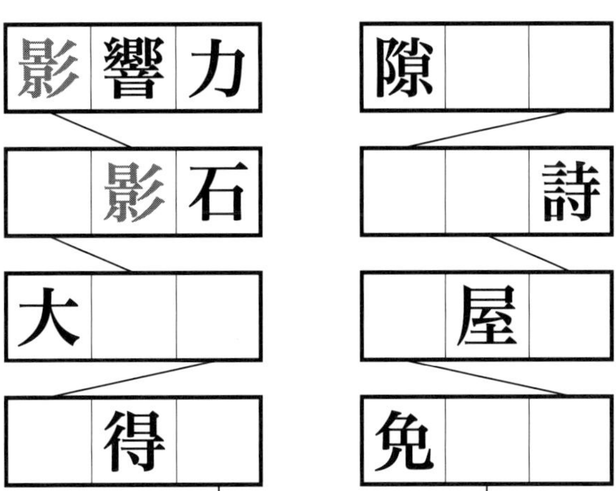

この解答は46ページ

75日目

✎◯月◯日

四字熟語合体パズル

四字熟語の隠れた部分を推理して、①と②の四字熟語を答えてください。

①

②

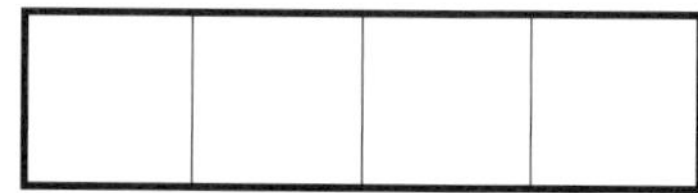

この解答は193ページ

76日目

✎◯月◯日

ブロック分割パズル

＜リスト＞の熟語をマス目から探し出し、ブロックに分割してください。

※タテまたはヨコにつながるように区切ります。

和	見	主	主	関	白
日	空	義	亭	心	理
義	青	日	手	紙	学
理	人	白	天	青	人
心	情	手	平	和	生
関	無	相	見	談	相

＜リスト＞

2文字

- □ 青空
- □ 手紙
- □ 平和

3文字

- □ 心理学
- □ 手相見
- □ 無関心

4文字

- □ 義理人情
- □ 人生相談
- □ 青天白日
- □ 亭主関白

5文字

- □ 日和見主義

42ページの解答 【72日目】

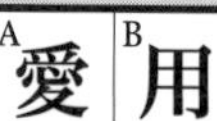

この解答は47ページ

キューブ問題

何個のブロックで出来ているか答えてください。

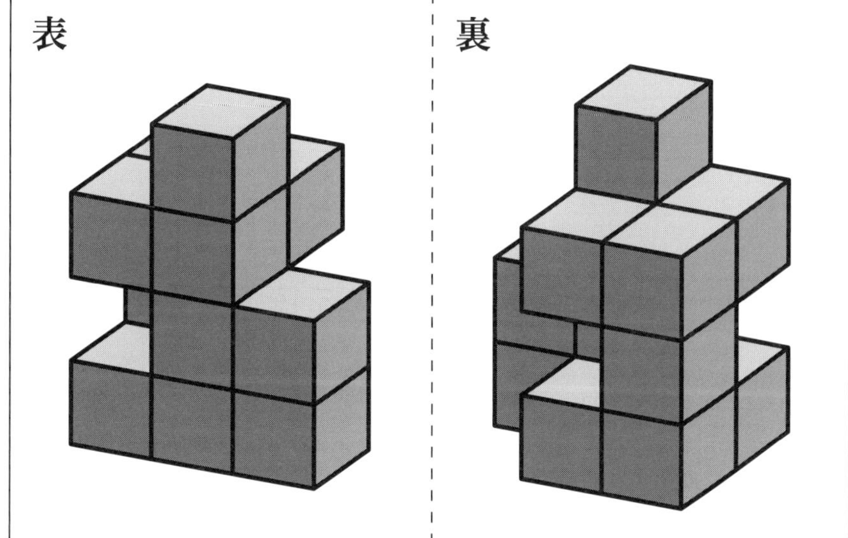

【例題】

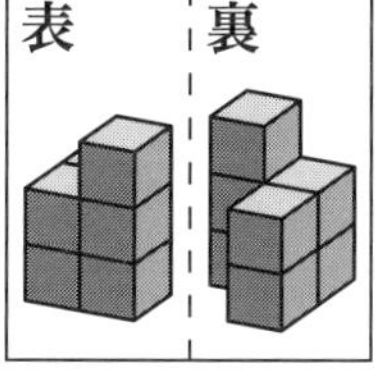

解答：7個

この解答は47ページ

78
日目

カード推理

表と裏にイラストが描かれたカードを5枚、【見本】のように重ねて置きました。これを裏返して見た時に正しいものは、①〜③のうちどれでしょう？

◯月◯日

解答

【裏】　【表】

【見本】

①

②

③

この解答は193ページ

点つなぎ

☆から★まで番号順に点をつないだ時、あらわれる絵を答えてください。

✎◯月◯日

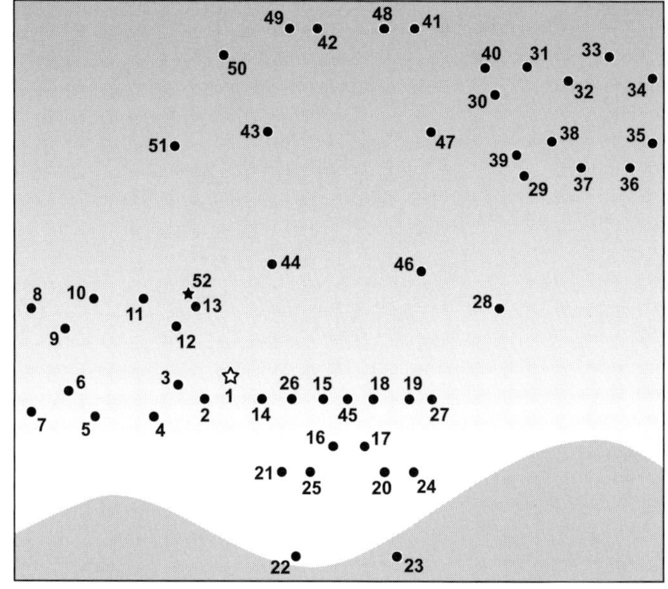

この解答は48ページ

80日目

立方体展開図クイズ

【見本】の展開図を組み立てたときに出来るサイコロとして、正しいものは①～③のうちどれでしょう？

解答

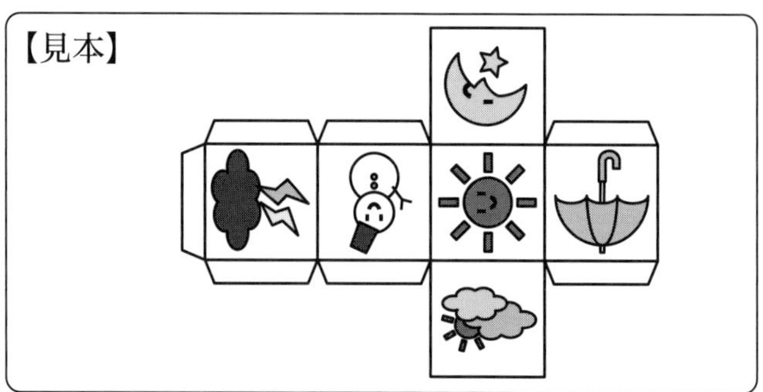

①

②
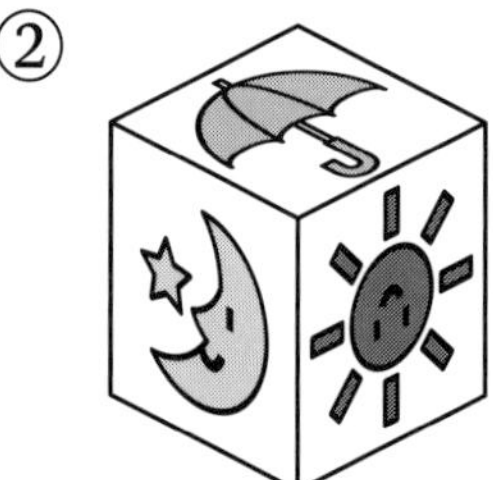

③

44ページの解答 【75日目】①用意周到　②日進月歩

この解答は49ページ

✎○月○日

同じセットさがし

【見本】と同じ内容のセットを①～③の中から選んでください。

【見本】

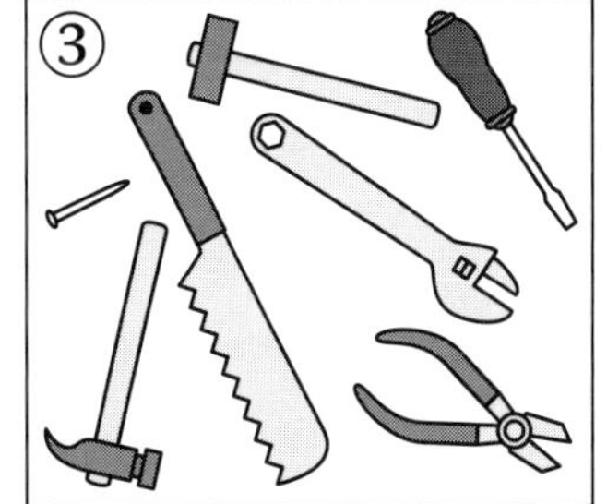

この解答は49ページ

82
日目

✎○月○日

足し算迷路

スタートからゴールまで最短距離で進みましょう。通った数字を合計するといくつになるでしょう？

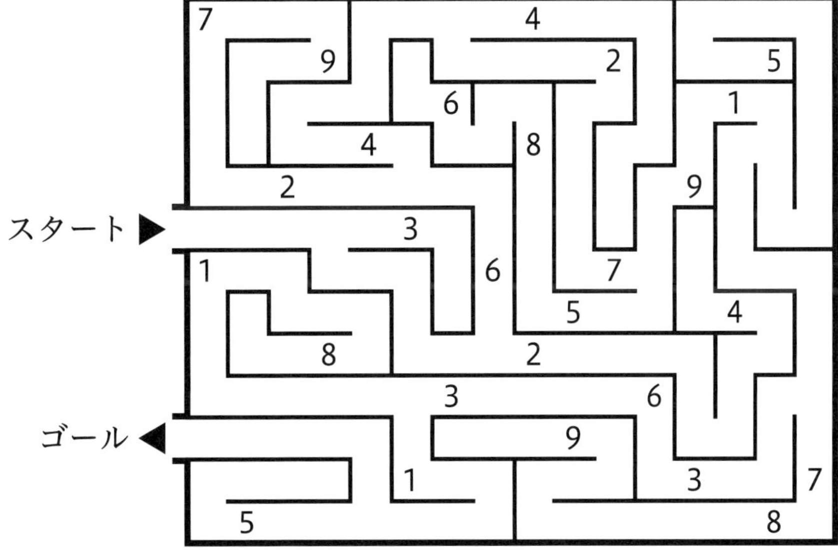

45ページの解答
【77日目】13個
【78日目】③

この解答は193ページ

文字アート間違いさがし

文字が集まって出来たイラストがあります。このうちリストの文字以外のものが3つ含まれています。それは何でしょう？

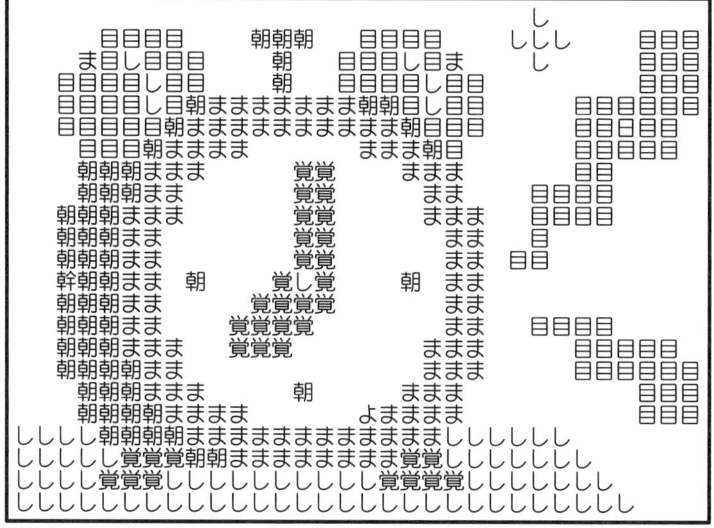

リスト

目・覚・ま・し・朝

解答

この解答は50ページ

サイコロ回転クイズ

矢印にそってサイコロを転がして進んだとき、最後のマスで一番上になる目の数は？
【ヒント】サイコロは対面の目を足すと7になります。

46ページの解答　【80日目】①

この解答は193ページ

◯月◯日

塗り絵パズル

記号のあるマスを塗りつぶすと、あるイラストが出てきます。それは何でしょう？

解答

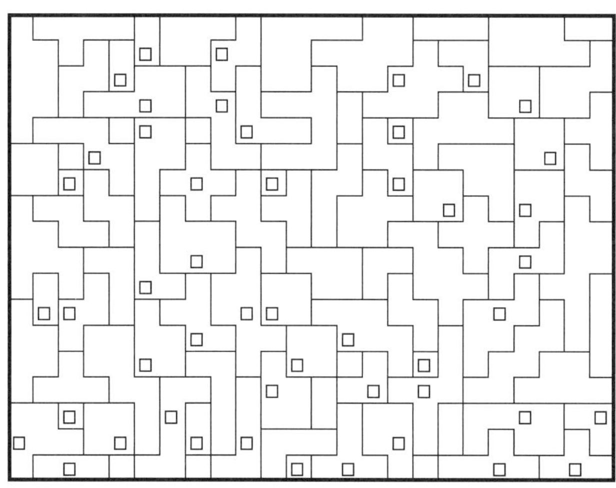

この解答は51ページ

86日目

◯月◯日

一筆書き

一筆書きできるか○×で答えましょう。どの線も必ず一度だけ通り、一度ですべての線をなぞります。

①

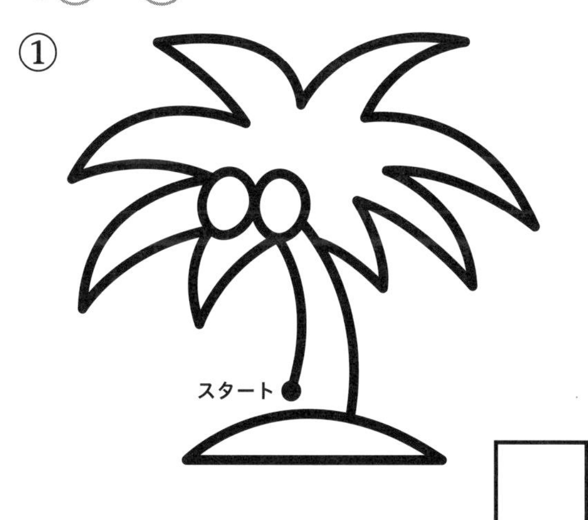

②

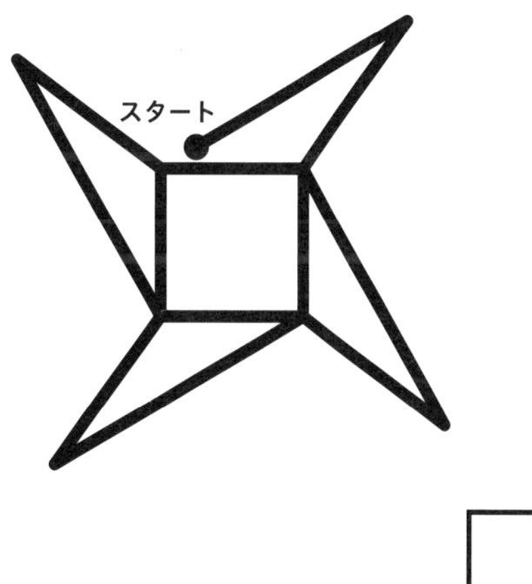

47ページの解答
【81日目】③
【82日目】42

この解答は193ページ

87日目

✎◯月◯日

ミニナンプレ

タテ６列、ヨコ６列と、太線で囲まれた６個のブロックにはそれぞれ１～６の数字が必ず一つずつ入ります。
すべての空きマスに数字を入れてください。

	2	5		3	4
4	6		5	2	
		6			5
2			1		
	3	1		5	2
5	4		3	1	

この解答は193ページ

88日目

✎◯月◯日

かんたんナンプレ

タテ９列、ヨコ９列と、太線で囲まれた９個のブロックにはそれぞれ１～９の数字が必ず一つずつ入ります。すべての空きマスに数字を入れてください。

4			2		7			8
	6			1			5	
2		8	4		3	7		1
	3	9		8		2	4	
5	4		7	9	2		1	3
	1	2		3		6	9	
9	8	4	3		1	5	7	6
	7	3		4		1	2	
1	2		6	7	9		8	4

48ページの解答　【84日目】１

この解答は194ページ

不等号ナンプレ

タテ列とヨコ列にはマスの個数分の数字が一つずつ入ります。各マスの間の不等号は隣り合ったマスに入る数字の大小をあらわします。すべての空きマスに数字を入れてください。

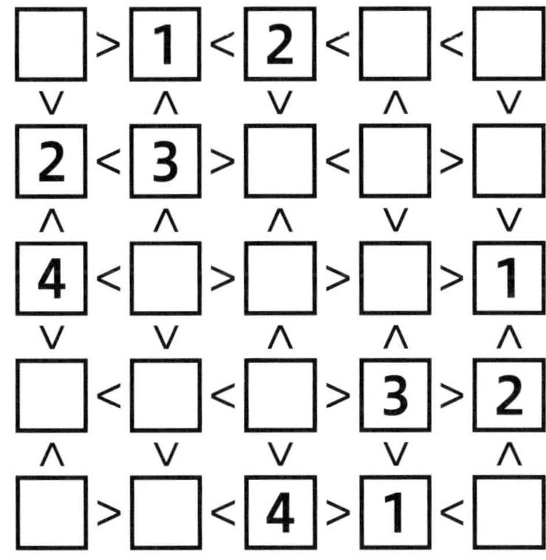

この解答は194ページ

90日目

イラストつなぎ

同じイラストを線でつないでください。線同士が交差したり、他のイラストの上を通過することはありません。網掛けマスを通るイラストはどれでしょう？

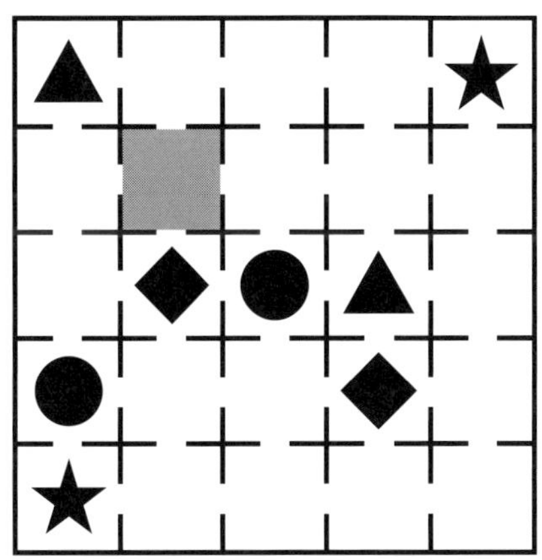

リスト

●	A
▲	B
★	C
◆	D

解答

49ページの解答 【86日目】①×　②○

この解答は194ページ

91日目

✎◯月◯日

虫食い算

虫食い穴に数字を入れて、正しい式にしてください。

```
    4 7
+ 3 □
  □ 4
```

```
  □ 1 3
- 5 □ 2
  2 2 □
```

```
  3 □ 4 □
+ 5 6 □ 1
□ 4 3 7
```

この解答は194ページ

92日目

✎◯月◯日

魔方陣計算クイズ

盤面には1～16の数字が一つずつ入ります。
タテ・ヨコの各列と、対角線上に並んだ数字の和が34になる数字を書き入れましょう。

①

15	8	10	
9		16	7
4		5	14
6	13	3	

②

7	16	9	2
1			8
14			11
12	3	6	13

この解答は194ページ

✎〇月〇日

四角に区切ろう

数字とマスの数が同じになるように、盤面を四角（正方形または長方形）に切り分けてください。どの四角にも数字は必ず一つずつ含まれます。

9			5		2
					3
3		4			
				4	
	4				2

この解答は55ページ

94
日目

✎〇月〇日

お釣り枚数クイズ

お釣りの金額と硬貨の枚数を計算してください。ただし、お釣りは一番少ない枚数で返ってくるものとします。

① **921** 円の買い物で **1001** 円支払うと、

お釣りは［　　　　］円で、硬貨は［　　　　］枚

② **315** 円の買い物で **500** 円支払うと、

お釣りは［　　　　］円で、硬貨は［　　　　］枚

③ **1763** 円の買い物で **2015** 円支払うと、

お釣りは［　　　　］円で、硬貨は［　　　　］枚

この解答は56ページ

95 日目

◯月◯日

アナグラム

文字を並び替えて正しい言葉にしてください。
ヒント：世界の偉人

※記号や読点は使いません。

【例】子らに「メッ！」→（こらにめっ）→にらめっこ

① 昆布ロス
→（　　　　　　　　）→

② さーて、混ざれ！
→（　　　　　　　　）→

③ シュンタ愛飲
→（　　　　　　　　）→

この解答は56ページ

96 日目

共通一字

◯の中に共通の１字を入れて言葉を完成させてください（◯の中には長音記号“ー”が入る場合もあります)。【例】れ◯る◯ → れとると

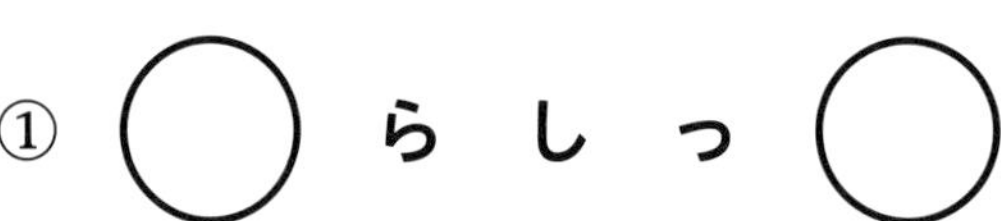

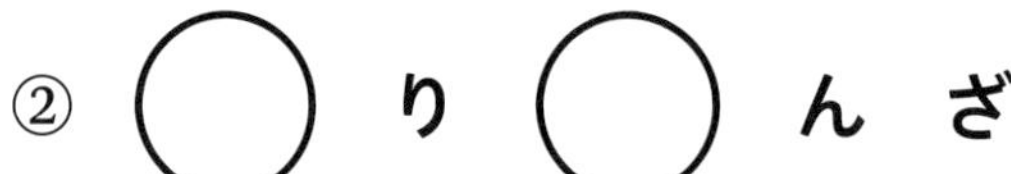

この解答は57ページ

昭和・平成思いだしクイズ

それぞれの問いに対し、正しい答えをＡＢＣの中から選んでください。

◯月◯日

①昭和63年に公開されたアニメ映画『火垂るの墓』の原作者は？

Ａ 永六輔　Ｂ 小沢昭一　Ｃ 野坂昭如

②昭和35年に池田勇人内閣が掲げた長期経済計画は？

Ａ 社会発展計画　Ｂ 所得倍増計画　Ｃ 列島改造計画

③「裸足の王者」と呼ばれたエチオピアのマラソンランナーは？

Ａ アベベ　Ｂ ザトペック　Ｃ ロペス

④平成８年頃、女子中高生たちの間で大ブームとなったのは？

Ａ カラーソックス　Ｂ ブーツソックス　Ｃ ルーズソックス

この解答は194ページ

間違いさがし

左右の絵にはよく見ると間違いが５カ所あります。すべて見つけて◯で囲みましょう（印刷の汚れやかすれは間違いに入りません）。

◯月◯日

53ページの解答 【94日目】①80・4　②185・6　③252・5

この解答は58ページ

円形穴埋め

円の中央にある文字を1文字目、周囲のどれかを2文字目として時計回りに読むと、ある言葉になります。空きマスに入る文字を考え、できる言葉を答えてください。

※大きい「つ」や「や」などは、小さな文字になる場合があります。

①

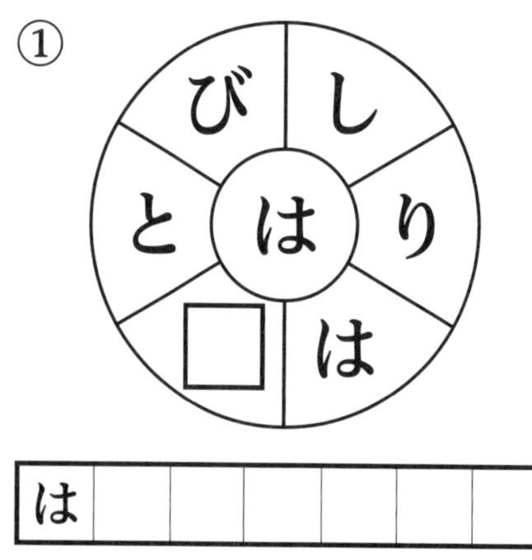

は						

②

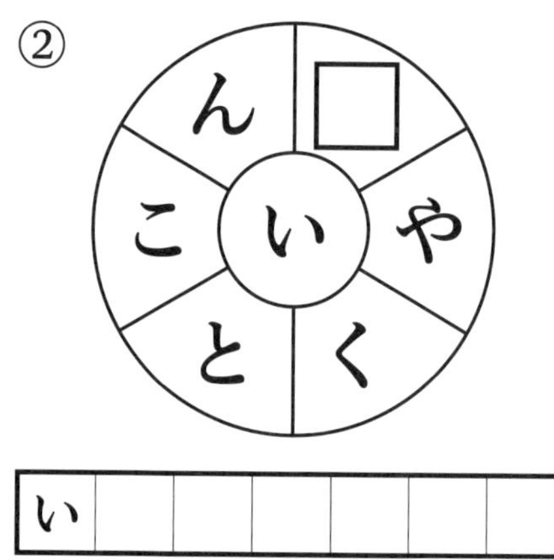

い						

この解答は194ページ

100日目

クロスワード

タテのカギ、ヨコのカギをヒントに、クロスワードを解いてください。

〈タテのカギ〉

②出会いとともに繰り返す
④濡れた手や顔を拭く布
⑥牛肉をじっくり煮込んだ○○○シチュー
⑦ビールやワインを注ぐ
⑧トランプやコインを使って披露

〈ヨコのカギ〉

①ミカンはむいて食べる
③ことわざ「縁の○○の力持ち」
⑤ジメジメした所に生える
⑦グリム童話に出てくるヘンゼルの妹
⑨ブドウの房みたいに咲く春の花
⑩板前さんが握る、日本食の代表格
⑪ちゃんこ、寄せ、石狩

54ページの解答
【95日目】①コロンブス　②マザー・テレサ　③アインシュタイン
【96日目】①くらしっく　②おりおんざ　③じどうどあ　④とらんぺっと

この解答は194ページ

言葉さがし

＜リスト＞の熟語をすべて一直線上に見つけてください。

✎◯月◯日

民	市	誉	名	水	月
地	風	仮	葉	致	風
実	平	月	一	言	鳥
葉	無	文	線	絵	花
水	言	名	葉	平	風
古	文	書	有	無	水

＜リスト＞

- □ 絵葉書
- □ 花鳥風月
- □ 言文一致
- □ 古文書
- □ 水平線
- □ 地平
- □ 花言葉
- □ 平仮名
- □ 水無月
- □ 無風
- □ 名誉市民
- □ 有名無実

この解答は194ページ

102日目

二字熟語ピースしりとり

スタートから二字熟語のしりとりになるように＜リスト＞のピースをうまくあてはめましょう。熟語は矢印の方向に読み、ピースは向きを変えずそのまま入ります。【例】今日→日記→記憶

✎◯月◯日

スタート 検

伸

接

額

＜リスト＞

- □ 側縁
- □ 退屈
- □ 索引
- □ 客席
- □ 隣近
- □ 鑑定
- □ 次第
- □ 縮図

この解答は194ページ

103 日目

詰めクロス

マス目に<リスト>の漢字を入れて、クロスワードを完成させてください。

✎◯月◯日

<リスト>

- □ 演 □ 教 □ 静
- □ 下 □ 御 □ 奏
- □ 会 □ 光 □ 天
- □ 観 □ 四 □ 電
- □ 客 □ 授

冷		■	真		角
■		卓	■	重	■
	気	■			
	■		劇	■	費
	来		■	説	■
免	■		員		

この解答は194ページ

104 日目

スケルトンパズル

マス目と同じ文字数の熟語を<リスト>から選び、あてはめてください。

✎◯月◯日

<リスト>

2文字
- □ 事態
- □ 主権
- □ 主人
- □ 体感
- □ 容積
- □ 容量

3文字
- □ 感無量
- □ 口語体
- □ 事業主
- □ 世間体
- □ 世帯主
- □ 人間業
- □ 無駄口

4文字
- □ 権利能力
- □ 動体視力

56ページの解答 【99日目】①はしりはばとび　②いとこんにゃく

この解答は61ページ

漢字熟語ダイヤモンド

AとBに入れた２つの漢字でできる二字熟語を答えてください。

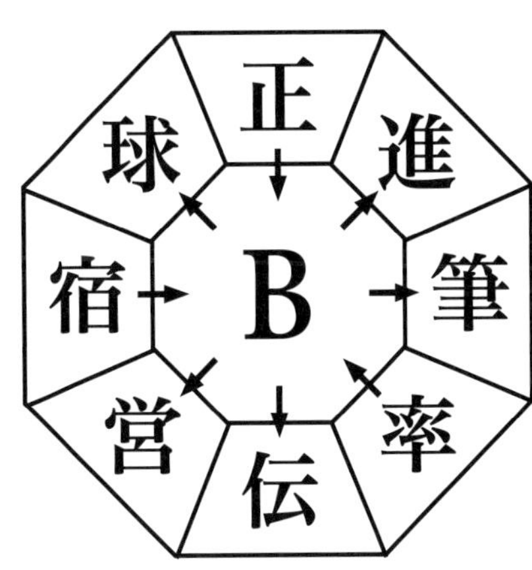

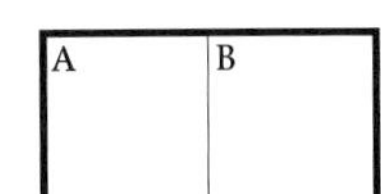

この解答は61ページ

漢字パーツ組み立て

バラバラになったパーツを組み合わせて四字熟語を作ってください。

【例】角＋刀＋牛＝解

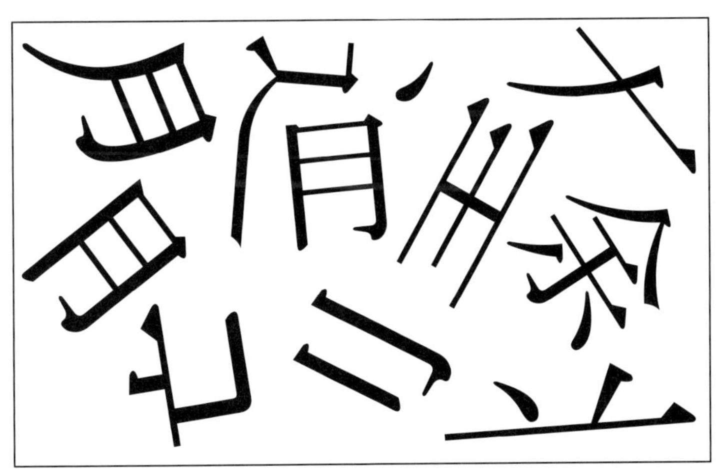

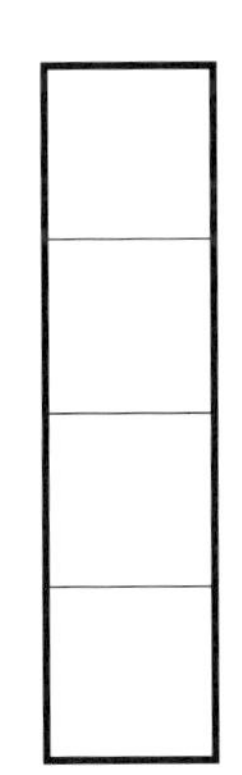

この解答は194ページ

107日目

三字熟語リレー

すでに入っている漢字のように＜リスト＞の漢字を空きマスに入れ、三字熟語を作ってください。線でつながれているマスには同じ漢字が入ります。

<リスト>

- ☑ 球　□ 手
- □ 一　□ 金
- □ 習　□ 地
- □ 柄　□ 学

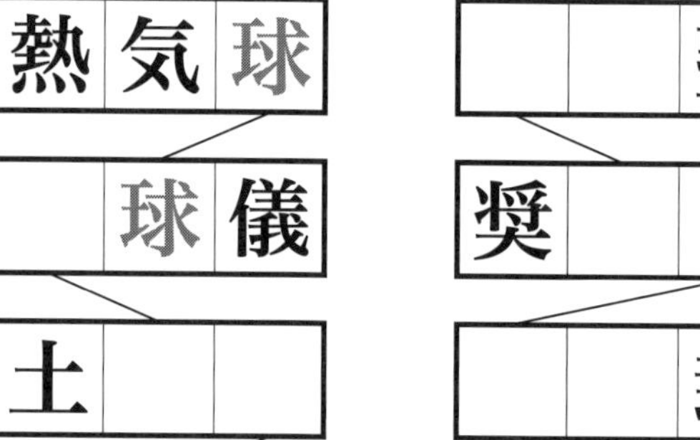

この解答は62ページ

108日目

◯月◯日

四字熟語合体パズル

四字熟語の隠れた部分を推理して、①と②の四字熟語を答えてください。

①

②

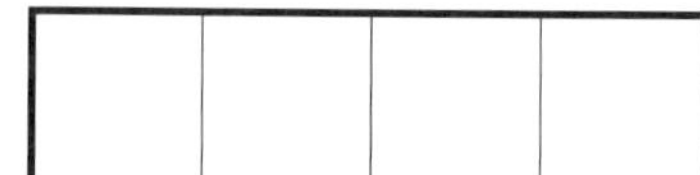

この解答は195ページ

ブロック分割パズル

＜リスト＞の熟語をマス目から探し出し、ブロックに分割してください。

※タテまたはヨコにつながるように区切ります。

✎○月○日

商	品	産	小	生	意
力	化	財	業	産	気
主	粧	品	財	要	主
生	書	文	化	重	力
注	重	要	意	注	書
文	生	産	力	公	文

＜リスト＞

2文字
- □ 財産
- □ 重力
- □ 書生

3文字
- □ 化粧品
- □ 公文書
- □ 注意力

4文字
- □ 小生意気
- □ 主要産業
- □ 主力商品
- □ 注文生産

5文字
- □ 重要文化財

この解答は63ページ

キューブ問題

何個のブロックで出来ているか答えてください。

✎○月○日

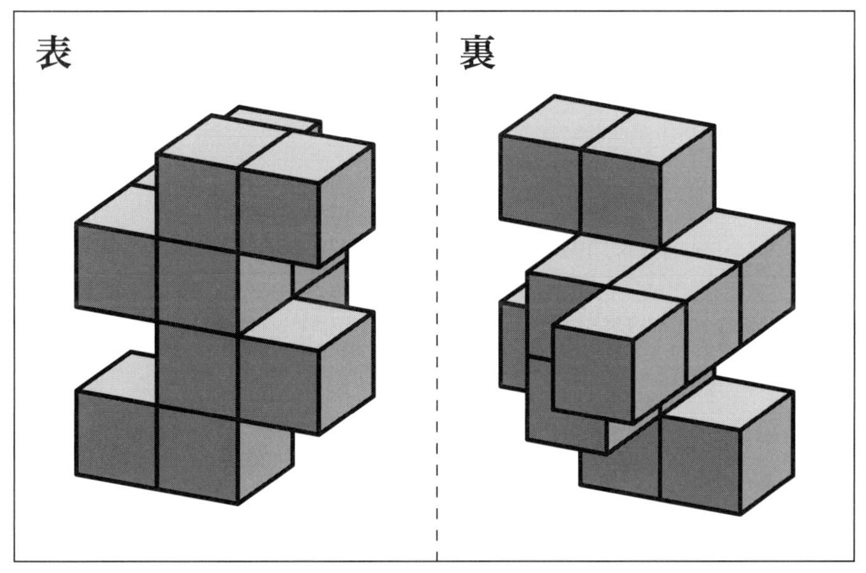

59ページの解答 【105日目】 素 直 【106日目】前途有望

この解答は64ページ

111日目

カード推理

表と裏にイラストが描かれたカードを５枚、【見本】のように重ねて置きました。これを裏返して見た時に正しいものは、①～③のうちどれでしょう？

✎◯月◯日

解答

【裏】 【表】 【見本】

①

②

③

この解答は195ページ

112日目

点つなぎ

☆から★まで番号順に点をつないだ時、あらわれる絵を答えてください。

✎◯月◯日

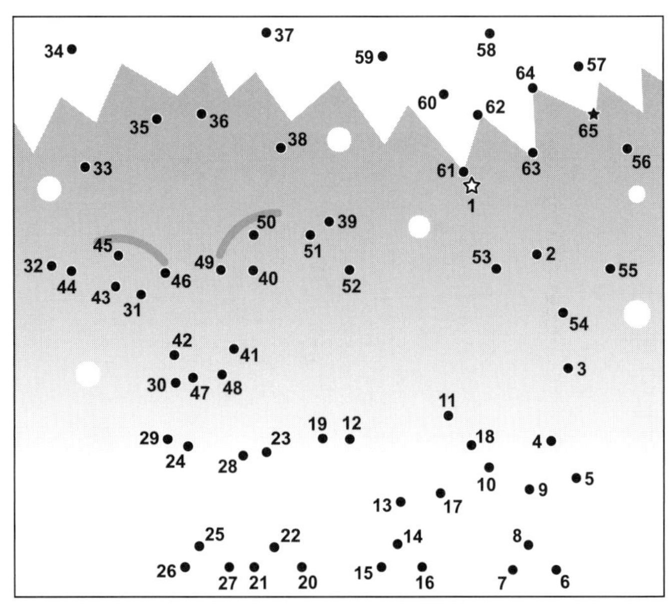

60ページの解答 【108日目】①奇想天外　②疑心暗鬼

この解答は65ページ

立方体展開図クイズ

【見本】の展開図を組み立てたときに出来るサイコロとして、正しいものは①～③のうちどれでしょう？

解答

① ② ③

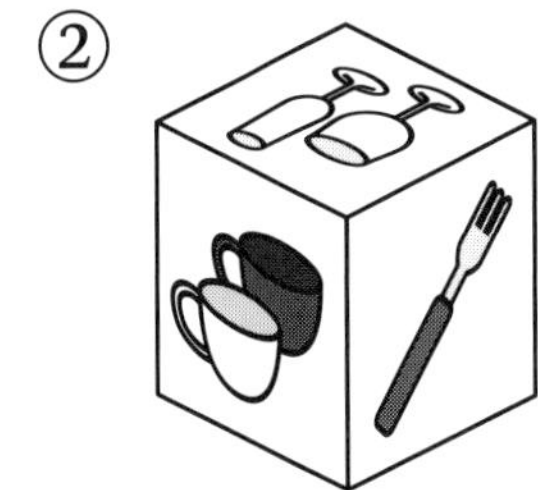

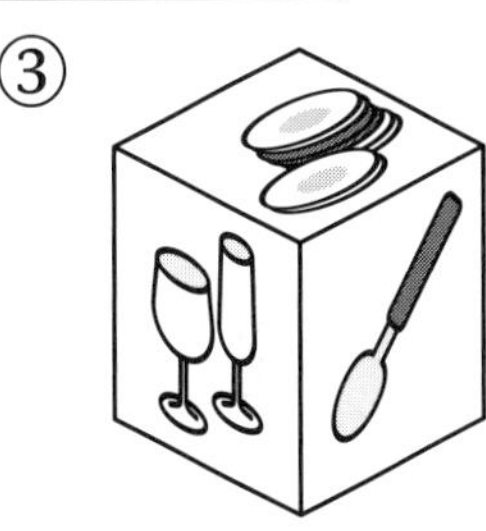

この解答は65ページ

114 日目

同じセットさがし

【見本】と同じ内容のセットを①～③の中から選んでください。

月 日

【見本】

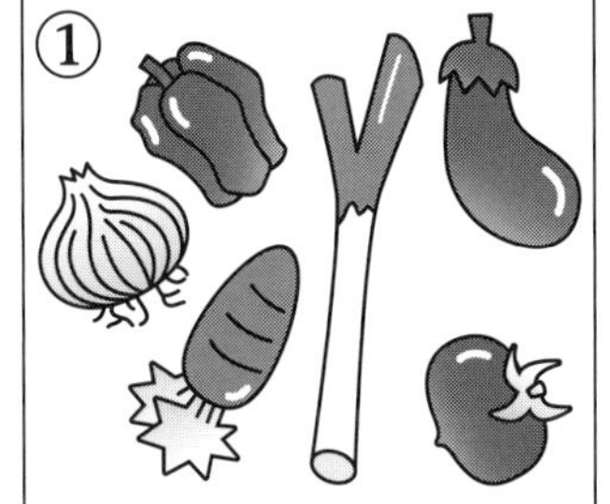

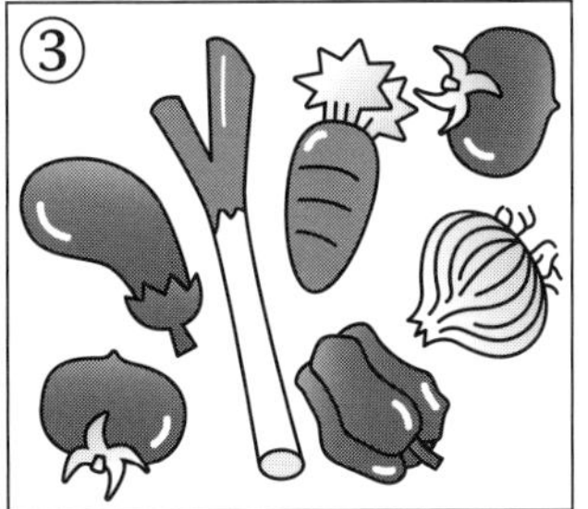

61ページの解答 【110日目】12個

この解答は66ページ

足し算迷路

スタートからゴールまで最短距離で進みましょう。通った数字を合計するといくつになるでしょう？

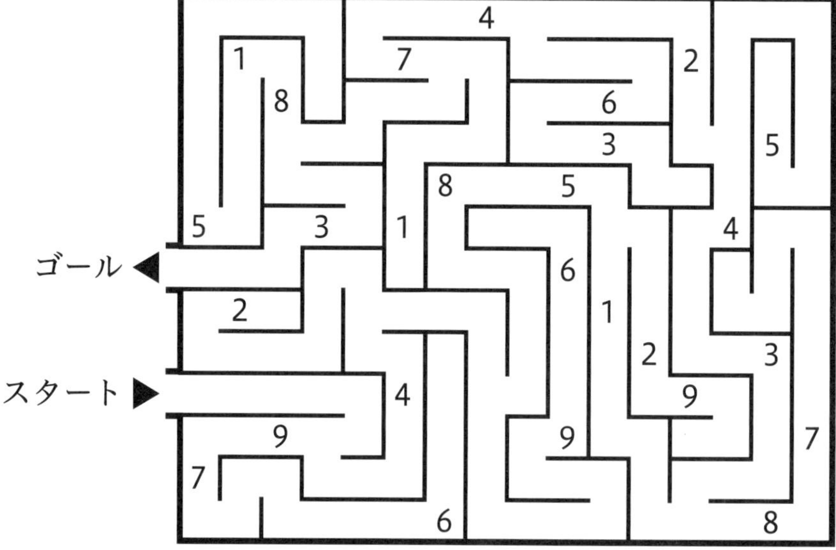

この解答は195ページ

116
日目

文字アート間違いさがし

文字が集まって出来たイラストがあります。このうちリストの文字以外のものが３つ含まれています。それは何でしょう？

リスト

木・馬・乗・遊・揺

摇摇摇摇摇　　　　　　　　　摇摇摇摇摇摇摇摇摇　　　　摇摇摇摇摇
摇摇摇摇　　　馬馬馬馬馬馬　　摇摇摇摇摇摇摇　　　　　　摇摇摇摇
摇摇　　　　　　馬馬木木馬馬　　　摇謡摇　　　　　　遊　　　摇摇
　　　遊　　　木木木木馬馬馬　　　　　　　　　　　　　遊遊
　　遊　　　木木遊木木木馬馬馬　　　　乗　　　　　　　　遊遊
　遊遊　　摇木木木木木木馬馬馬　　　乗乗乗　　　馬馬馬　　遊
　遊　　木摇摇木木木木木木馬馬　　　　乗　　　馬馬馬馬馬　遊
　遊　　馬木摇乗　木木木木馬馬摇摇　　　　　　馬遊遊遊遊
　　　　木木木　摇木木木木馬馬　摇摇　　　　馬遊遊
　　　　　　　　摇摇木木木遊乗乗乗摇乗遊木木木遊　　　　　乗
　　　乗　　　　　摇摇摇摇遊乗乗摇摇乗遊木木木木　　　乗乗乗乗乗
　乗乗乗乗乗　　　木木木摇摇摇摇摇乗乗遊木遊木木木　　　乗乗乗
　　乗果乗　　　　木遊遊木遊乗乗乗乗乗遊遊木木木木　　　乗　乗
　　乗　乗　　　　遊木木遊木遊遊遊遊遊乗遊木木木木
　　　　　　　　　遊木木遊木木木木木木木遊遊木木木
　　　　　馬馬　　木木木遊木木木木木木木木遊遊木木木馬馬
　　　　　馬馬馬木木木遊馬馬　　　　　馬馬馬　遊木木木馬
　　　　　　馬木木木遊馬馬　　　　　　　馬馬馬　遊木木木　木木
　　　木木　木木木遊馬馬　　　　　　　　　馬馬馬馬遊木遊木木木
　　　木木木遊木遊馬馬馬馬馬馬馬馬馬馬馬馬馬馬馬馬　遊木木木
乗乗乗　木木木遊　　馬馬馬馬馬馬馬馬馬馬馬馬馬　　木木木本　乗乗
乗乗乗乗　木木木木木　　　　　　　　　　　　　木木木木　　乗乗乗
乗乗乗乗乗　　木木木木木木木木木木木木木木木木木木木　乗乗乗乗乗

解答

62ページの解答 【111日目】②

この解答は67ページ

✎◯月◯日

サイコロ回転クイズ

矢印にそってサイコロを転がして進んだとき、最後のマスで一番上になる目の数は？
【ヒント】サイコロは対面の目を足すと7になります。

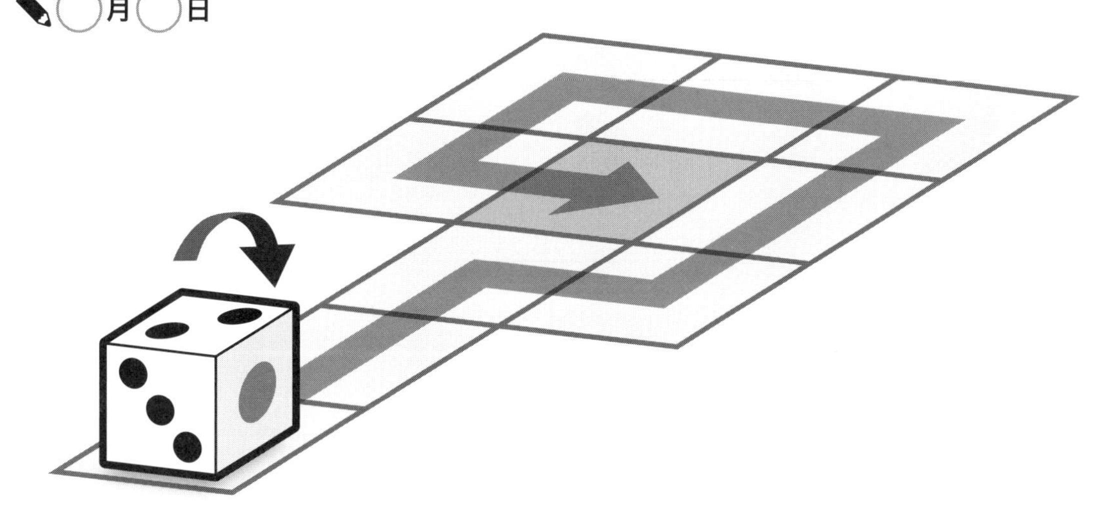

この解答は195ページ

✎◯月◯日

塗り絵パズル

記号のあるマスを塗りつぶすと、あるイラストが出てきます。それは何でしょう？

解答

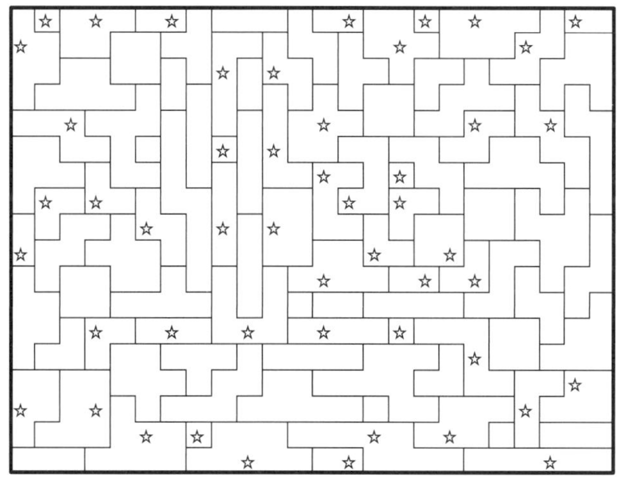

63ページの解答
【113日目】②
【114日目】①

この解答は68ページ

一筆書き

一筆書きできるか○×で答えましょう。どの線も必ず一度だけ通り、一度ですべての線をなぞります。

①

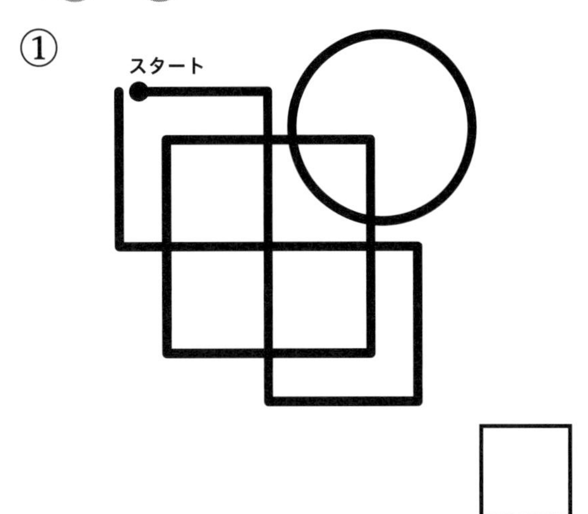

②

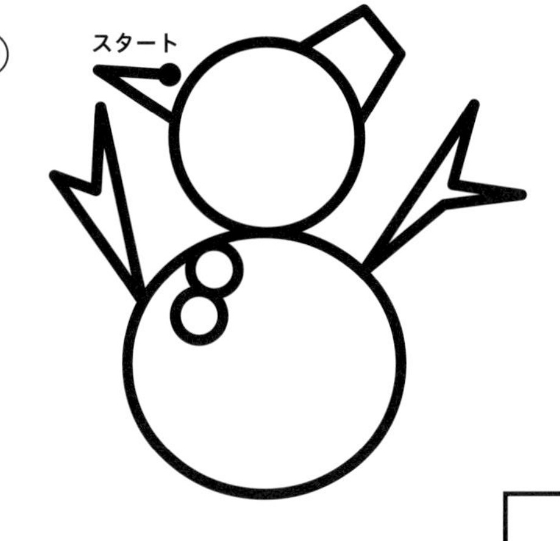

この解答は195ページ

ミニナンプレ

タテ6列、ヨコ6列と、太線で囲まれた6個のブロックにはそれぞれ1～6の数字が必ず一つずつ入ります。
すべての空きマスに数字を入れてください。

✎○月○日

2		4	5		3
	3	1		6	
	2		6		4
3		6		5	
	1		3	4	
4		3	1		6

64ページの解答 【115日目】41

この解答は195ページ

✎ ◯月◯日

かんたんナンプレ

タテ９列、ヨコ９列と、太線で囲まれた９個のブロックにはそれぞれ１～９の数字が必ず一つずつ入ります。すべての空きマスに数字を入れてください。

	2	5	8			4	3	
7	3			5	4	1		9
		4	9		3		2	7
	4	1	3	2	9		6	5
2			6		7			4
3	6		4	1	5	8	9	
5	7		1		2	6		
6		3	7	4			5	1
	1	2			6	9	7	

この解答は195ページ

122 日目

✎ ◯月◯日

不等号ナンプレ

タテ列とヨコ列にはマスの個数分の数字が一つずつ入ります。各マスの間の不等号は隣り合ったマスに入る数字の大小をあらわします。すべての空きマスに数字を入れてください。

```
[5] > [ ] > [1] < [ ] > [2]
 ∨     ∨     ∧     ∨     ∧
[ ] < [3] < [ ] > [2] < [ ]
 ∧     ∨     ∨     ∧     ∨
[ ] > [ ] < [ ] < [ ] > [ ]
 ∧     ∧     ∧     ∨     ∨
[ ] > [2] < [ ] > [4] > [ ]
 ∧     ∧     ∨     ∨     ∧
[4] < [ ] > [2] > [ ] < [3]
```

この解答は195ページ

イラストつなぎ

同じイラストを線でつないでください。線同士が交差したり、他のイラストの上を通過することはありません。網掛けマスを通るイラストはどれでしょう？

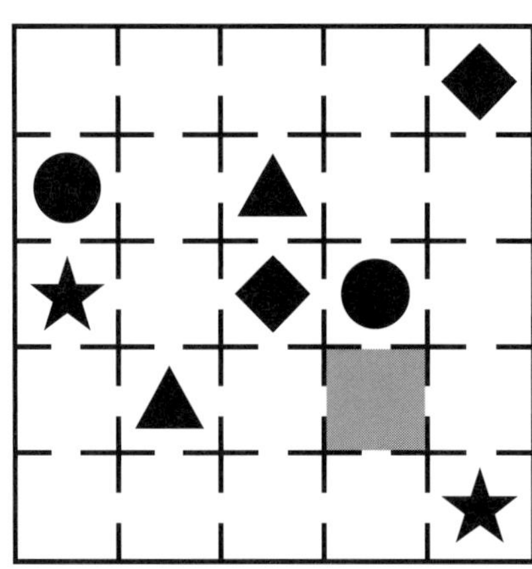

リスト

●	A
▲	B
★	C
◆	D

解答

この解答は195ページ

124
日目

✎○月○日

虫食い算

虫食い穴に数字を入れて、正しい式にしてください。

```
   7 □        2 4 □        □ 6 3 □
+ □ 8      + □ 9 1      − 1 8 4 8
-----      -------      ---------
□ 2 4        8 □ 7        7 □ □ 9
```


66ページの解答 【119日目】①○　②×

この解答は195ページ

✎◯月◯日

魔方陣計算クイズ

盤面には1～16の数字が一つずつ入ります。
タテ・ヨコの各列と、対角線上に並んだ数字の和が34になる数字を書き入れましょう。

①

	2	13	16
15	14	1	4
6	7	12	
10	11		

②

	1	12	
16	4	9	5
2	14	7	11
	15	6	

この解答は195ページ

✎◯月◯日

四角に区切ろう

数字とマスの数が同じになるように、盤面を四角（正方形または長方形）に切り分けてください。どの四角にも数字は必ず一つずつ含まれます。

6					
	8				4
5				6	
	2				
		3			2

この解答は72ページ

127日目

お釣り枚数クイズ

お釣りの金額と硬貨の枚数を計算してください。
ただし、お釣りは一番少ない枚数で返ってくるものとします。

◯月◯日

① **370**円の買い物で**520**円支払うと、

お釣りは［　　　］円で、硬貨は［　　　］枚

② **1738**円の買い物で**2050**円支払うと、

お釣りは［　　　］円で、硬貨は［　　　］枚

③ **2413**円の買い物で**2520**円支払うと、

お釣りは［　　　］円で、硬貨は［　　　］枚

この解答は72ページ

128日目

アナグラム

文字を並び替えて正しい言葉にしてください。
ヒント：日本の偉人

※記号や読点は使いません。

◯月◯日

【例】子(こ)らに「メッ！」→（こらにめっ）→にらめっこ

① 読(よ)み、「でし」と「ひと」よ
→（　　　　　）→［　　　］

② 冬(ふゆ)、竹輪(ちくわ)キザ
→（　　　　　）→［　　　］

③ 隣(となり)のモモとミヨ
→（　　　　　）→［　　　］

この解答は73ページ

共通一字

○の中に共通の１字を入れて言葉を完成させてください（○の中には長音記号“ー”が入る場合もあります)。【例】れ○る○ → れとると

✎○月○日

① す に ○ か ○

② ひ ○ り ご ○

③ ○ し ゅ ○ ろ

④ あ ○ み ほ い ○

この解答は73ページ

130日目

昭和・平成思いだしクイズ

それぞれの問いに対し、正しい答えをＡＢＣの中から選んでください。

✎○月○日

①昭和41年、ビートルズ来日により流行したヘアスタイルは？

Ａ アイビーカット　Ｂ マッシュルームカット　Ｃ マシュマロカット □

②クレイジーキャッツがレギュラー出演していたバラエティー番組は？

Ａ お笑いマンガ道場　Ｂ シャボン玉ホリデー　Ｃ 光子の窓 □

③映画『男はつらいよ』の第１作目でマドンナを演じた女優は？

Ａ 池内淳子　Ｂ 榊原るみ　Ｃ 光本幸子 □

④「ハマの大魔神」と呼ばれた元プロ野球選手は？

Ａ 佐々木主浩　Ｂ 中村紀洋　Ｃ 三浦大輔 □

この解答は195ページ

間違いさがし

左右の絵にはよく見ると間違いが5カ所あります。すべて見つけて○で囲みましょう（印刷の汚れやかすれは間違いに入りません）。

この解答は74ページ

132
日目

円形穴埋め

円の中央にある文字を1文字目、周囲のどれかを2文字目として時計回りに読むと、ある言葉になります。空きマスに入る文字を考え、できる言葉を答えてください。

◯月◯日

※大きい「つ」や「や」などは、小さな文字になる場合があります。

①

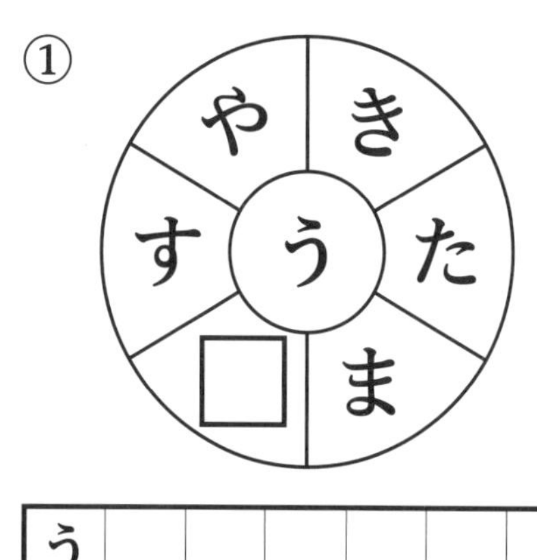

う						

②

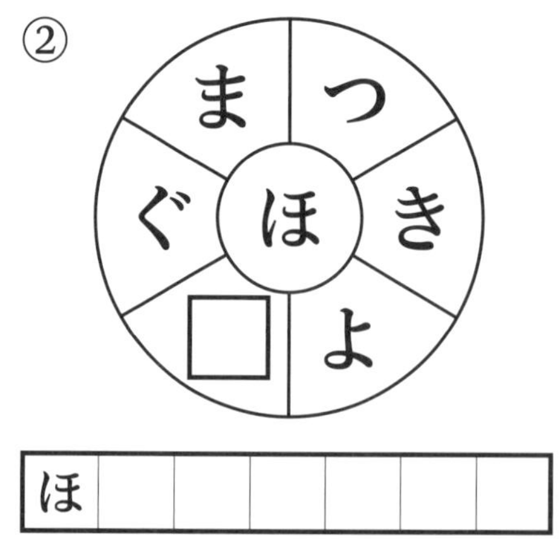

ほ						

70ページの解答

【127日目】①150・2　②312・6　③107・4

【128日目】①豊臣秀吉　②福沢諭吉　③源頼朝

この解答は196ページ

クロスワード

タテのカギ、ヨコのカギをヒントに、クロスワードを解いてください。

◯月◯日

1	2	3	■	4
5			6	
	■	7		
■	8		■	
9		■	10	

〈タテのカギ〉

①「おでこ」とも呼ぶ部分
②丁寧ではなく、いい加減なこと
③楽団員が演奏中に注目する人
④バーにある細長いテーブル
⑥炊きたてのご飯から立ち上る
⑧三人寄れば文殊の○○

〈ヨコのカギ〉

①パラソルやカーテンで遮る
⑤温泉旅館でしたくなるスポーツ？
⑦限りある○○○を大切に使おう
⑧急須から湯のみへ注ぐ
⑨応援団が腹の底から出す
⑩カレーを作るときに割り入れる

この解答は196ページ

言葉さがし

＜リスト＞の熟語をすべて一直線上に見つけてください。

◯月◯日

所	係	権	先	優	離
長	高	関	散	距	合
散	玄	所	間	分	集
解	集	車	大	人	団
告	分	合	所	問	学
予	想	外	離	高	習

＜リスト＞

□ 係長
□ 学問所
□ 玄関先
□ 車間距離
□ 集団学習
□ 大所高所
□ 人間関係
□ 分散
□ 優先権
□ 予告解散
□ 予想外
□ 離合集散

71ページの解答
【129日目】①すにーかー　②ひとりごと　③ましゅまろ　④あるみほいる
【130日目】①B　②B　③C　④A

この解答は196ページ

二字熟語ピースしりとり

スタートから二字熟語のしりとりになるように<リスト>のピースをうまくあてはめましょう。熟語は矢印の方向に読み、ピースは向きを変えずそのまま入ります。【例】今日→日記→記憶

✎◯月◯日

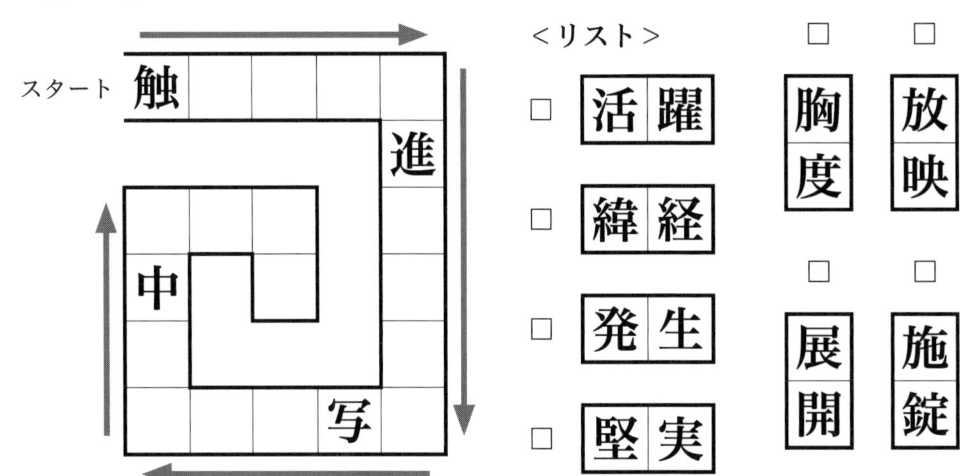

この解答は196ページ

136
日目

詰めクロス

マス目に<リスト>の漢字を入れて、クロスワードを完成させてください。

✎◯月◯日

<リスト>

□ 案　□ 手　□ 内
□ 影　□ 情　□ 必
□ 音　□ 先　□ 報
□ 見　□ 代　□ 法
□ 師　□ 倒

水	■	不	■	純	
			勝	■	
	■	要	■		源
	面	■		響	■
■		置		■	歴
味		■		範	

72ページの解答　【132日目】①うすやきたまご　②ほっきょくぐま

この解答は196ページ

スケルトンパズル

マス目と同じ文字数の熟語を＜リスト＞から選び、あてはめてください。

○月○日

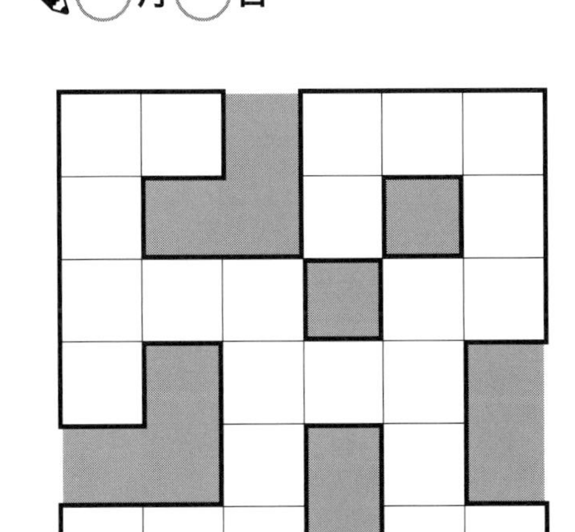

<リスト>

2文字	3文字	4文字
□ 自己	□ 植木職	□ 家財道具
□ 自室	□ 財産家	□ 自家用車
□ 車掌	□ 自信家	□ 自作自演
□ 植樹	□ 職員室	
	□ 文房具	

この解答は77ページ

漢字熟語ダイヤモンド

AとBに入れた2つの漢字でできる二字熟語を答えてください。

○月○日

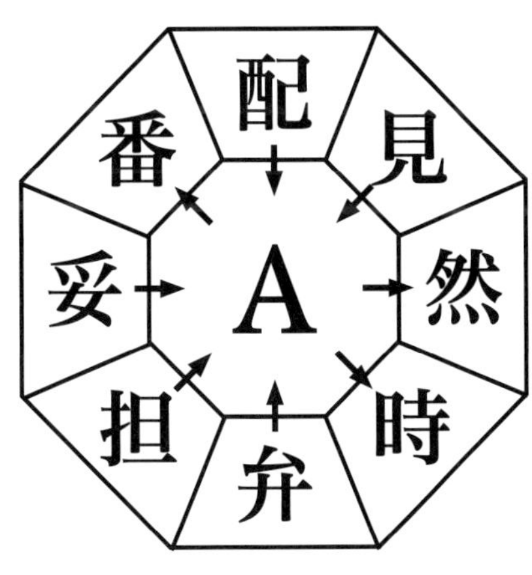

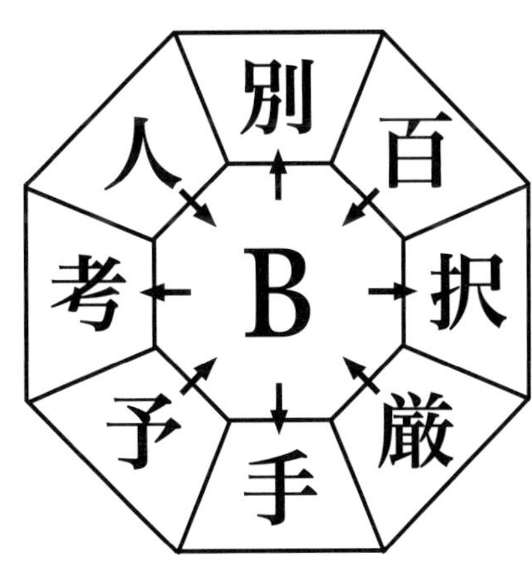

A	B

この解答は78ページ

139日目

漢字パーツ組み立て

バラバラになったパーツを組み合わせて四字熟語を作ってください。

【例】角＋刀＋牛＝解

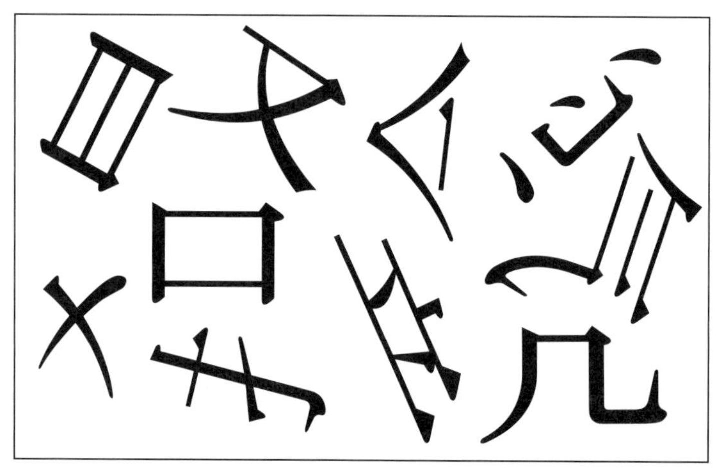

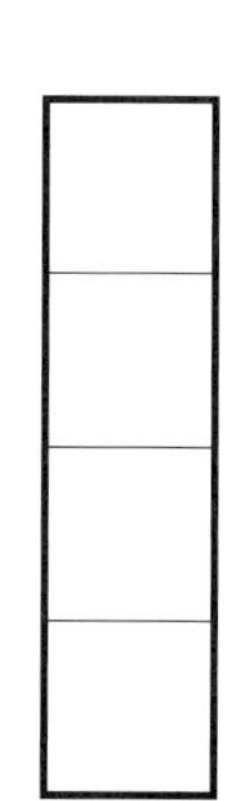

この解答は196ページ

140日目

〇月〇日

三字熟語リレー

すでに入っている漢字のように＜リスト＞の漢字を空きマスに入れ、三字熟語を作ってください。線でつながれているマスには同じ漢字が入ります。

＜リスト＞

- ☑ 公
- ☐ 修
- ☐ 多
- ☐ 語
- ☐ 正
- ☐ 数
- ☐ 義
- ☐ 化

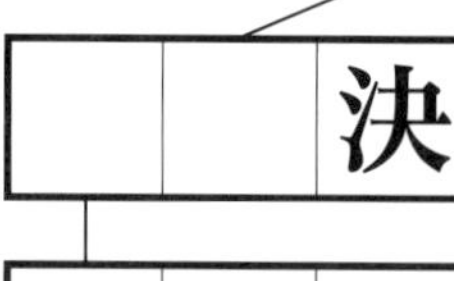

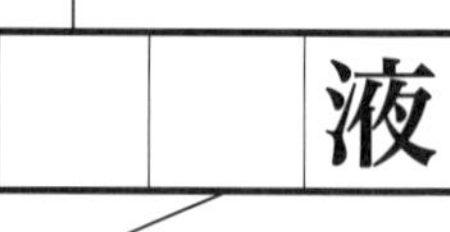

この解答は79ページ

141日目

✎◯月◯日

四字熟語合体パズル

四字熟語の隠れた部分を推理して、①と②の四字熟語を答えてください。

①

②

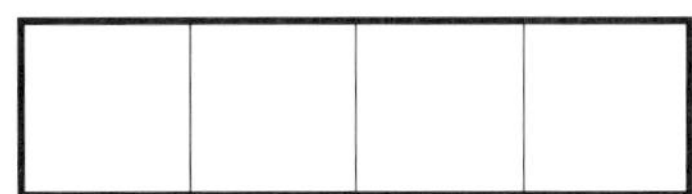

この解答は196ページ

142日目

✎◯月◯日

ブロック分割パズル

<リスト>の熟語をマス目から探し出し、ブロックに分割してください。

※タテまたはヨコにつながるように区切ります。

制	無	定	出	版	号
限	不	限	多	大	番
号	等	敵	数	出	席
別	特	無	多	定	特
番	魂	席	敵	不	不
組	胆	等	特	胆	大

<リスト>

2文字
- □ 魂胆
- □ 多大
- □ 無敵

3文字
- □ 特等席
- □ 不等号
- □ 無制限

4文字
- □ 限定出版
- □ 出席番号
- □ 大胆不敵
- □ 特別番組

5文字
- □ 不特定多数

75ページの解答 【138日目】 A当 B選

この解答は80ページ

キューブ問題

矢印の方向からどう見えるか、ＡＢＣの中から答えてください。

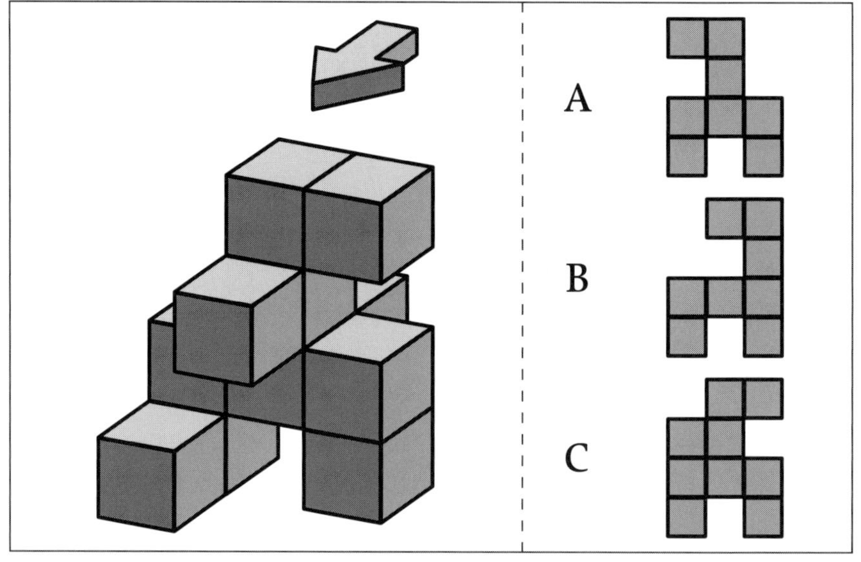

この解答は80ページ

カード推理

表と裏にイラストが描かれたカードを５枚、【見本】のように重ねて置きました。これを裏返して見た時に正しいものは、①〜③のうちどれでしょう？

解答

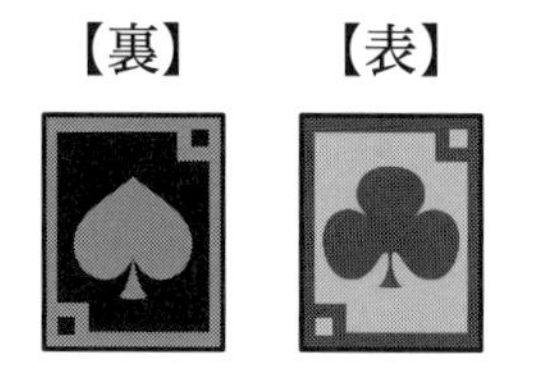

①

②

③

76ページの解答 【139日目】意気投合

この解答は196ページ

点つなぎ

☆から★まで番号順に点をつないだ時、あらわれる絵を答えてください。

◯月◯日

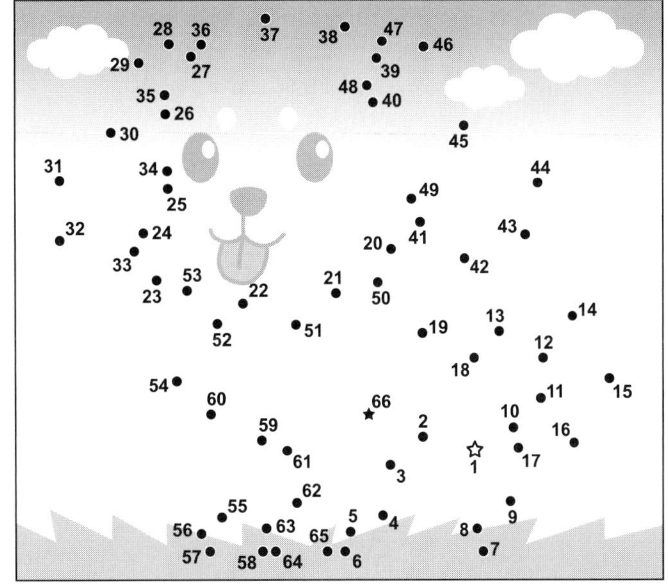

この解答は81ページ

146日目

立方体展開図クイズ

【見本】の展開図を組み立てたときに出来るサイコロとして、正しいものは①〜③のうちどれでしょう？

◯月◯日

解答 

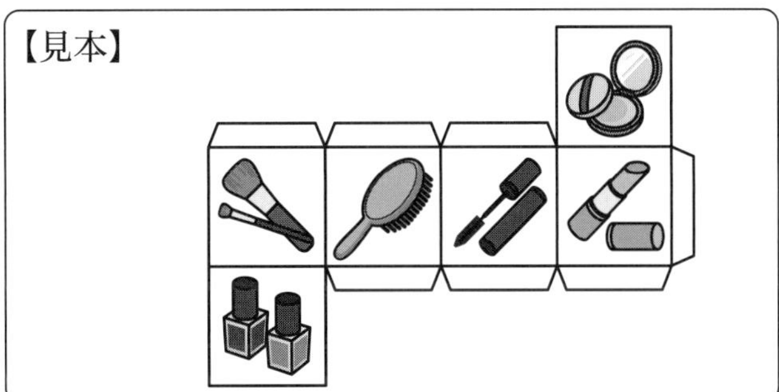

①

②

③

77ページの解答 【141日目】①大器晩成　②不言実行

この解答は82ページ

✎◯月◯日

同じセットさがし

【見本】と同じ内容のセットを①～③の中から選んでください。

【見本】

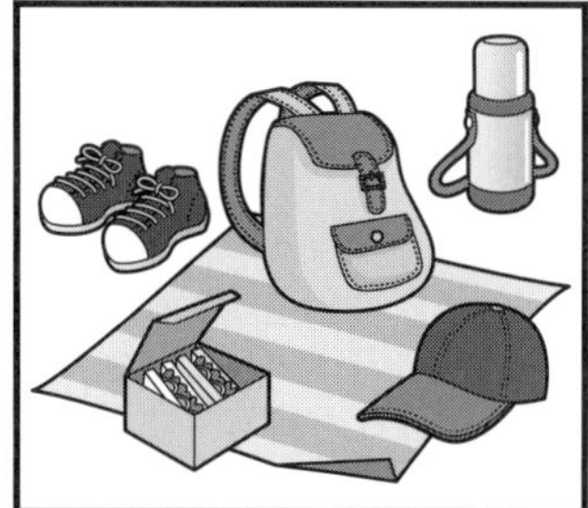

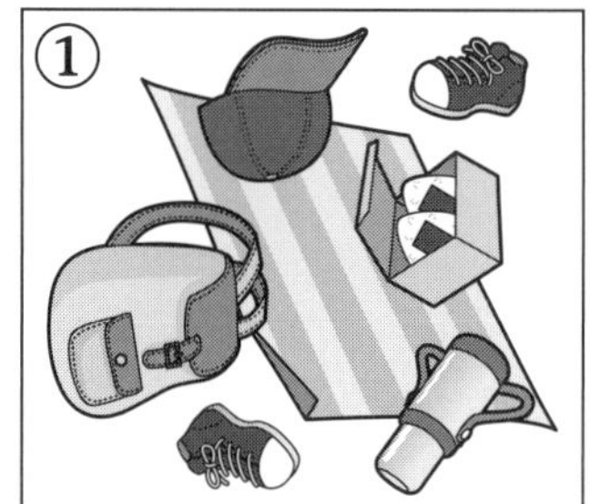

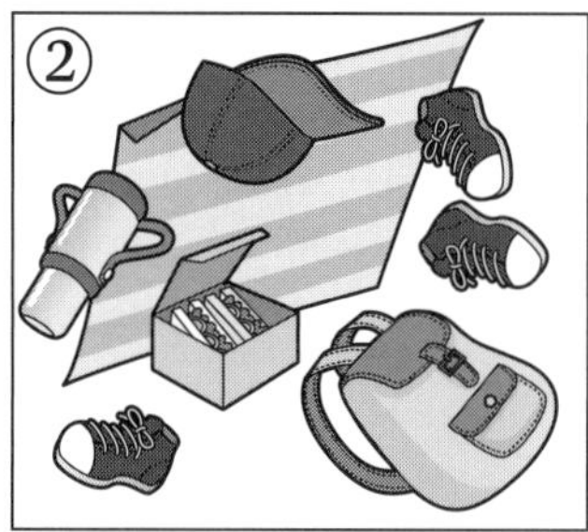

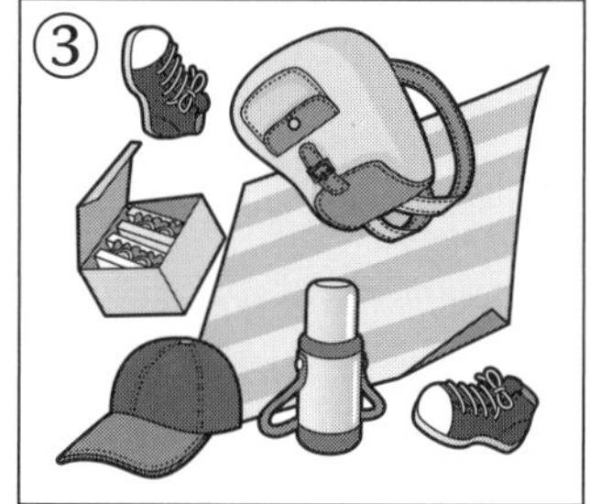

この解答は82ページ

148
日目

✎◯月◯日

足し算迷路

スタートからゴールまで最短距離で進みましょう。通った数字を合計するといくつになるでしょう？

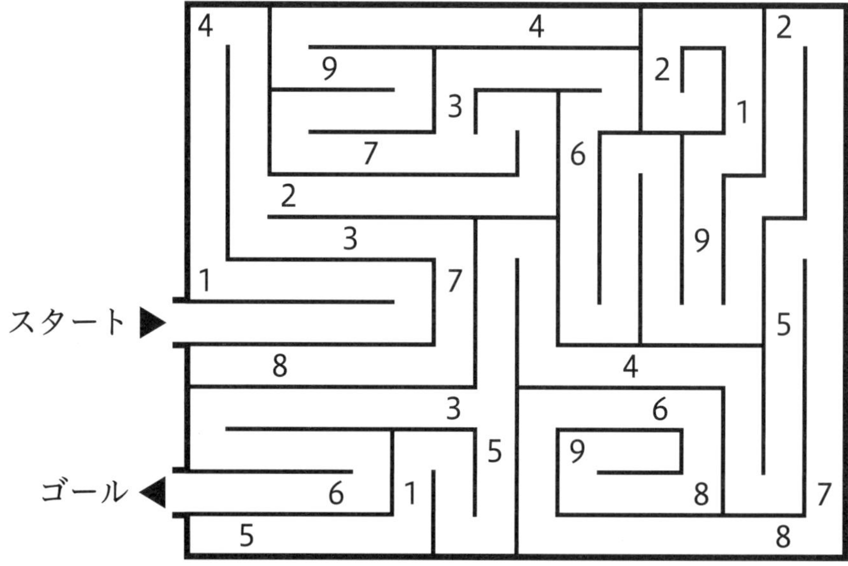

78ページの解答 【143日目】A
【144日目】①

この解答は196ページ

文字アート間違いさがし

文字が集まって出来たイラストがあります。このうちリストの文字以外のものが3つ含まれています。それは何でしょう？

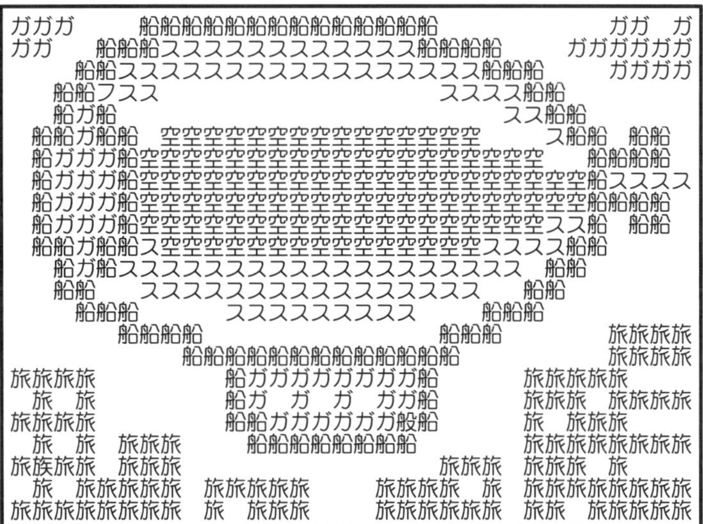

リスト

ガ・ス・船・空・旅

解答

この解答は83ページ

サイコロ回転クイズ

矢印にそってサイコロを転がして進んだとき、最後のマスで一番上になる目の数は？

【ヒント】サイコロは対面の目を足すと7になります。

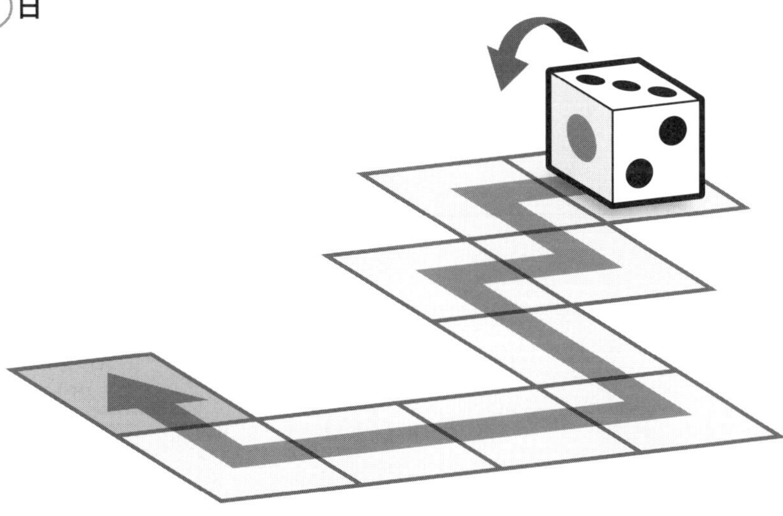

79ページの解答　【146日目】①

この解答は196ページ

塗り絵パズル

記号のあるマスを塗りつぶすと、あるイラストが出てきます。それは何でしょう？

解答

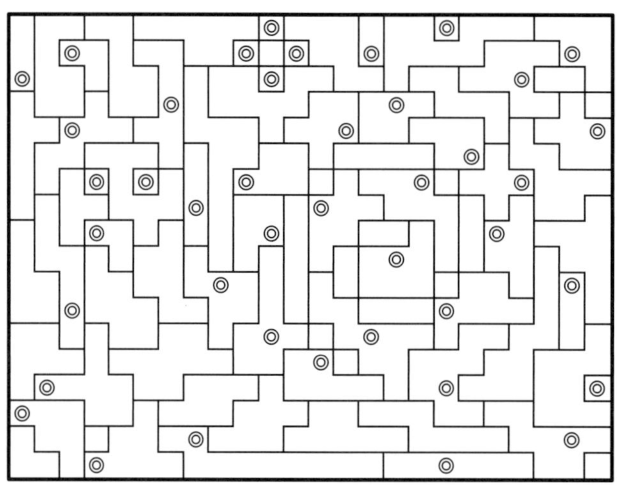

この解答は84ページ

152日目

一筆書き

一筆書きできるか○×で答えましょう。どの線も必ず一度だけ通り、一度ですべての線をなぞります。

①

②

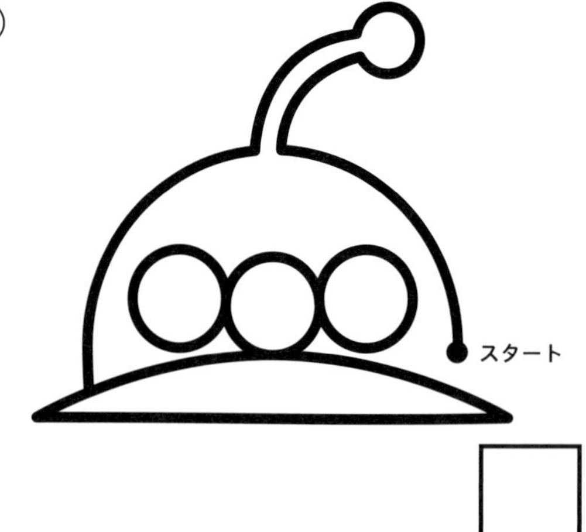

80ページの解答

【147日目】③

【148日目】36

この解答は196ページ

✎◯月◯日

ミニナンプレ

タテ6列、ヨコ6列と、太線で囲まれた6個のブロックにはそれぞれ1～6の数字が必ず一つずつ入ります。
すべての空きマスに数字を入れてください。

5				3	6
3		2	1		4
		4	6	2	
	5	6	4		
4		3	5		2
6	2				1

この解答は196ページ

✎◯月◯日

かんたんナンプレ

タテ9列、ヨコ9列と、太線で囲まれた9個のブロックにはそれぞれ1～9の数字が必ず一つずつ入ります。すべての空きマスに数字を入れてください。

		1	3		9	7		
7	4		8	2	6		5	3
5		3	4	1	7	8		9
	3		5		8		1	
4	5	8		7		3	9	2
	9		2		4		6	
3	7		1		2		8	4
	8	6		4		2	3	
2		4	9		3	6		5

81ページの解答 【150日目】1

この解答は197ページ

◯月◯日

不等号ナンプレ

タテ列とヨコ列にはマスの個数分の数字が一つずつ入ります。各マスの間の不等号は隣り合ったマスに入る数字の大小をあらわします。すべての空きマスに数字を入れてください。

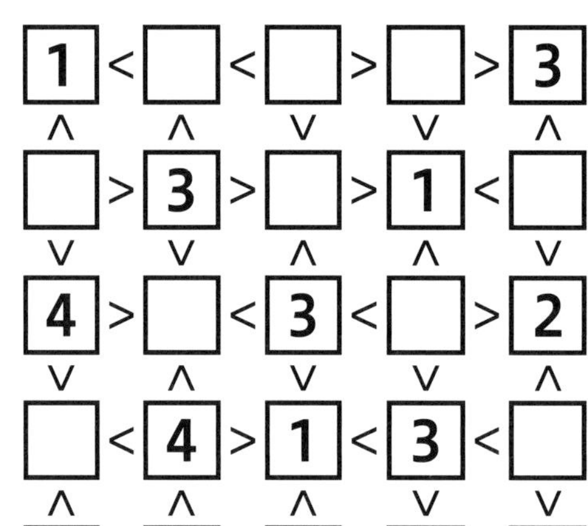

この解答は197ページ

イラストつなぎ

同じイラストを線でつないでください。線同士が交差したり、他のイラストの上を通過することはありません。網掛けマスを通るイラストはどれでしょう？

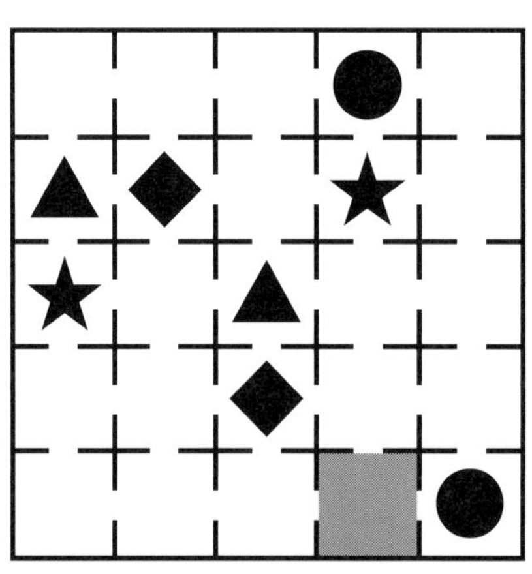

リスト

●	A
▲	B
★	C
◆	D

解答

82ページの解答 【152日目】①○　②○

この解答は197ページ

◯月◯日

虫食い算

虫食い穴に数字を入れて、正しい式にしてください。

	□	1
−	6	8
	2	□

	□	6	□
＋	7	□	9
	9	1	2

	8	0	□	3
−	1	□	2	□
	□	0	8	6

この解答は197ページ

魔方陣計算クイズ

盤面には1〜16の数字が一つずつ入ります。
タテ・ヨコの各列と、対角線上に並んだ数字の和が34になる数字を書き入れましょう。

①

	3	16	9
15		5	4
1			14
12	13	2	7

②

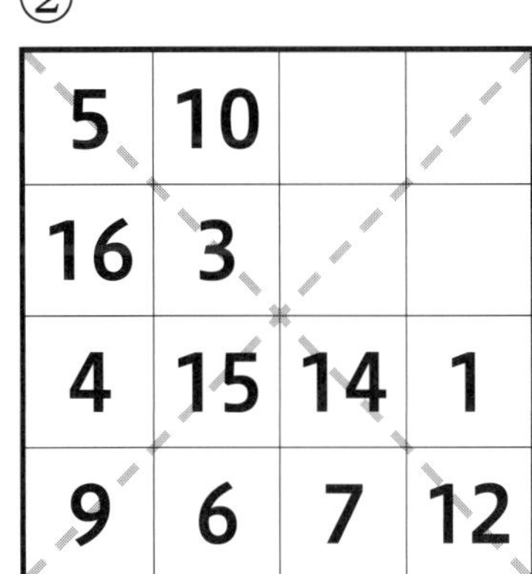

5	10		
16	3		
4	15	14	1
9	6	7	12

この解答は197ページ

四角に区切ろう

数字とマスの数が同じになるように、盤面を四角（正方形または長方形）に切り分けてください。どの四角にも数字は必ず一つずつ含まれます。

					3
	9				
			4		4
4		6			
4				2	

この解答は88ページ

✎ ◯月◯日

お釣り枚数クイズ

お釣りの金額と硬貨の枚数を計算してください。ただし、お釣りは一番少ない枚数で返ってくるものとします。

① **740** 円の買い物で **800** 円支払うと、

お釣りは［　　　］円で、硬貨は［　　　］枚

② **1610** 円の買い物で **2150** 円支払うと、

お釣りは［　　　］円で、硬貨は［　　　］枚

③ **399** 円の買い物で **1000** 円支払うと、

お釣りは［　　　］円で、硬貨は［　　　］枚

この解答は89ページ

アナグラム

文字を並び替えて正しい言葉にしてください。
ヒント：職業

※記号や読点は使いません。

◯月◯日

【例】子(こ)らに「メッ！」→（こらにめっ）→にらめっこ

① うーん、さあな…
→（　　　　　　　）→ [　　　　]

② ついケンカさ
→（　　　　　　　）→ [　　　　]

③ 演歌(えんか)が得意(とくい)
→（　　　　　　　）→ [　　　　]

この解答は89ページ

162日目

共通一字

◯の中に共通の１字を入れて言葉を完成させてください（◯の中には長音記号“ー”が入る場合もあります)。【例】れ◯る◯ → れとると

① か◯で◯ち

② せ◯とか◯

③ ◯◯んぞく

④ ◯ふぃんく◯

この解答は90ページ

163日目

昭和・平成思いだしクイズ

それぞれの問いに対し、正しい答えをＡＢＣの中から選んでください。

◯月◯日

①漫才ブームの頃、人気を博したＢ＆Ｂのギャグは？

Ａ さくらまんじゅう！　Ｂ ぼたんまんじゅう！　Ｃ もみじまんじゅう！

②昭和の頃、若者向け２大芸能雑誌と呼ばれたのは「明星」と何？

Ａ 世界　Ｂ 平凡　Ｃ 未来

③個性派女優として知られた樹木希林の旧芸名は？

Ａ 田中絹代　Ｂ 原節子　Ｃ 悠木千帆

④平成17年、後ろ足で立つ姿がかわいいと大ブームになったレッサーパンダの名前は？

Ａ 貫太　Ｂ 風太　Ｃ 涼太

この解答は197ページ

164日目

間違いさがし

左右の絵にはよく見ると間違いが５カ所あります。すべて見つけて◯で囲みましょう（印刷の汚れやかすれは間違いに入りません）。

◯月◯日

86ページの解答　【160日目】①60・2　②540・5　③601・3

この解答は91ページ

✎◯月◯日

円形穴埋め

円の中央にある文字を１文字目、周囲のどれかを２文字目として時計回りに読むと、ある言葉になります。空きマスに入る文字を考え、できる言葉を答えてください。

※大きい「つ」や「や」などは、小さな文字になる場合があります。

①

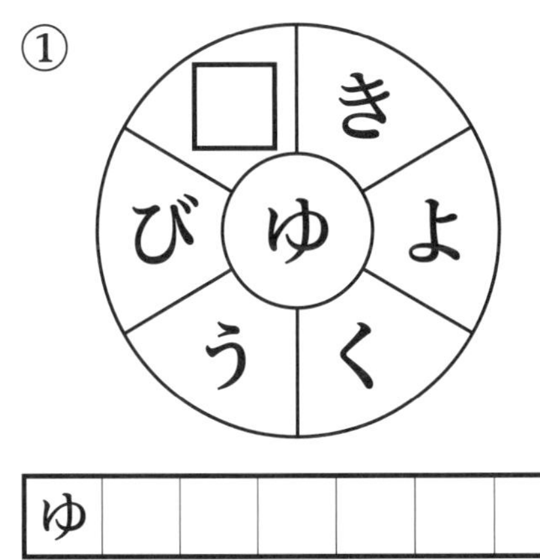

②

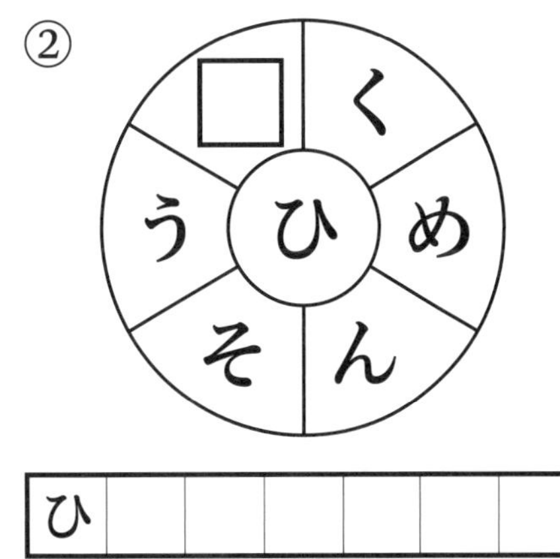

この解答は197ページ

166
日目

✎◯月◯日

クロスワード

タテのカギ、ヨコのカギをヒントに、クロスワードを解いてください。

〈タテのカギ〉

①アメリカにある映画の聖地
②何度も聞いて、耳に〇〇ができそう
④番組の進行役
⑥餅つきに使うキネの相棒
⑧ジャイアントやレッサーがいる
⑩〇〇ある鷹は爪を隠す

〈ヨコのカギ〉

①添乗員さんが持つ目印
③髪をすくのに使う道具
⑤賢いこと。言いつけを守る〇〇〇な犬
⑦敵地に潜入して情報を入手
⑨オニの頭に１～２本
⑪３位の選手の首にかける

87ページの解答

【161日目】①アナウンサー　②警察官　③映画監督

【162日目】①かんでんち　②せいとかい　③ききんぞく　④すふぃんくす

この解答は197ページ

167日目

言葉さがし

<リスト>の英単語をすべて一直線上に見つけてください。

T	S	O	P	U	N
B	A	T	Y	I	E
K	D	G	A	F	M
E	G	R	O	R	I
E	C	U	W	A	T
W	T	H	G	I	L

<リスト>

- □ BAT（バット）
- □ EGG（エッグ／卵）
- □ GOAL（ゴール）
- □ LIGHT（ライト／光）
- □ OUT（アウト）
- □ POST（ポスト）
- □ RAIN（レイン／雨）
- □ START（スタート）
- □ TIME（タイム／時間）
- □ WEEK（ウィーク／週）

この解答は197ページ

168日目

二字熟語ピースしりとり

スタートから二字熟語のしりとりになるように<リスト>のピースをうまくあてはめましょう。熟語は矢印の方向に読み、ピースは向きを変えずそのまま入ります。【例】今日→日記→記憶

月　日

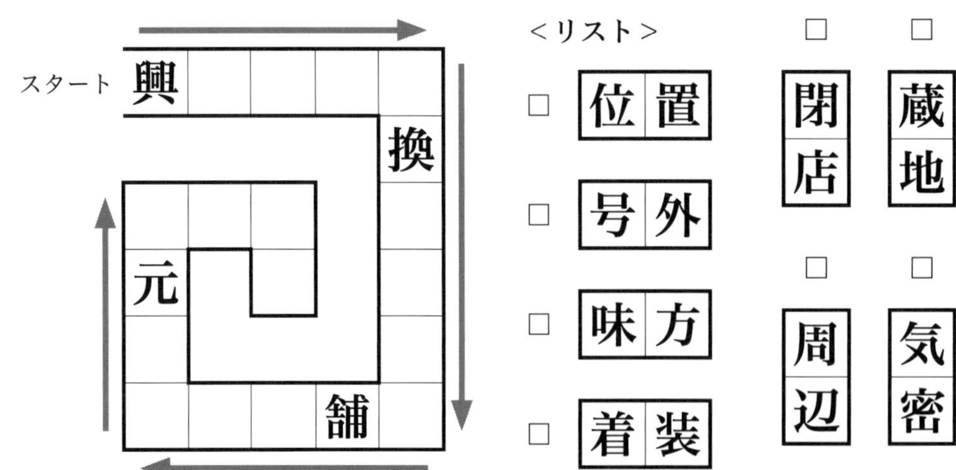

88ページの解答　【163日目】①C　②B　③C　④B

この解答は197ページ

詰めクロス

マス目に＜リスト＞の漢字を入れて、クロスワードを完成させてください。

<リスト>

- □ 安
- □ 一
- □ 温
- □ 覚
- □ 感
- □ 記
- □ 金
- □ 紙
- □ 真
- □ 生
- □ 体
- □ 度
- □ 箱
- □ 面

衛		■			重
■		実	■	代	■
壁		■	筆		
■	目			■	感
募	■	心	■	常	
	銭			■	

この解答は197ページ

スケルトンパズル

マス目と同じ文字数の熟語を＜リスト＞から選び、あてはめてください。

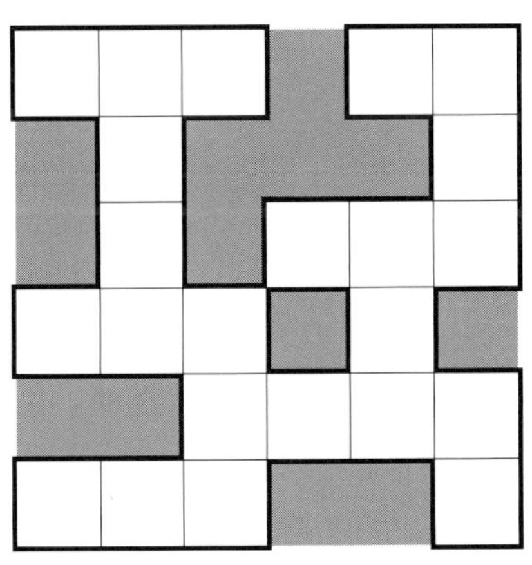

<リスト>

2文字

- □ 架空
- □ 号外

3文字

- □ 一大事
- □ 大一番
- □ 空返事
- □ 紅一点
- □ 再出発
- □ 派出所
- □ 発電所

4文字

- □ 一家総出
- □ 電話番号

89ページの解答　【165日目】①ゆうびんきょく　②ひゃくめんそう

この解答は94ページ

漢字熟語ダイヤモンド

AとBに入れた2つの漢字でできる二字熟語を答えてください。

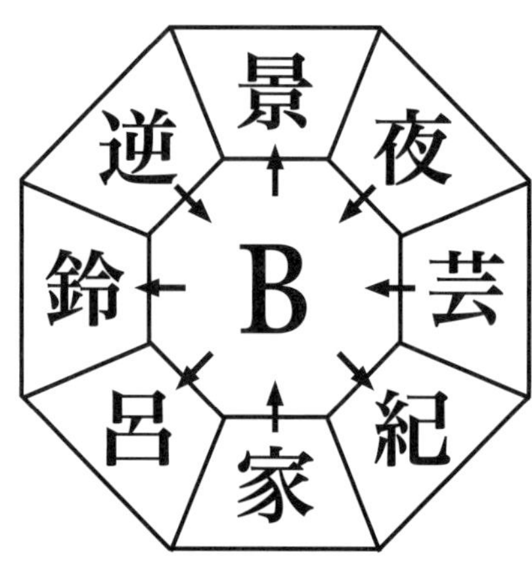

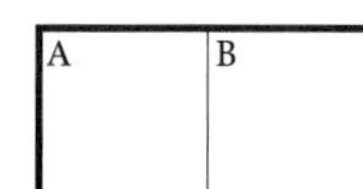

この解答は94ページ

172日目

漢字パーツ組み立て

バラバラになったパーツを組み合わせて四字熟語を作ってください。

【例】角＋刀＋牛＝解

◯月◯日

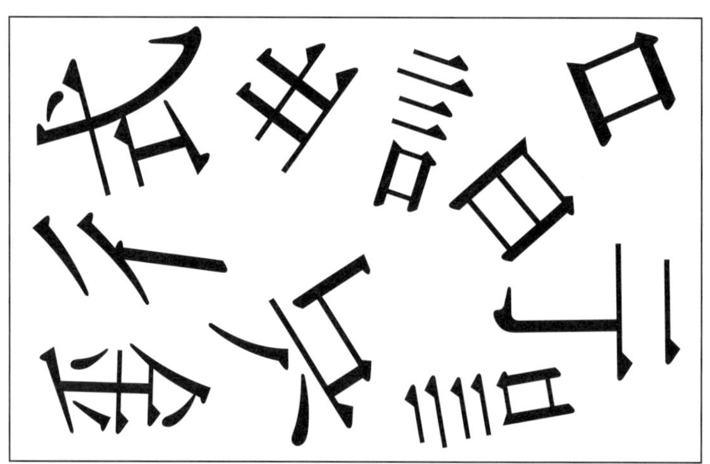

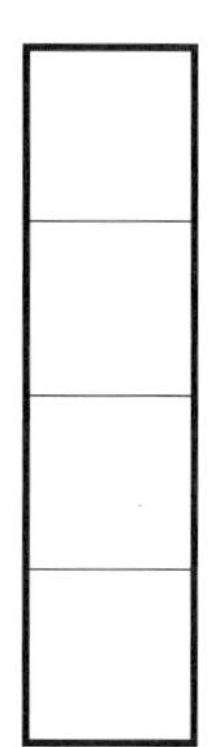

この解答は197ページ

三字熟語リレー

すでに入っている漢字のように<リスト>の漢字を空きマスに入れ、三字熟語を作ってください。線でつながれているマスには同じ漢字が入ります。

◯月◯日

<リスト>

- ☑ 丈
- ☐ 限
- ☐ 秘
- ☐ 版
- ☐ 社
- ☐ 射
- ☐ 大
- ☐ 的

居	丈	高
	丈	夫
無		
	定	

		場
神		
	外	
出		

この解答は95ページ

174 日目

四字熟語合体パズル

四字熟語の隠れた部分を推理して、①と②の四字熟語を答えてください。

◯月◯日

①

②

この解答は198ページ

175 日目

ブロック分割パズル

＜リスト＞の熟語をマス目から探し出し、ブロックに分割してください。

※タテまたはヨコにつながるように区切ります。

✎◯月◯日

思	売	非	売	機	心
考	品	動	販	自	負
回	路	自	議	思	馬
動	運	販	路	不	木
自	挙	選	転	回	転
転	心	機	一	考	選

<リスト>

2文字

- □ 自転
- □ 選考
- □ 販路

3文字

- □ 自負心
- □ 非売品
- □ 不思議

4文字

- □ 回転木馬
- □ 思考回路
- □ 心機一転
- □ 選挙運動

5文字

- □ 自動販売機

この解答は96ページ

176 日目

キューブ問題

矢印の方向からどう見えるか、ＡＢＣの中から答えてください。

✎◯月◯日

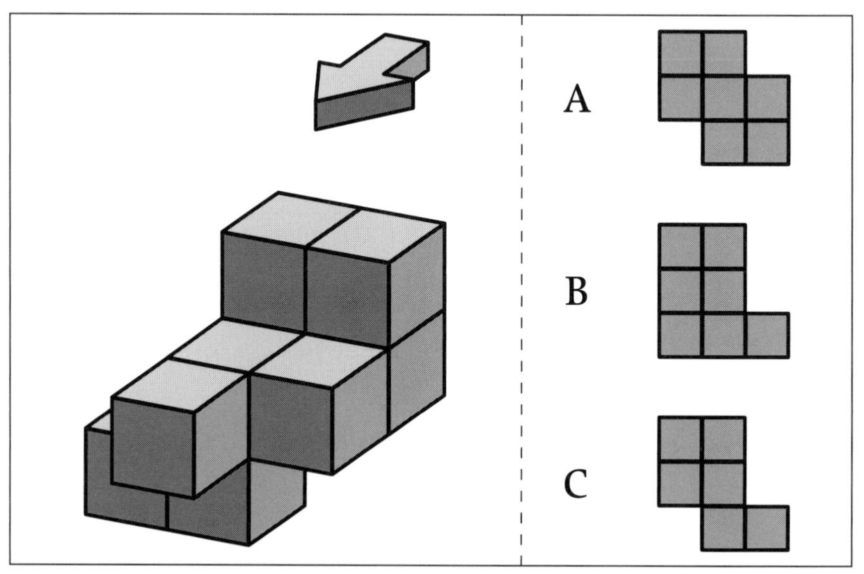

92ページの解答 【171日目】 A和 B風 【172日目】試行錯誤

この解答は97ページ

カード推理

表と裏にイラストが描かれたカードを５枚、【見本】のように重ねて置きました。これを裏返して見た時に正しいものは、①～③のうちどれでしょう？

解答

①

②

③

この解答は198ページ

178日目

点つなぎ

☆から★まで番号順に点をつないだ時、あらわれる絵を答えてください。

月　日

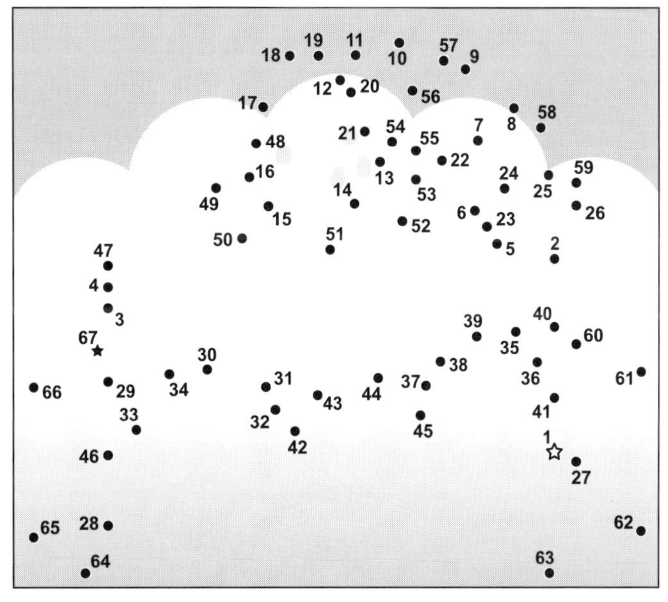

【174日目】①本末転倒　②無我夢中

この解答は98ページ

立方体展開図クイズ

【見本】の展開図を組み立てたときに出来るサイコロとして、正しいものは①～③のうちどれでしょう？

○月○日

解答

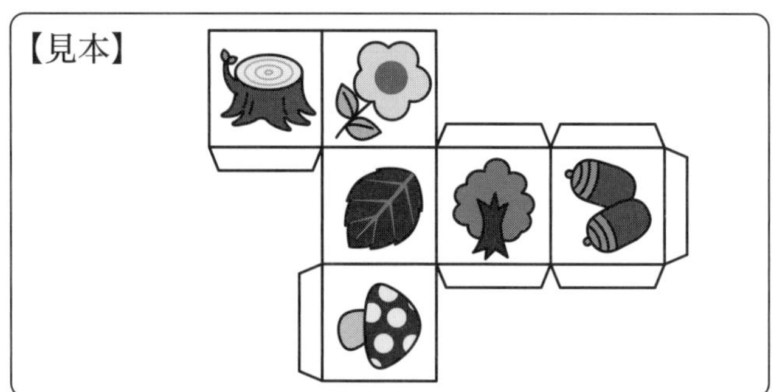

①

②
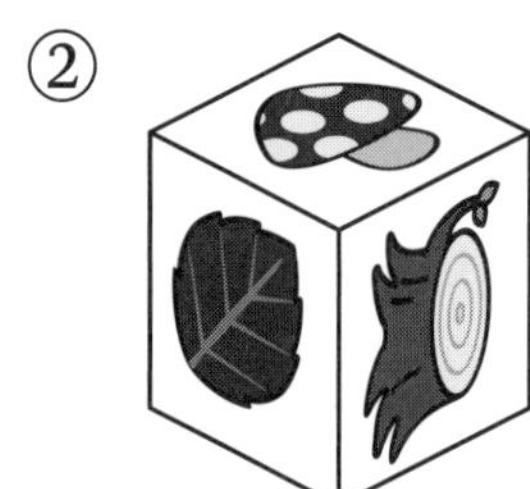

③
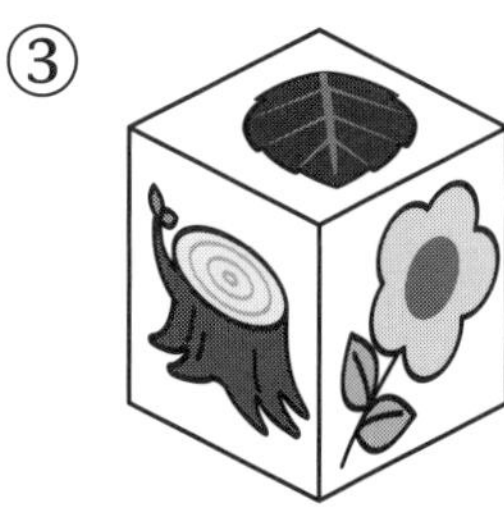

この解答は98ページ

180
日目

同じセットさがし

【見本】と同じ内容のセットを①～③の中から選んでください。

○月○日

【見本】
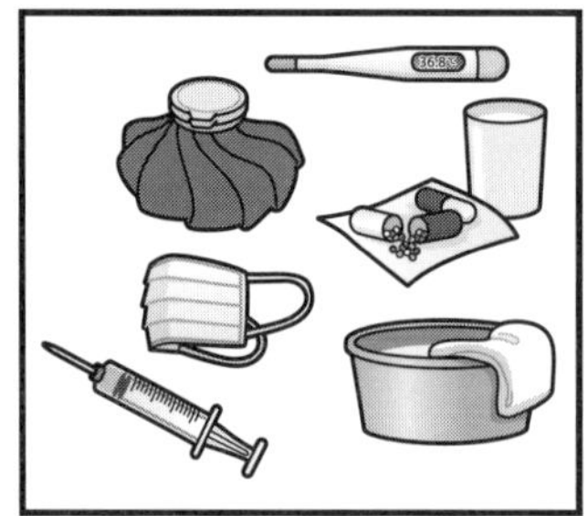

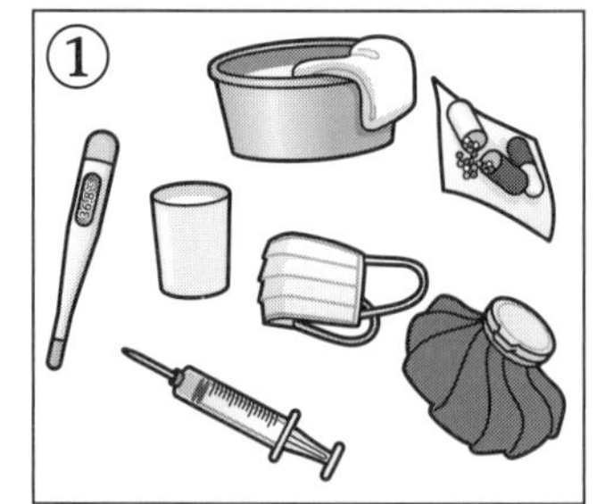

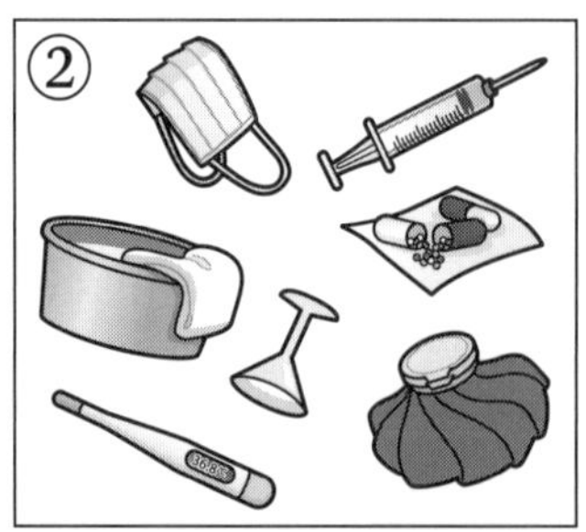

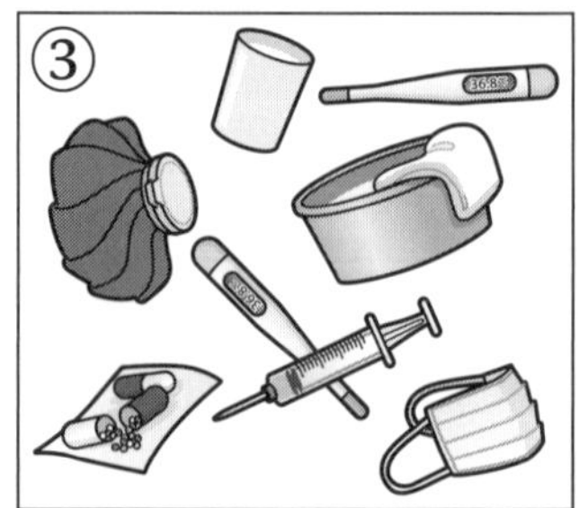

94ページの解答　【176日目】C

この解答は99ページ

足し算迷路

スタートからゴールまで最短距離で進みましょう。通った数字を合計するといくつになるでしょう？

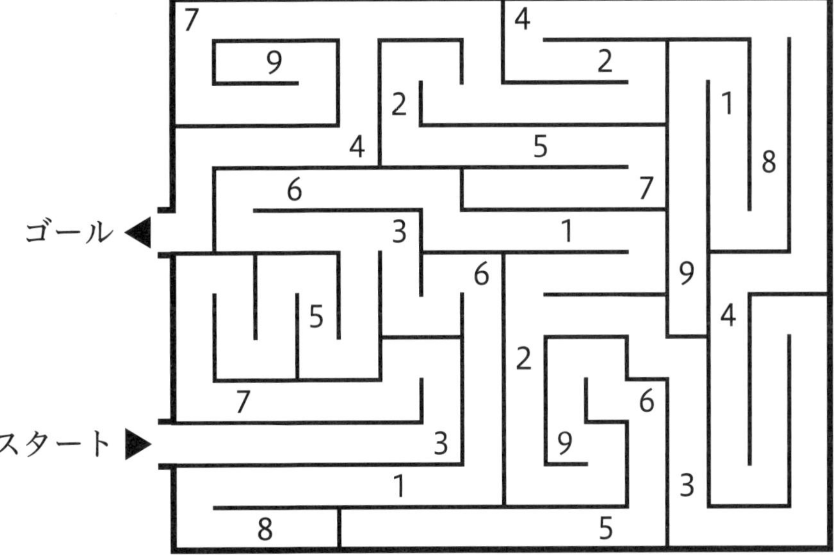

この解答は198ページ

182
日目

文字アート間違いさがし

文字が集まって出来たイラストがあります。このうちリストの文字以外のものが３つ含まれています。それは何でしょう？

```
　　　　　鼻鼻鼻鼻　　　　　　　鼻鼻鼻鼻鼻鼻
　　　　鼻鼻ちちち鼻鼻鼻鼻鼻鼻鼻鼻ちちちち鼻鼻
　　　　鼻ちちち鼻鼻ちちちちち鼻ちちちちちち鼻
　　　　鼻ちちち鼻ちちちちちちちち鼻鼻鼻ちち鼻鼻鼻鼻鼻鼻
　　　　鼻ちち鼻鼻ちちちちちちち鼻鼻ちちちち鼻ちちちち鼻鼻鼻
　　力　鼻鼻ち鼻ちちちちちちちち鼻ちちちちち鼻ちちちちちち鼻鼻
　持力特　鼻ち鼻ちちちちちちちちちちちちち鼻鼻ちちちちちちち鼻
持　持持持鼻ち鼻ち鼻ちち鼻ちちちちちちちち鼻さちちちちちちち鼻鼻
持持持持持鼻ち鼻ち鼻ちち鼻ちちちちちちちち鼻ちちちちちちち鼻ち鼻
持持持持持鼻ち鼻ちちちちちちちちちちちちち鼻ちちちちちちち鼻ち鼻
　持持鼻鼻　鼻ち鼻ちちちちちちちちちちちち鼻ちちちちちちち鼻鼻ち
　鼻鼻鼻ち鼻　鼻鼻鼻鼻ちちちちちちちちち鼻鼻ちちちちちちちち鼻ち
　鼻ちちち鼻　　鼻ちちちち鼻鼻鼻ちち鼻鼻鼻ちちちちちちちちち鼻鼻
　鼻鼻ちち鼻　鼻鼻鼻ちちち鼻　ちちちちちちちちちちちちちちち鼻
　　鼻ちちち鼻鼻ちちちち鼻鼻　ちちちちちちちちちちちちちちち鼻
　　鼻鼻ちちちちちちちち鼻　ちちちちちちちちちちちちちちちち鼻
　　　鼻鼻ちちちちち鼻鼻鼻ちちちち鼻ちちちちちちちちちちちち鼻
　　　　鼻鼻鼻鼻鼻鼻鼻　鼻ちちちち鼻ちちちちちちちちちちちち鼻
　　　　　　　　　　　　鼻ち鼻鼻鼻鼻ちち鼻鼻鼻鼻鼻鼻鼻鼻ちち鼻
　　　　　　　　　　　　鼻ちち鼻　鼻ちち鼻　　鼻ちち鼻ちちち鼻
　　　　力　　　　　　　鼻　ち鼻　鼻　ち鼻　　鼻　ち鼻　　ち鼻
カカカカ　カカカカカカカ鼻鼻鼻鼻刃鼻鼻鼻鼻カカ鼻鼻鼻鼻鼻鼻鼻鼻カ
カ　カカカカカカカ　カカカカカカカカカカカカ　カカカカカカカカカ
```

リスト

鼻・力・持・ち

解答

【177日目】②

この解答は100ページ

183 日目

✎◯月◯日

サイコロ回転クイズ

矢印にそってサイコロを転がして進んだとき、最後のマスで一番上になる目の数は？
【ヒント】サイコロは対面の目を足すと7になります。

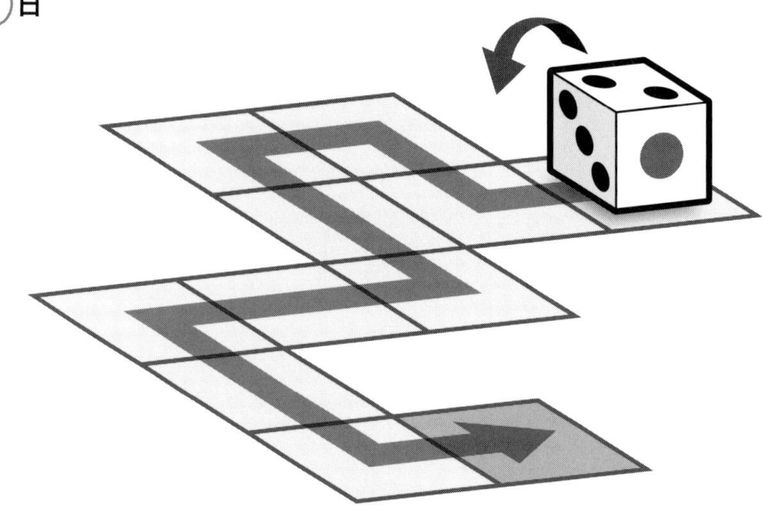

この解答は198ページ

184 日目

✎◯月◯日

塗り絵パズル

記号のあるマスを塗りつぶすと、あるイラストが出てきます。それは何でしょう？

解答

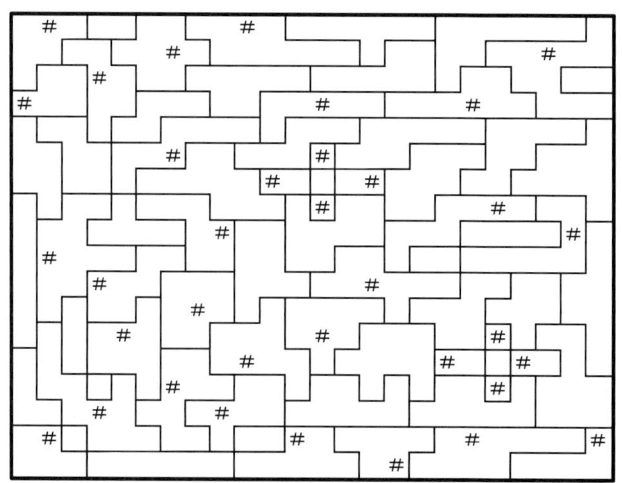

96ページの解答
【179日目】②
【180日目】①

この解答は101ページ

一筆書き

一筆書きできるか○×で答えましょう。どの線も必ず一度だけ通り、一度ですべての線をなぞります。

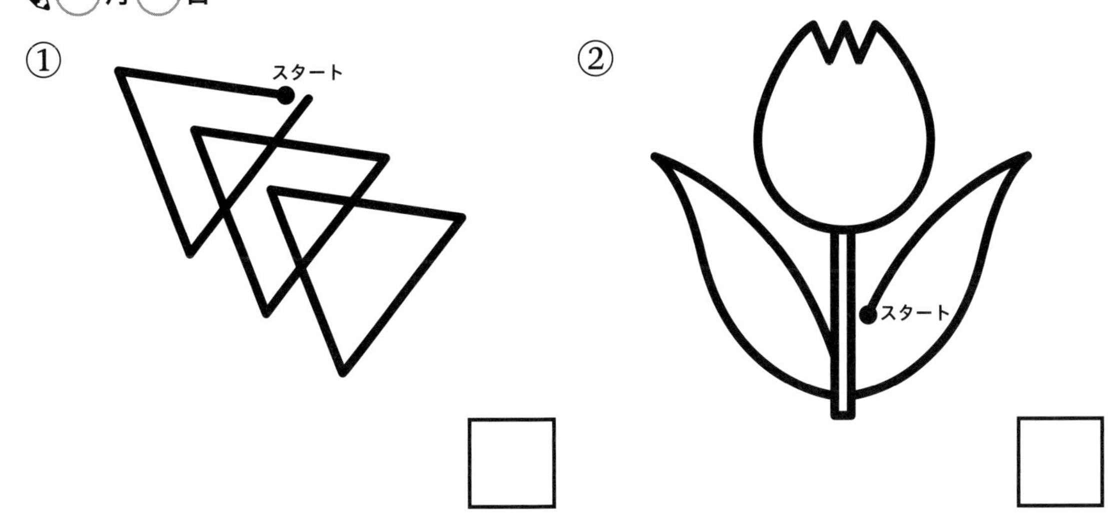

この解答は198ページ

186日目

ミニナンプレ

タテ６列、ヨコ６列と、太線で囲まれた６個のブロックにはそれぞれ１～６の数字が必ず一つずつ入ります。
すべての空きマスに数字を入れてください。

月　日

	5			6	
3		4	1		2
	2			3	
5		3	2		6
	3	5	6	4	
4	1			2	5

97ページの解答　【181日目】39

この解答は198ページ

187日目

かんたんナンプレ

タテ９列、ヨコ９列と、太線で囲まれた９個のブロックにはそれぞれ１～９の数字が必ず一つずつ入ります。すべての空きマスに数字を入れてください。

6	1			3	7	5		2
	7	2		5	8		3	4
	4	5	2	9		7		1
8	2			4	1		5	
	3	1				4	2	
	5		3	8			7	6
1		4		2	5	3	6	
5	8		6	7		2	1	
2		7	9	1			4	5

この解答は198ページ

188日目

◯月◯日

不等号ナンプレ

タテ列とヨコ列にはマスの個数分の数字が一つずつ入ります。各マスの間の不等号は隣り合ったマスに入る数字の大小をあらわします。すべての空きマスに数字を入れてください。

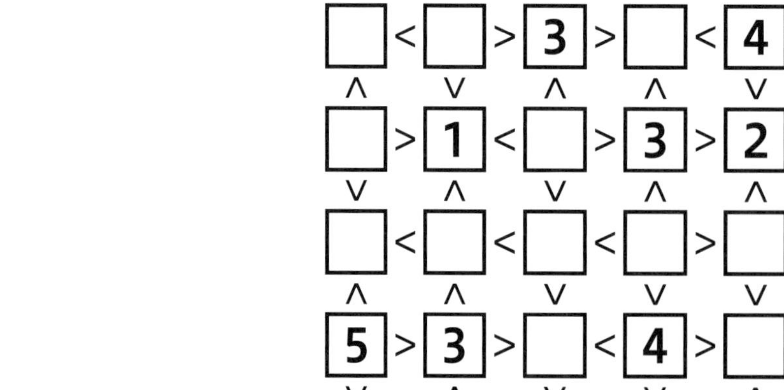

98ページの解答 【183日目】6

この解答は198ページ

イラストつなぎ

同じイラストを線でつないでください。線同士が交差したり、他のイラストの上を通過することはありません。網掛けマスを通るイラストはどれでしょう？

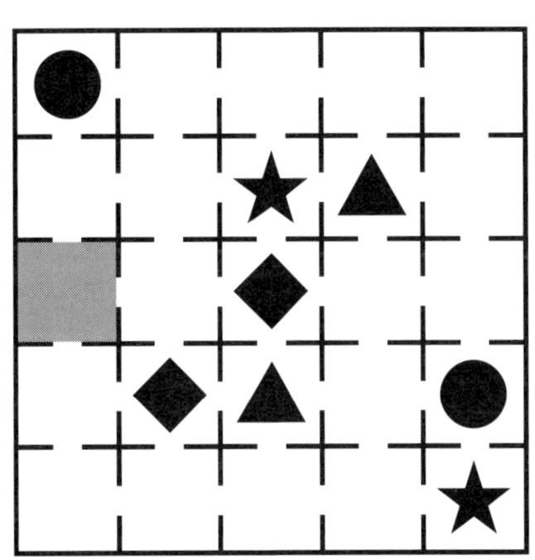

リスト

●	A
▲	B
★	C
◆	D

解答

この解答は198ページ

虫食い算

虫食い穴に数字を入れて、正しい式にしてください。

$$\begin{array}{r} 1\ 8 \\ +\ 4\ \square \\ \hline \square\ 7 \end{array} \qquad \begin{array}{r} 7\ \square\ 2 \\ -\ \square\ 9\ 7 \\ \hline 5\ 0\ \square \end{array} \qquad \begin{array}{r} 3\ \square\ 7\ 1 \\ +\ 4\ 9\ \square\ 2 \\ \hline \square\ 8\ 3\ \square \end{array}$$

99ページの解答 【185日目】①○　②×

この解答は198ページ

✎◯月◯日

魔方陣計算クイズ

盤面には1～16の数字が一つずつ入ります。
タテ・ヨコの各列と、対角線上に並んだ数字の和が34になる数字を書き入れましょう。

①

11			14
2	13	12	
16		6	9
5	10	15	4

②

7	6	9	12
11			8
14			1
2	3	16	13

この解答は198ページ

✎◯月◯日

四角に区切ろう

数字とマスの数が同じになるように、盤面を四角（正方形または長方形）に切り分けてください。どの四角にも数字は必ず一つずつ含まれます。

			4		5
		6			
				5	
	3				
		6		4	
					3

この解答は105ページ

193日目

お釣り枚数クイズ

お釣りの金額と硬貨の枚数を計算してください。
ただし、お釣りは一番少ない枚数で返ってくるものとします。

◯月◯日

① **1294** 円の買い物で **1305** 円支払うと、
お釣りは［　　　］円で、硬貨は［　　　］枚

② **296** 円の買い物で **500** 円支払うと、
お釣りは［　　　］円で、硬貨は［　　　］枚

③ **4133** 円の買い物で **5000** 円支払うと、
お釣りは［　　　］円で、硬貨は［　　　］枚

この解答は105ページ

194日目

アナグラム

文字を並び替えて正しい言葉にしてください。
ヒント：童謡
※記号や読点は使いません。

◯月◯日

【例】子(こ)らに「メッ！」→（こらにめっ）→にらめっこ

① マリンの模索(もさく)
→（　　　　　　　）→［　　　］

② 国家(こっか)の梅(うめ)だが…
→（　　　　　　　）→［　　　］

③ おい、舩起(ふなお)きるけど！
→（　　　　　　　）→［　　　］

この解答は106ページ

195日目

✎◯月◯日

共通一字

○の中に共通の1字を入れて言葉を完成させてください（○の中には長音記号“ ー ”が入る場合もあります)。【例】れ○る○ → れとると

① ま ○ き ○ こ

② ○ ぎ ○ っ こ

③ ぱ ○ て ぃ ○

④ す ○ へ ○ せ ん

この解答は106ページ

196日目

✎◯月◯日

昭和・平成思いだしクイズ

それぞれの問いに対し、正しい答えをＡＢＣの中から選んでください。

①昭和33年から34年にかけて放送された、国産テレビヒーローの元祖と呼ばれる番組は？

Ａ 月光仮面　Ｂ マグマ大使　Ｃ ワイルド７　□

②萩原健一がメンバーだったグループ・サウンズは？

Ａ ザ・スパイダース　Ｂ ザ・タイガース　Ｃ ザ・テンプターズ　□

③昭和11年のベルリン五輪で、日本女性初の金メダリストとなった女性は？

Ａ 青木まゆみ　Ｂ 前畑秀子　Ｃ 元好三和子　□

④「…じゃあ～りませんか」で、平成３年の新語・流行語年間大賞を受賞したのは？

Ａ 池乃めだか　Ｂ 桑原和男　Ｃ チャーリー浜　□

この解答は198ページ

間違いさがし

左右の絵にはよく見ると間違いが５カ所あります。すべて見つけて○で囲みましょう（印刷の汚れやかすれは間違いに入りません）。

この解答は107ページ

198
日目

円形穴埋め

円の中央にある文字を１文字目、周囲のどれかを２文字目として時計回りに読むと、ある言葉になります。空きマスに入る文字を考え、できる言葉を答えてください。

※大きい「つ」や「や」などは、小さな文字になる場合があります。

月　日

①

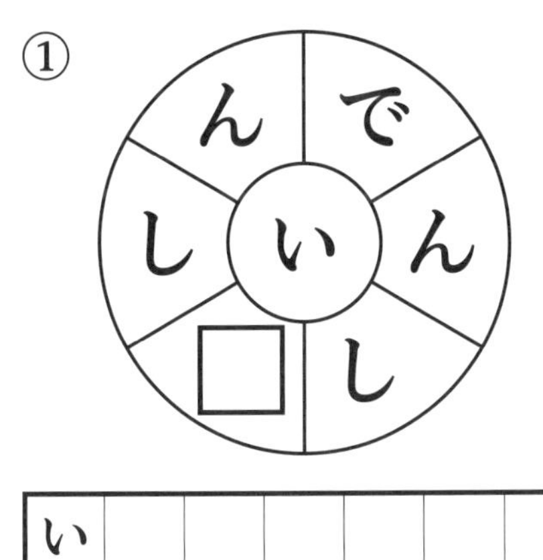

い						

②

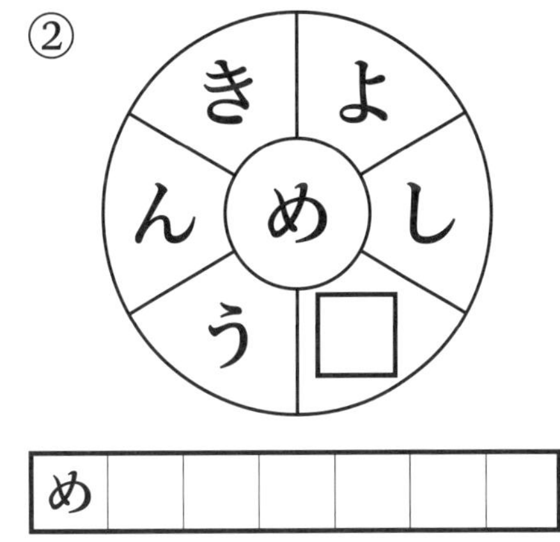

め						

103ページの解答
【193日目】①11・2　②204・6　③867・9
【194日目】①森のくまさん　②めだかの学校　③大きな古時計

この解答は199ページ

クロスワード

タテのカギ、ヨコのカギをヒントに、クロスワードを解いてください。

〈タテのカギ〉

①古池や
○○○飛び込む
水の音／芭蕉
②小説や映画の種類
③草などを刈る道具
⑤いもたこなんきんの
「なんきん」
⑦マジシャンが使う
○○○ハット
⑨南米の細長い国

〈ヨコのカギ〉

②忙しいと
あっという間に過ぎる
④みかんや梅干しが
有名な県
⑥「パンツ」とも呼ぶ服
⑧青い鳥を探した
○○○○とミチル
⑩刀を納める筒
⑪ウミガメが
産卵のために上がる

この解答は199ページ

言葉さがし

＜リスト＞の英単語をすべて一直線上に見つけてください。

O	E	D	I	V	D
Y	E	B	S	P	T
B	K	C	A	G	R
I	V	S	N	U	A
R	S	I	L	A	P
D	K	E	P	E	D

＜リスト＞

- □ ART（アート／芸術）
- □ BED（ベッド）
- □ BIRD（バード）
- □ DANCE（ダンス）
- □ KING（キング）
- □ PASS（パス）
- □ RULE（ルール）
- □ SKY（スカイ）
- □ VIDEO（ビデオ）
- □ VIP（ビップ／要人）

104ページの解答
【195日目】①まねきねこ　②かぎかっこ　③ぱーてぃー　④すいへいせん
【196日目】①A　②C　③B　④C

この解答は199ページ

二字熟語ピースしりとり

スタートから二字熟語のしりとりになるように＜リスト＞のピースをうまくあてはめましょう。熟語は矢印の方向に読み、ピースは向きを変えずそのまま入ります。【例】今日→日記→記憶

◯月◯日

スタート

履				
				合
技				
			率	

＜リスト＞

□ 役割

□ 頭先

□ 巧妙

□ 歴代

□ 否認

□ 裏脳

□ 案内

□ 可能

この解答は199ページ

202日目

詰めクロス

マス目に＜リスト＞のカナを入れて、クロスワードを完成させてください。

※小さい「ッ」や「ャ」なども大きな文字として扱います。

◯月◯日

＜リスト＞

□ イ　□ テ　□ ル

□ イ　☑ ボ　□ ン

□ ク　□ マ　□ ー

□ グ　□ マ　□ ー

□ ツ　□ ヤ

シ		ボ	ン	ダ	
■	カ		■		ネ
		カ		ズ	■
ブ	■		リ	■	ポ
	ク	■		レ	
ロ		ン	チ		ク

105ページの解答 【198日目】①いしんでんしん　②めんきょしょう

この解答は199ページ

スケルトンパズル

マス目の数と同じ文字数の言葉を＜リスト＞から選び、あてはめてください。

※小さい「ッ」や「ャ」なども大きな文字として扱います。

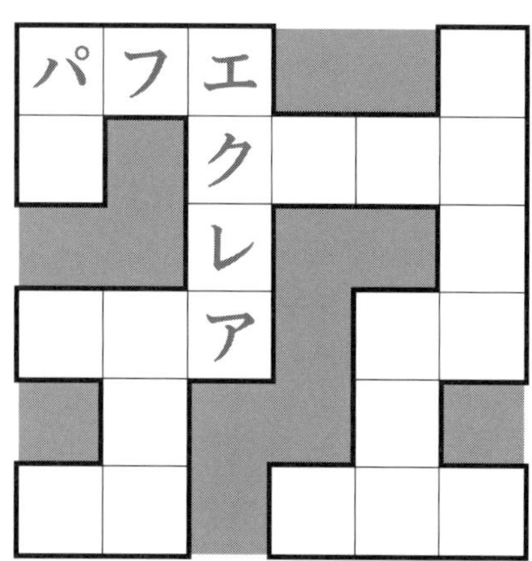

<リスト>

2文字	3文字	4文字
□ アン(餡)	□ アイス	☑ エクレア
□ パイ	□ コーン	□ クッキー
□ パン	□ ココア	□ レーズン
	☑ パフェ	
	□ ラスク	

この解答は110ページ

漢字熟語ダイヤモンド

AとBに入れた2つの漢字でできる二字熟語を答えてください。

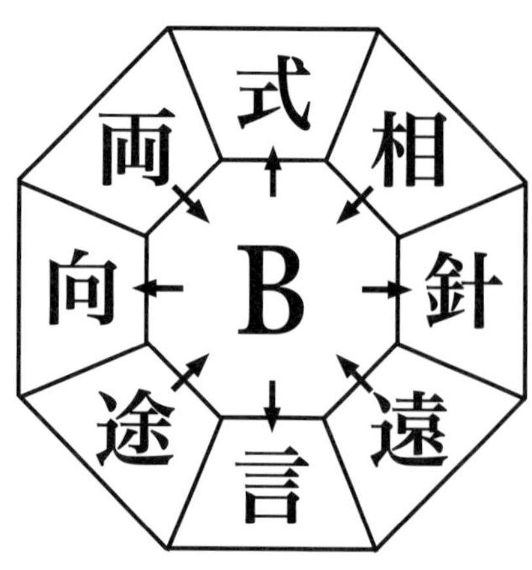

A	B

この解答は111ページ

漢字パーツ組み立て

バラバラになったパーツを組み合わせて四字熟語を作ってください。

【例】角＋刀＋牛＝解

◯月◯日

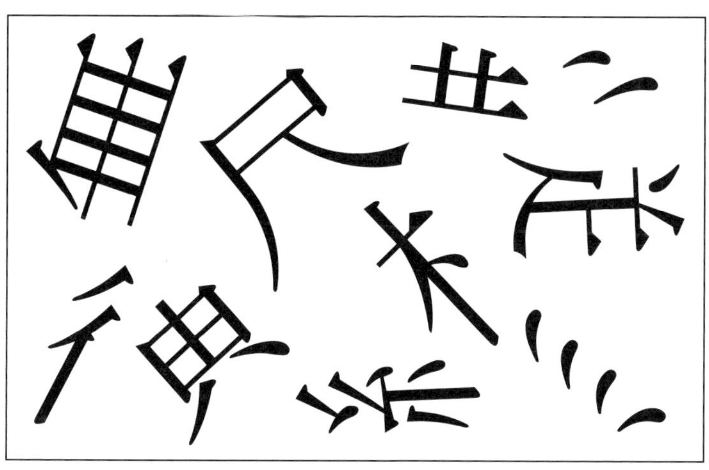

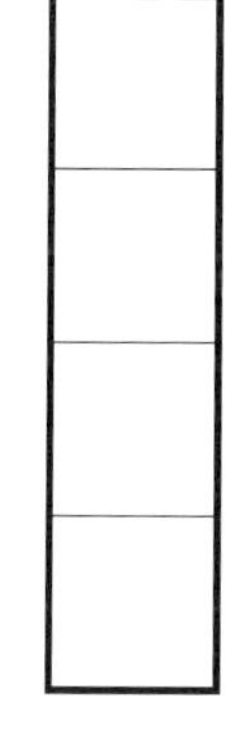

この解答は199ページ

206
日目

三字熟語リレー

すでに入っている漢字のように＜リスト＞の漢字を空きマスに入れ、三字熟語を作ってください。線でつながれているマスには同じ漢字が入ります。

◯月◯日

＜リスト＞

☑ 号	□ 世
□ 話	□ 士
□ 郷	□ 想
□ 代	□ 土

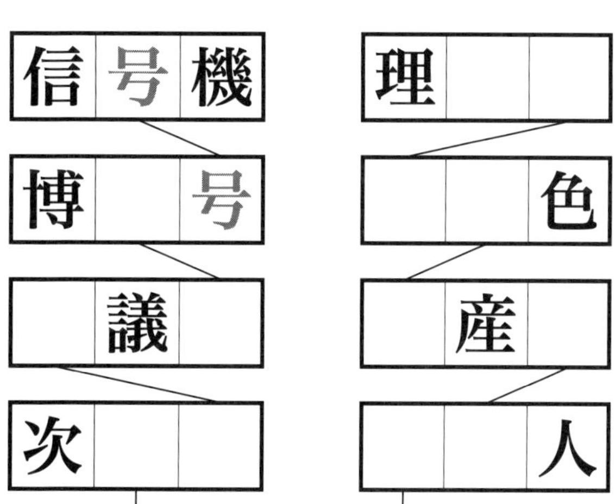

この解答は112ページ

✎◯月◯日

四字熟語合体パズル

四字熟語の隠れた部分を推理して、①と②の四字熟語を答えてください。

①

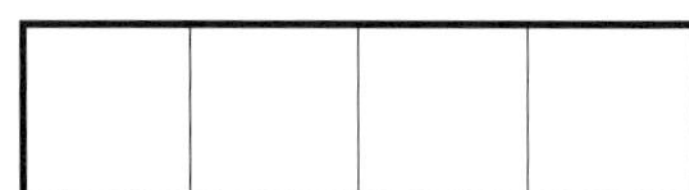

②

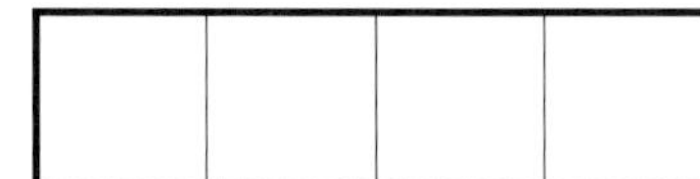

この解答は199ページ

208
日目

✎◯月◯日

ブロック分割パズル

＜リスト＞の言葉をマス目から探し出し、ブロックに分割してください。

※タテまたはヨコにつながるように区切ります。
※小さい「ッ」や「ャ」なども大きな文字として扱います。

リ	ン	ギ	ク	ン	オ
ド	ミ	ム	ラ	ピ	ア
ベ	カ	フ	サ	キ	ー
ー	ジ	ロ	シ	ル	ド
ク	ユ	チ	ヤ	ボ	オ
ロ	コ	ゲ	ジ	ン	レ

＜リスト＞

2文字
- ☐ アオ(青)
- ☐ ギン(銀)
- ☐ クロ(黒)
- ☐ シロ(白)

3文字
- ☐ ピンク

4文字
- ☐ オレンジ
- ☐ コゲチャ(焦茶)
- ☐ ベージュ
- ☐ ボルドー
- ☐ ムラサキ(紫)

5文字
- ☑ フカミドリ(深緑)

108ページの解答 【204日目】 A味 B方

この解答は113ページ

◯月◯日

キューブ問題

何個のブロックで出来ているか答えてください。

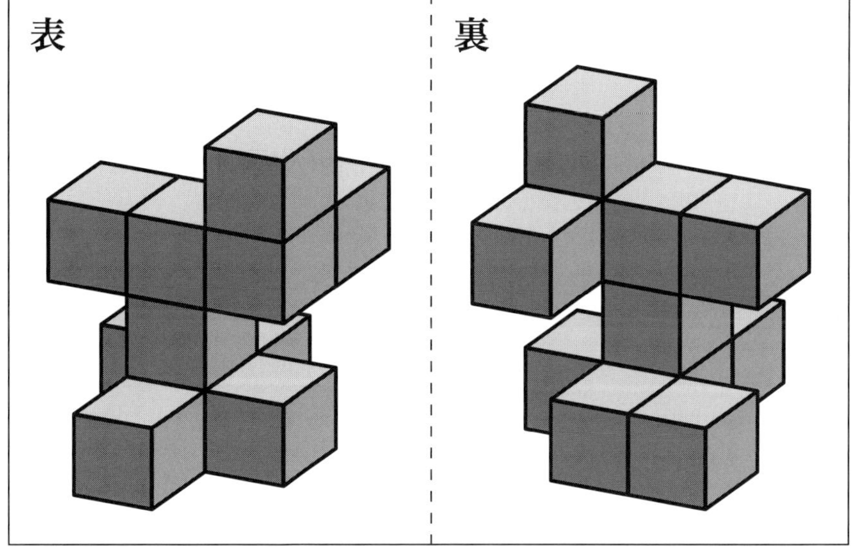

この解答は113ページ

◯月◯日

カード推理

表と裏にイラストが描かれたカードを５枚、【見本】のように重ねて置きました。これを裏返して見た時に正しいものは、①〜③のうちどれでしょう？

【裏】

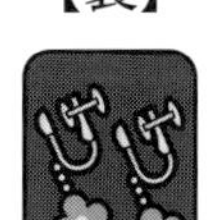

【表】

①

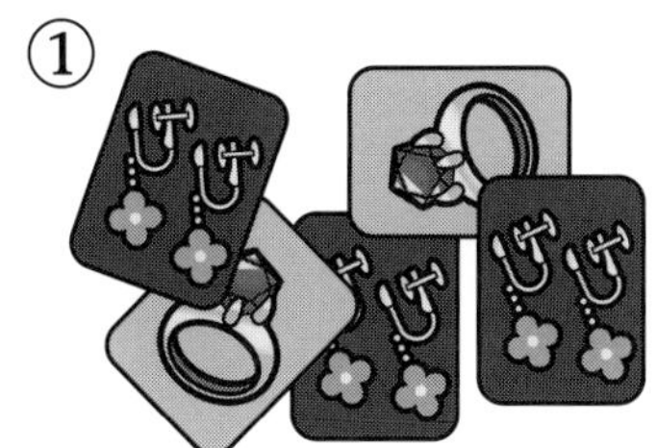

②

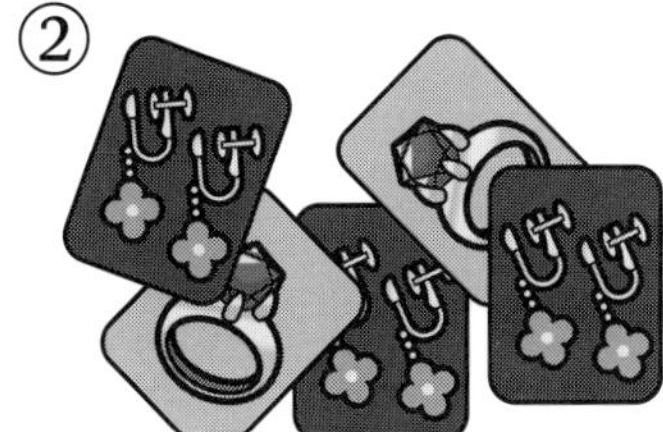

③

この解答は199ページ

点つなぎ

☆から★まで番号順に点をつないだ時、あらわれる絵を答えてください。

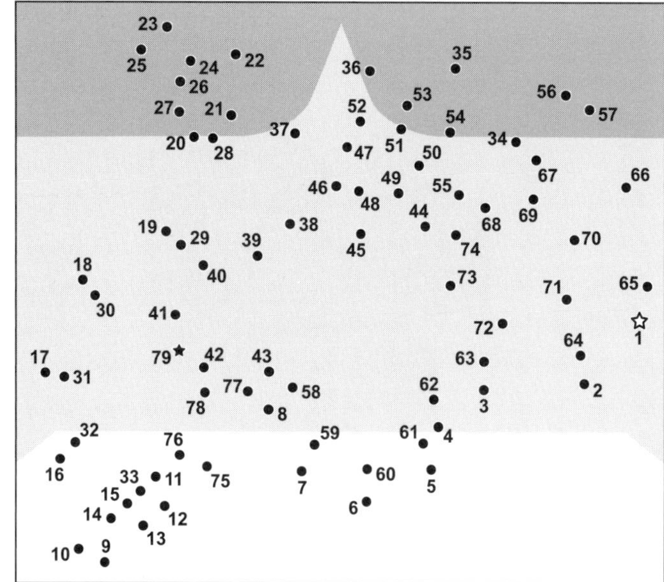

この解答は114ページ

立方体展開図クイズ

【見本】の展開図を組み立てたときに出来るサイコロとして、正しいものは①～③のうちどれでしょう？

解答

【見本】

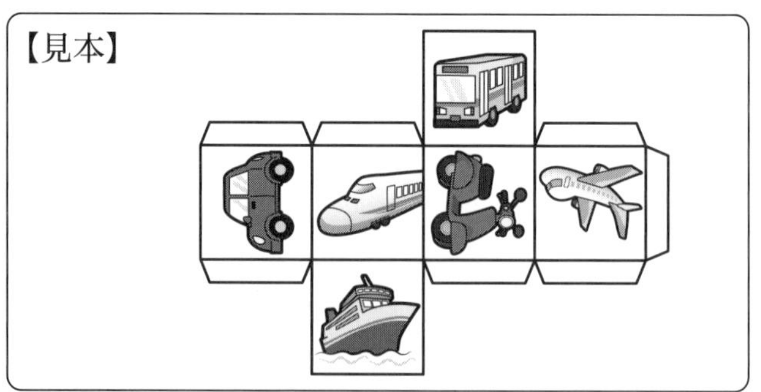

①

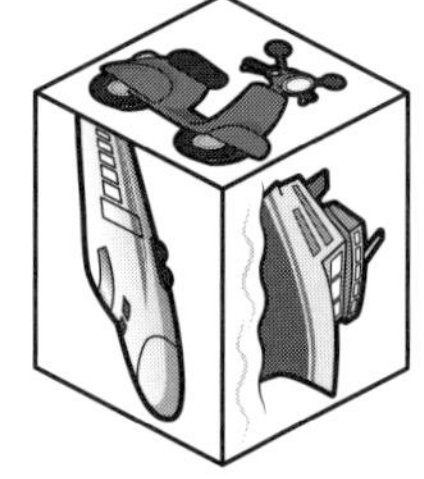

②

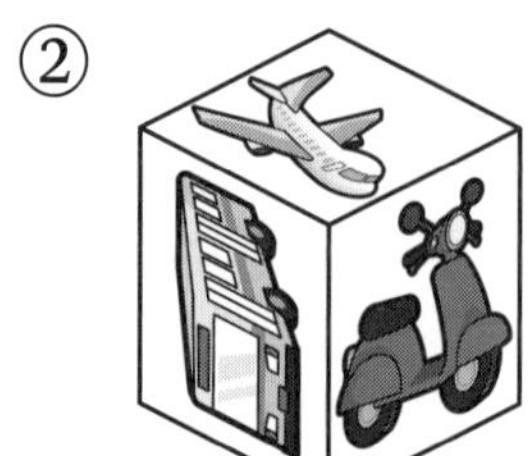

③

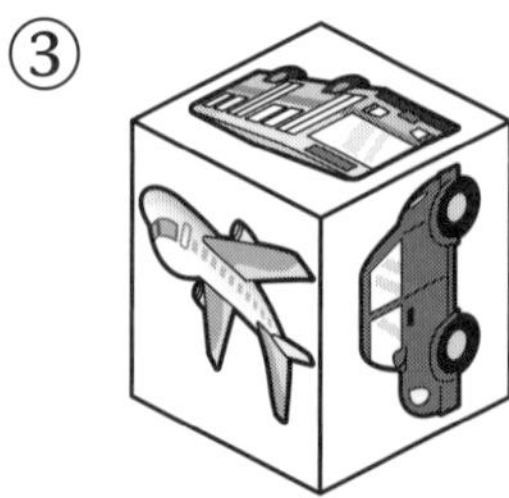

110ページの解答　【207日目】①単刀直入　②温故知新

この解答は115ページ

✎◯月◯日

同じセットさがし

【見本】と同じ内容のセットを①～③の中から選んでください。

【見本】

この解答は115ページ

214
日目

✎◯月◯日

足し算迷路

スタートからゴールまで最短距離で進みましょう。通った数字を合計するといくつになるでしょう？

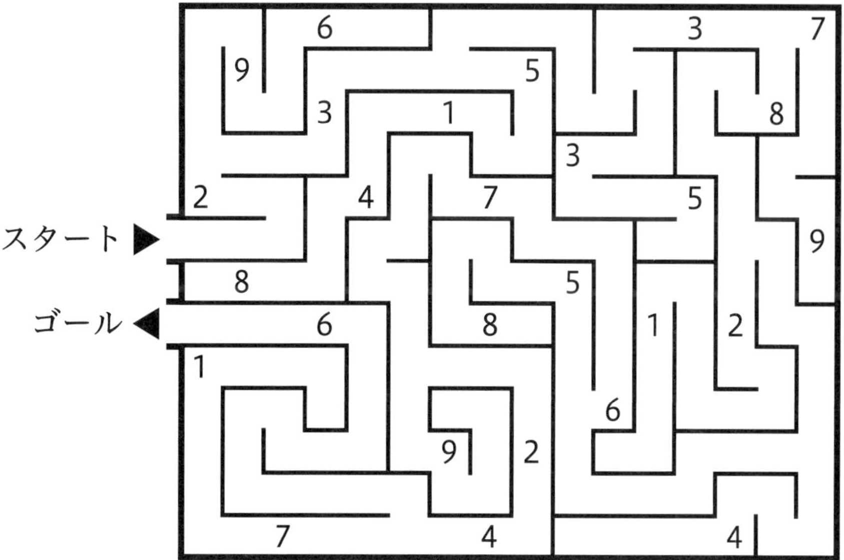

この解答は199ページ

215日目

文字アート間違いさがし

文字が集まって出来たイラストがあります。このうちリストの文字以外のものが3つ含まれています。それは何でしょう？

```
リリリリリリリリリリリリリリリリリリリ甘甘リリリリリリリリリリリ
リリリリリリリリリリリリリリリリリリ甘リリリリリリリリリリリリリ
プ　　　　　　　　　　　　　　　　色色色
ププ　　　　　　　　　　　黄黄黄黄色色色黄　　　　甘甘　甘甘
プププ　　　　　　　　　黄寅プププ色色色プ黄　　　甘甘甘甘甘
　ププププ　　　　　　黄ププププププププププ黄　　甘甘甘甘甘
　　プ色色ププ　　　　黄プ　ププププププププ黄　　　百甘甘
　　プ色色色色プ　　　黄黄ププ　　　プププ黄黄　　　　甘
　　ププ色色色色プ　黄黄リ黄黄黄黄黄黄黄黄リリ黄
　　プププ色色色プ　黄リリリリリリリリリリリリ黄
　　　ププププププ　黄リリ　リリリリリリリリリリ黄
　　　　プププププ　黄リリ　リリリリリリリリリリ黄
　　　　　　　　　黄黄リ　リリリリリリリリリリリ黄
　　　　　　　　　黄リリ　リリリリリリリリリリリリ黄
　　　　　　ンンン黄リリリリリリリリリリリリリリリ黄ンンン
　　　　　　ンンンン黄黄黄黄黄黄黄黄黄黄黄黄黄黄黄ンンンン
　　　　　　　ンンンンンンンンンンンンンンンンンンンンン
　　　　　　　　　ンンンンンンンンンンンンンンンンン
　　　　　　　　　　　ンンンンンンンンンンンンン
色色色色色色色色色色色色色色ンンンンンンン色色色色色色色色
色色色色色色色色色色色色色色色色色ン色色色色色色色色色色色色
色色色色色色色色色色色色色兇色ンンンンン色色色色色色色色色色色
色色色色色色色色色色色色色ンンンンンンンンン色色色色色色色色色色
```

リスト

プ・リ・ン
黄・色・甘

解答

この解答は116ページ

216日目

サイコロ回転クイズ

矢印にそってサイコロを転がして進んだとき、最後のマスで一番上になる目の数は？
【ヒント】サイコロは対面の目を足すと7になります。

112ページの解答　【212日目】②

この解答は199ページ

塗り絵パズル

記号のあるマスを塗りつぶすと、あるイラストが出てきます。それは何でしょう？

解答

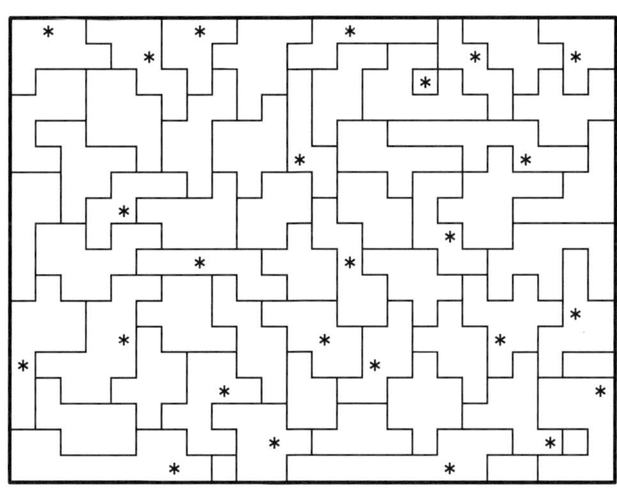

この解答は117ページ

218日目

◯月◯日

一筆書き

一筆書きできるか○×で答えましょう。どの線も必ず一度だけ通り、一度ですべての線をなぞります。

①

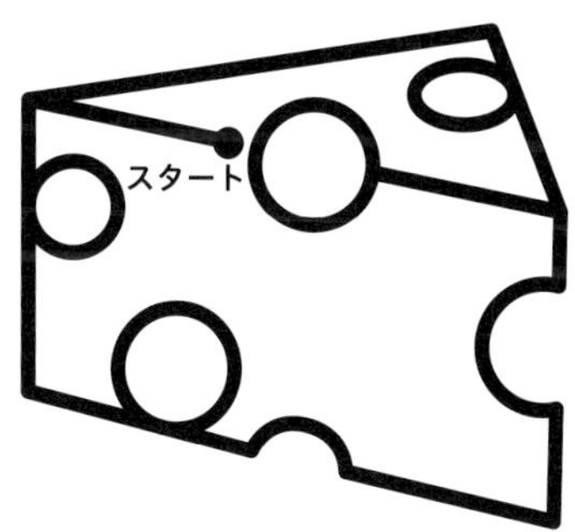

②

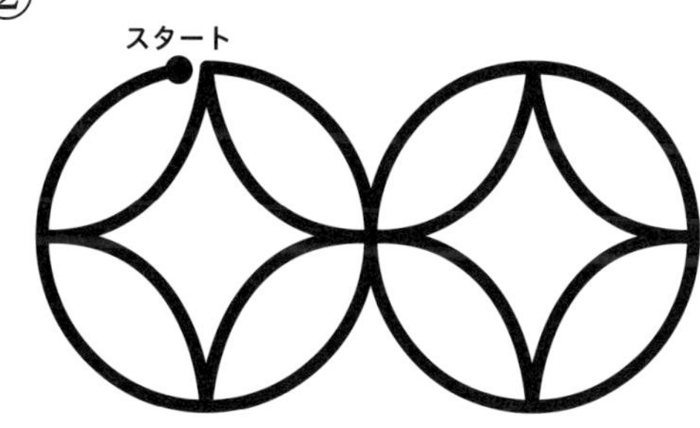

この解答は199ページ

219日目

✎ ◯月◯日

ミニナンプレ

タテ6列、ヨコ6列と、太線で囲まれた6個のブロックにはそれぞれ1～6の数字が必ず一つずつ入ります。
すべての空きマスに数字を入れてください。

6	3			5	4
	2	4	6	1	
3					5
	5	2	1	3	
	6			4	
2		5	3		1

この解答は199ページ

220日目

✎ ◯月◯日

かんたんナンプレ

タテ9列、ヨコ9列と、太線で囲まれた9個のブロックにはそれぞれ1～9の数字が必ず一つずつ入ります。すべての空きマスに数字を入れてください。

4			8		5	2		3
	7	8	3	1		4	9	
3		2	7		4		5	
	5	9		3	7	1	4	8
6			1		8			9
8	4	1	2	5		3	6	
	6		4		1	7		2
	2	4		7	3	6	8	
7		3	5		6			4

114ページの解答　【216日目】5

この解答は200ページ

月　日

不等号ナンプレ

タテ列とヨコ列にはマスの個数分の数字が一つずつ入ります。各マスの間の不等号は隣り合ったマスに入る数字の大小をあらわします。すべての空きマスに数字を入れてください。

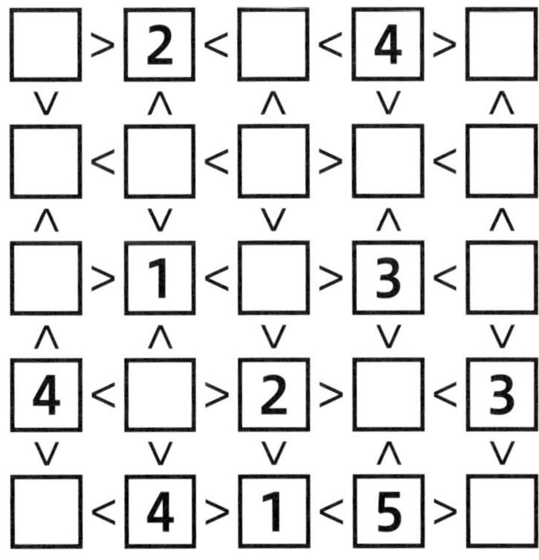

この解答は200ページ

222
日目

月　日

イラストつなぎ

同じイラストを線でつないでください。線同士が交差したり、他のイラストの上を通過することはありません。網掛けマスを通るイラストはどれでしょう？

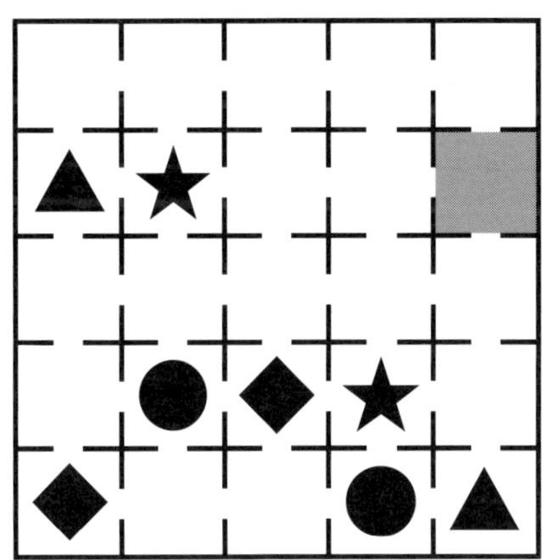

リスト

●	A
▲	B
★	C
◆	D

解答

 【218日目】①×　②○

この解答は200ページ

223 日目

◯月◯日

虫食い算

虫食い穴に数字を入れて、正しい式にしてください。

		□	4
+		2	6
		6	□

	□	3	7
−	4	□	1
		4	□

	4	7	0	□
−	1	□	2	6
	□	3	□	4

この解答は200ページ

224 日目

◯月◯日

魔方陣計算クイズ

盤面には1〜16の数字が一つずつ入ります。
タテ・ヨコの各列と、対角線上に並んだ数字の和が34になる数字を書き入れましょう。

①

8	2	11	13
15		4	
	7		12
10	16	5	3

②

		12	2
		15	5
8	14	1	11
3	9	6	16

この解答は200ページ

◯月◯日

四角に区切ろう

数字とマスの数が同じになるように、盤面を四角（正方形または長方形）に切り分けてください。どの四角にも数字は必ず一つずつ含まれます。

		4			
	4		3		
4					4
				3	
3		6			
				5	

この解答は121ページ

◯月◯日

お釣り枚数クイズ

お釣りの金額と硬貨の枚数を計算してください。ただし、お釣りは一番少ない枚数で返ってくるものとします。

① **580** 円の買い物で **1030** 円支払うと、

お釣りは ［　　　］ 円で、硬貨は ［　　　］ 枚

② **1098** 円の買い物で **2000** 円支払うと、

お釣りは ［　　　］ 円で、硬貨は ［　　　］ 枚

③ **696** 円の買い物で **1201** 円支払うと、

お釣りは ［　　　］ 円で、硬貨は ［　　　］ 枚

この解答は200ページ

クロスワード

タテのカギ、ヨコのカギをヒントに、クロスワードを解いてください。

〈タテのカギ〉

①オットセイに似た、水族館の芸達者
②首につける装飾品
③壁に○○あり 障子に目あり
⑤平安貴族が蹴って遊んだ
⑦高知名物のカツオ料理
⑨十二支の３番目

〈ヨコのカギ〉

①2004年のオリンピック開催地
④ワインにはチーズ、ビールには枝豆
⑥料理にとろみをつける○○○○粉
⑧うなぎのかば焼きに塗る
⑩俳優さんじゃないけど映画に出演

この解答は200ページ

228
日目

言葉さがし

＜リスト＞の鳥の名前をすべて一直線上に見つけてください。

※小さい「ッ」や「ャ」なども大きな文字として扱います。

ロ	ジ	メ	イ	ワ	ウ
ス	バ	ヌ	ク	ヨ	オ
ツ	ワ	ス	チ	ユ	シ
シ	ス	ク	イ	ル	ド
ト	ハ	ラ	ツ	グ	リ
ウ	コ	ツ	カ	ヌ	ウ

＜リスト＞

□ イヌワシ
□ ウグイス
□ オシドリ
□ カッコウ
□ カラス
□ ツバメ
□ ツル
□ ハクチョウ
□ ハト
□ メジロ

この解答は200ページ

✎◯月◯日

二字熟語ピースしりとり

スタートから二字熟語のしりとりになるように<リスト>のピースをうまくあてはめましょう。熟語は矢印の方向に読み、ピースは向きを変えずそのまま入ります。【例】今日→日記→記憶

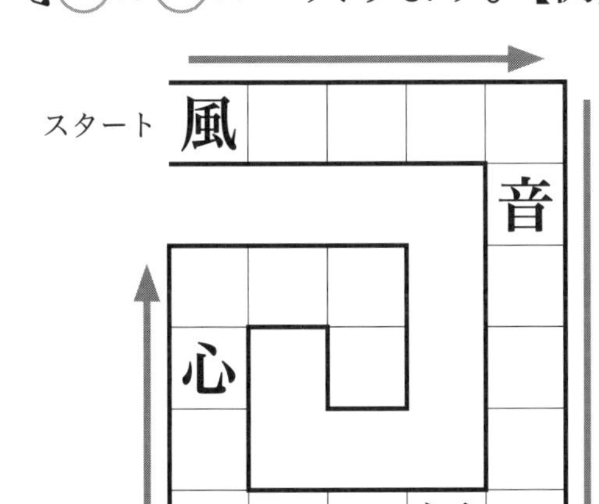

<リスト>

□ 蛇足
□ 政行
□ 船長
□ 象徴
□ 安治
□ 収穫
□ 落語
□ 階段

この解答は200ページ

✎◯月◯日

詰めクロス

マス目に<リスト>のカナを入れて、クロスワードを完成させてください。

※小さい「ッ」や「ャ」なども大きな文字として扱います。

<リスト>

□ イ　□ コ　□ ヌ
□ ウ　□ シ　□ ノ
□ オ　□ ソ　□ モ
□ キ　□ ト　□ ヤ
□ ク　□ ニ

	ア		ス	■	ネ
コ	■	ズ	■		モ
	ツ		ア		
ミ		■		シ	■
	ヨ		■		ゲ
キ	■		カ	ミ	

 【226日目】①450・5　②902・7　③505・2

この解答は200ページ

スケルトンパズル

マス目の数と同じ文字数の言葉を<リスト>から選び、あてはめてください。

✎◯月◯日

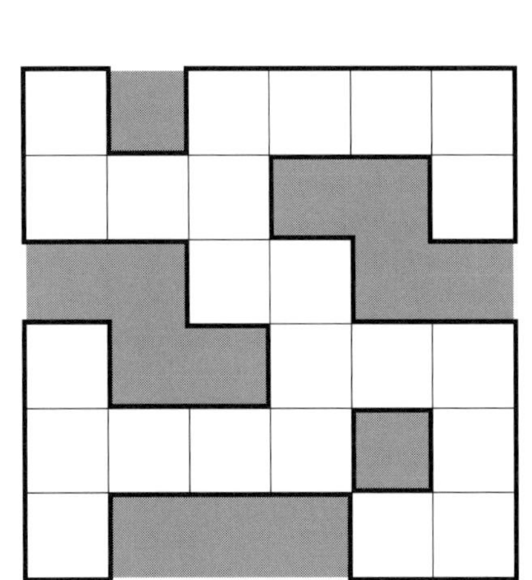

<リスト>

2文字

- □ ウニ(海胆)
- □ エイ
- □ カニ(蟹)
- □ タコ(蛸)

3文字

- □ アシカ(海驢)
- □ イワシ(鰯)
- □ クジラ(鯨)
- □ シイラ
- □ ニシン(鰊)
- □ ラッコ

4文字

- □ アンコウ(鮟鱇)
- □ ジュゴン

この解答は124ページ

232日目

漢字熟語ダイヤモンド

AとBに入れた2つの漢字でできる二字熟語を答えてください。

✎◯月◯日

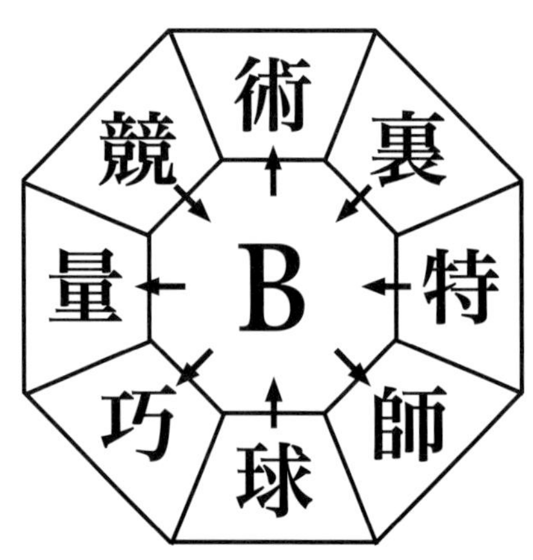

A	B

この解答は125ページ

漢字パーツ組み立て

バラバラになったパーツを組み合わせて四字熟語を作ってください。
【例】角＋刀＋牛＝解

✎◯月◯日

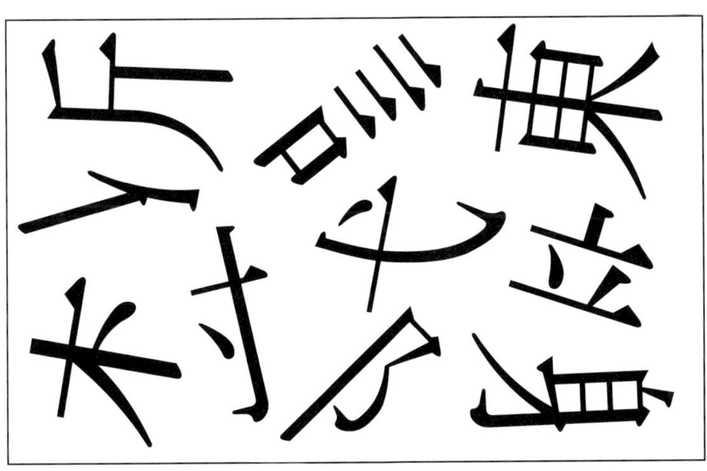

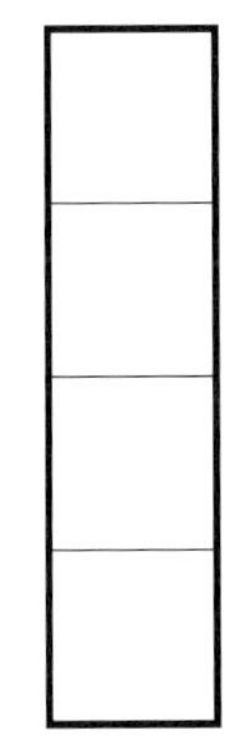

この解答は200ページ

234 日目

三字熟語リレー

すでに入っている漢字のように<リスト>の漢字を空きマスに入れ、三字熟語を作ってください。線でつながれているマスには同じ漢字が入ります。

✎◯月◯日

<リスト>

- ☑ 理　□ 定
- □ 野　□ 裏
- □ 制　□ 手
- □ 表　□ 心

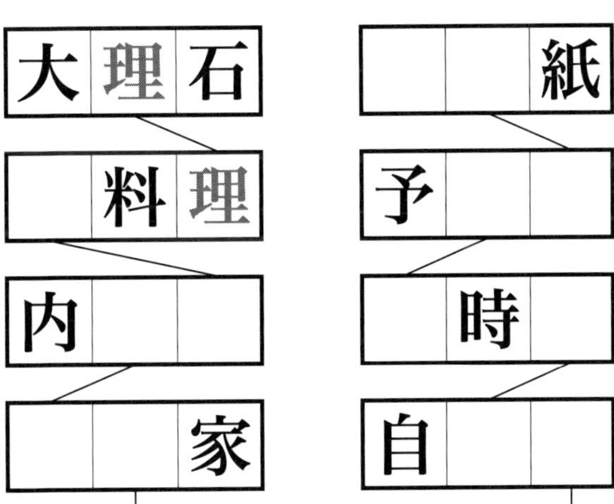

この解答は126ページ

✎〇月〇日

四字熟語合体パズル

四字熟語の隠れた部分を推理して、①と②の四字熟語を答えてください。

①

②

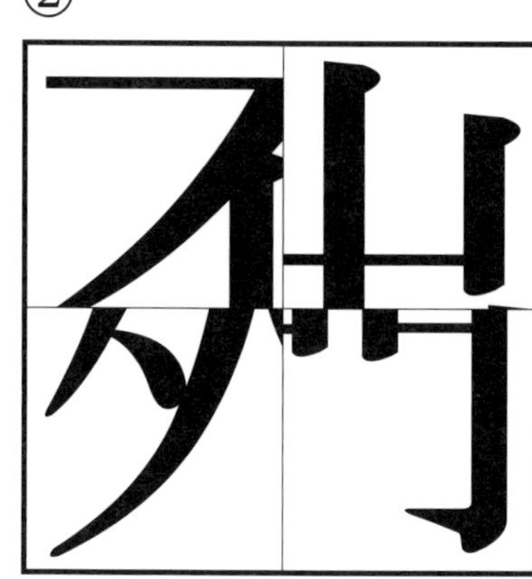

この解答は200ページ

236 日目

✎〇月〇日

ブロック分割パズル

＜リスト＞の言葉をマス目から探し出し、ブロックに分割してください。

※タテまたはヨコにつながるように区切ります。

※小さい「ッ」や「ャ」なども大きな文字として扱います。

チ	ボ	カ	マ	ト	ツ
ヤ	ー	リ	ト	ヤ	ベ
ン	マ	コ	ツ	キ	ナ
ギ	ー	ピ	ロ	ブ	ス
ネ	ユ	キ	ジ	ン	オ
リ	ウ	ニ	ン	ラ	ク

＜リスト＞

2文字

□ ナス(茄子)

□ ネギ(葱)

3文字

□ オクラ

□ トマト

4文字

□ カボチャ(南瓜)

□ キャベツ

□ キュウリ(胡瓜)

□ ニンジン(人参)

□ ピーマン

6文字

□ ブロッコリー

122ページの解答 【232日目】 A演 B技

この解答は127ページ

キューブ問題

何個のブロックで出来ているか答えてください。

◯月◯日

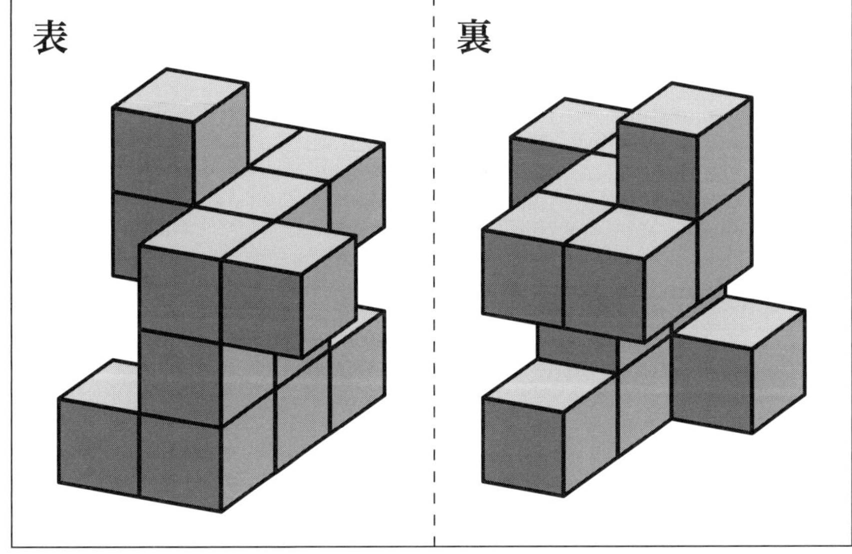

この解答は127ページ

カード推理

表と裏にイラストが描かれたカードを5枚、【見本】のように重ねて置きました。これを裏返して見た時に正しいものは、①～③のうちどれでしょう？

◯月◯日

解答

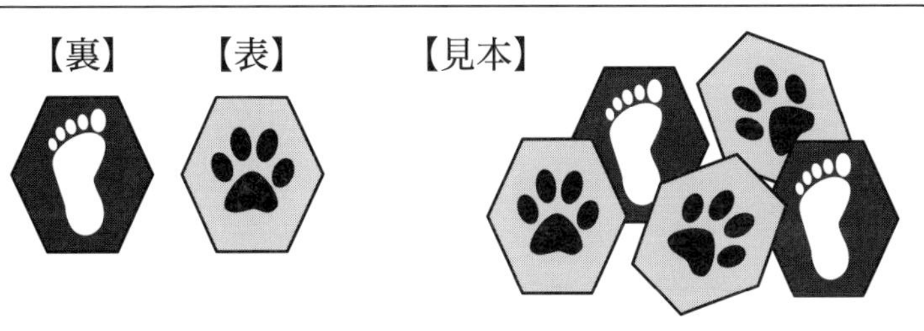

①

②

③

この解答は201ページ

点つなぎ

☆から★まで番号順に点をつないだ時、あらわれる絵を答えてください。

◯月◯日

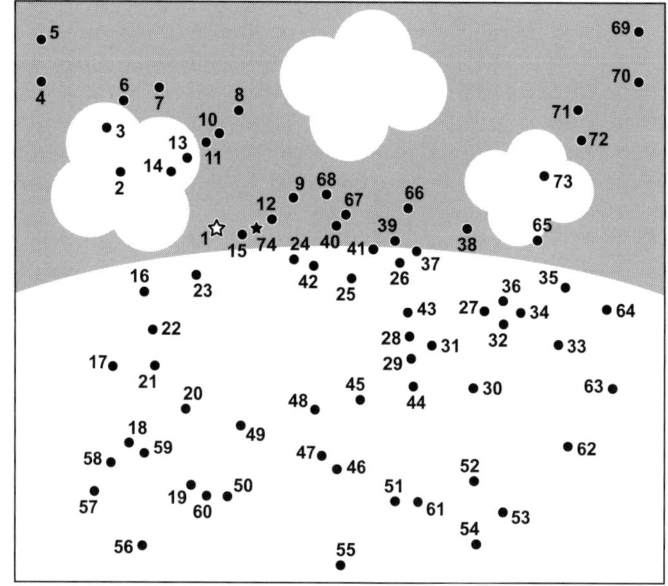

この解答は128ページ

240
日目

立方体展開図クイズ

【見本】の展開図を組み立てたときに出来るサイコロとして、正しいものは①〜③のうちどれでしょう？

◯月◯日

解答

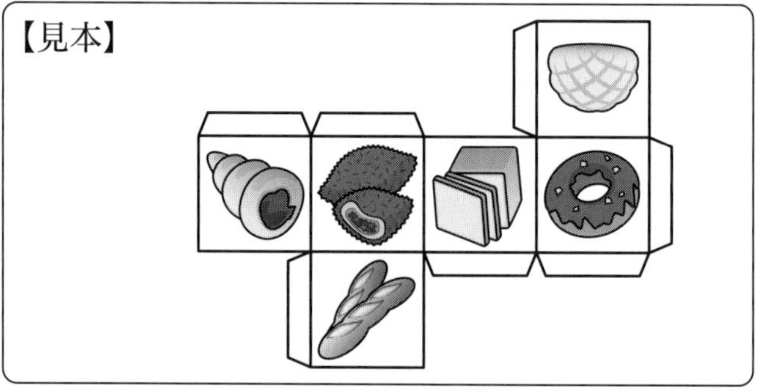

①

②

③

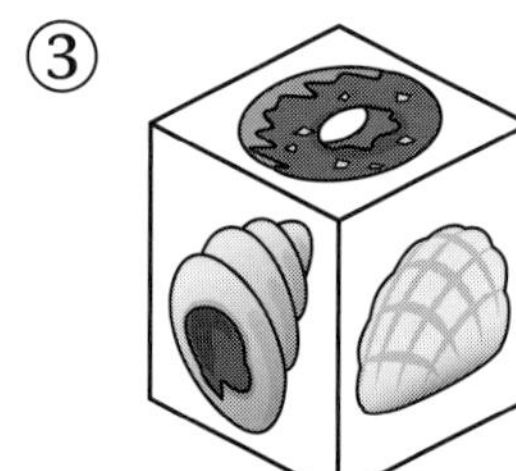

124ページの解答 【235日目】①千差万別　②門外不出

この解答は129ページ

✎◯月◯日

同じセットさがし

【見本】と同じ内容のセットを①〜③の中から選んでください。

【見本】

この解答は129ページ

242
日目

✎◯月◯日

足し算迷路

スタートからゴールまで最短距離で進みましょう。通った数字を合計するといくつになるでしょう？

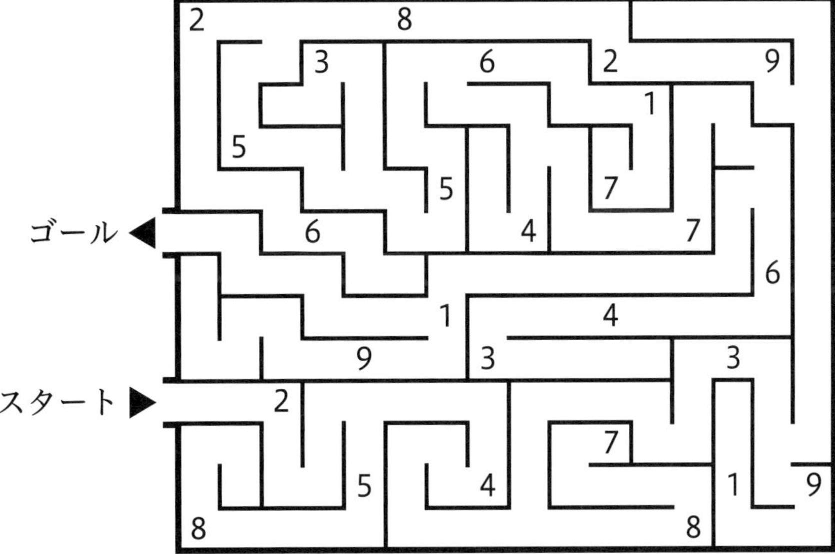

125ページの解答
【237日目】13個
【238日目】③

この解答は201ページ

文字アート間違いさがし

文字が集まって出来たイラストがあります。このうちリストの文字以外のものが3つ含まれています。それは何でしょう？

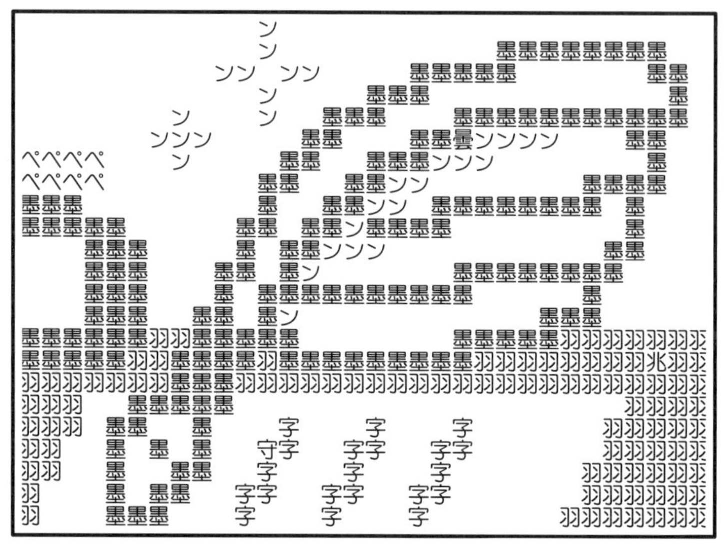

リスト

羽・ぺ・ン・字・墨

解答

この解答は130ページ

244
日目

✎◯月◯日

サイコロ回転クイズ

矢印にそってサイコロを転がして進んだとき、最後のマスで一番上になる目の数は？

【ヒント】サイコロは対面の目を足すと7になります。

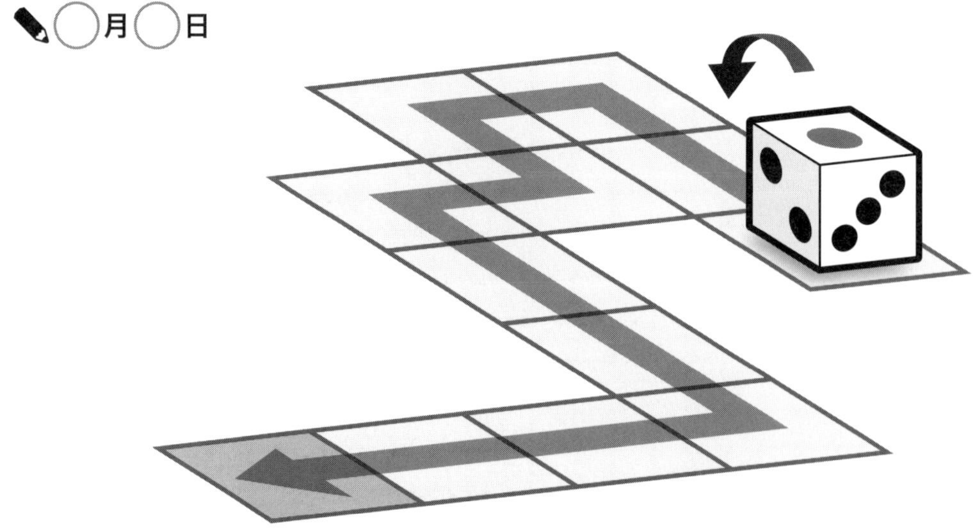

126ページの解答 【240日目】③

この解答は201ページ

245日目

✎○月○日

塗り絵パズル

記号のあるマスを塗りつぶすと、あるイラストが出てきます。それは何でしょう？

解答

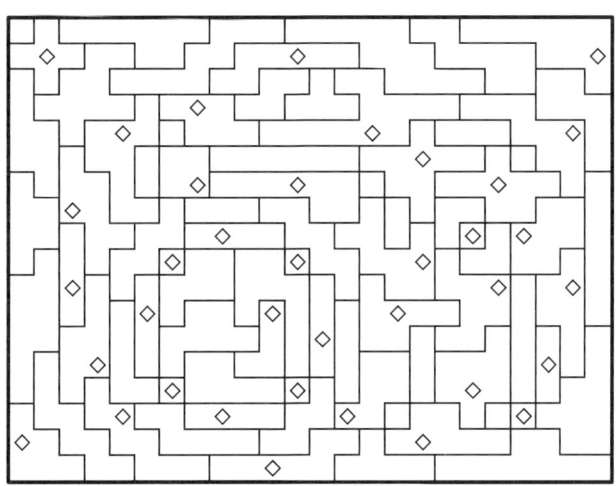

この解答は131ページ

246日目

✎○月○日

一筆書き

一筆書きできるか○×で答えましょう。どの線も必ず一度だけ通り、一度ですべての線をなぞります。

①

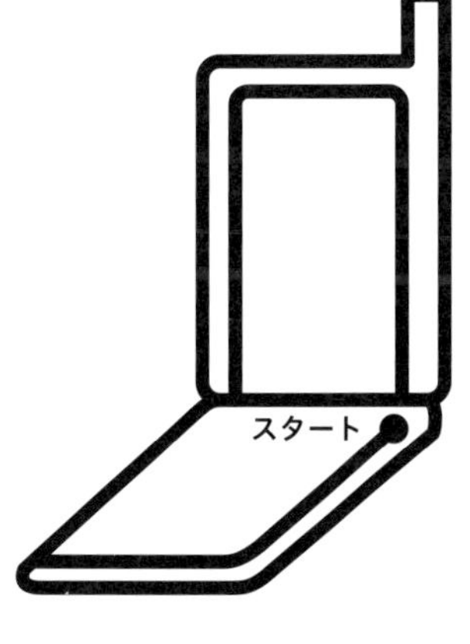

②

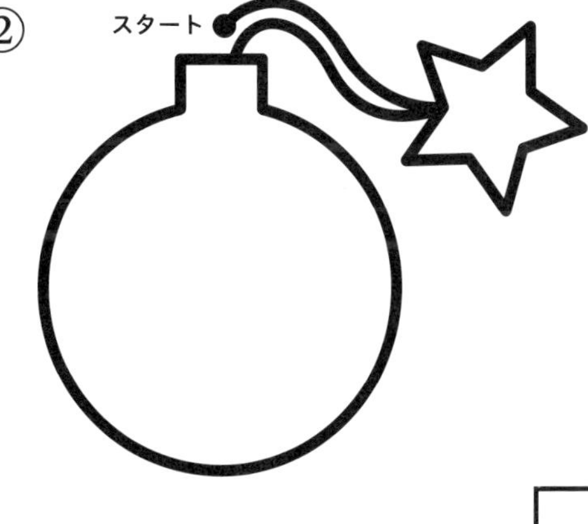

127ページの解答

【241日目】③

【242日目】46

この解答は201ページ

247日目

✎◯月◯日

ミニナンプレ

タテ6列、ヨコ6列と、太線で囲まれた6個のブロックにはそれぞれ1～6の数字が必ず一つずつ入ります。
すべての空きマスに数字を入れてください。

4			5		
	3		4	6	1
6		2		4	5
3	5		2		6
1	2	3		5	
		6			3

この解答は201ページ

248日目

✎◯月◯日

かんたんナンプレ

タテ9列、ヨコ9列と、太線で囲まれた9個のブロックにはそれぞれ1～9の数字が必ず一つずつ入ります。すべての空きマスに数字を入れてください。

	6		8	5	4		2	
4		5		1		9		7
	1		6	7	9		8	
8	4		2	6	5		1	9
2		6		4		3		8
1	5		7	8	3		4	6
5	9			3			7	2
	2	8	5	9	6	4	3	
6			1		7			5

128ページの解答　【244日目】3

この解答は201ページ

不等号ナンプレ

タテ列とヨコ列にはマスの個数分の数字が一つずつ入ります。各マスの間の不等号は隣り合ったマスに入る数字の大小をあらわします。すべての空きマスに数字を入れてください。

□	<	4	<	□	>	□	>	□
∨		∨		∨		∧		∧
□	<	3	>	2	<	□	>	4
∧		∨		∧		∨		∨
5	>	□	<	□	<	□	>	2
∨		∧		∧		∨		∧
2	<	□	>	4	>	1	<	□
∧		∨		∨		∧		∧
□	>	□	>	□	<	3	<	□

この解答は201ページ

イラストつなぎ

同じイラストを線でつないでください。線同士が交差したり、他のイラストの上を通過することはありません。網掛けマスを通るイラストはどれでしょう？

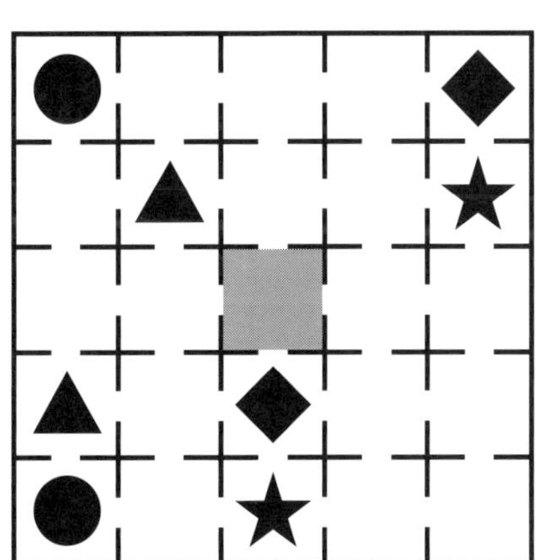

リスト

●	A
▲	B
★	C
◆	D

解答

この解答は201ページ

虫食い算

虫食い穴に数字を入れて、正しい式にしてください。

	□	0
−	4	□
	4	7

	6	5	□
+	□	1	9
	8	□	5

		5	2	□	4
	+	□	8	0	□
	□	3	□	8	3

この解答は201ページ

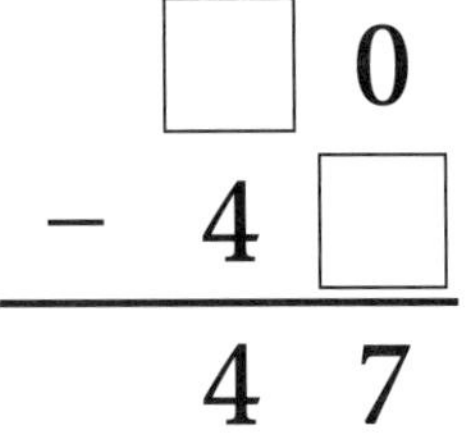

魔方陣計算クイズ

盤面には1～16の数字が一つずつ入ります。
タテ・ヨコの各列と、対角線上に並んだ数字の和が34になる数字を書き入れましょう。

①

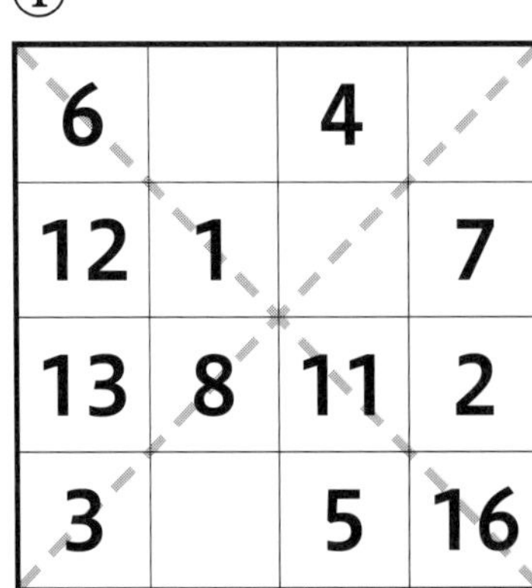

6		4	
12	1		7
13	8	11	2
3		5	16

②

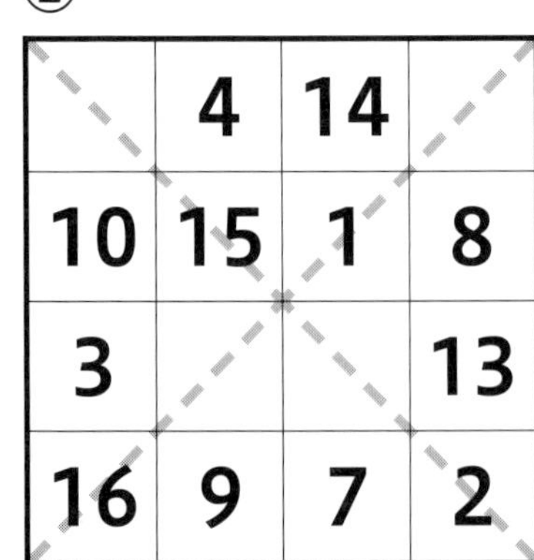

	4	14	
10	15	1	8
3			13
16	9	7	2

この解答は201ページ

四角に区切ろう

数字とマスの数が同じになるように、盤面を四角（正方形または長方形）に切り分けてください。どの四角にも数字は必ず一つずつ含まれます。

	2			4	
		6			3
5			4		
	4				8

この解答は135ページ

お釣り枚数クイズ

お釣りの金額と硬貨の枚数を計算してください。ただし、お釣りは一番少ない枚数で返ってくるものとします。

① **448** 円の買い物で **500** 円支払うと、

お釣りは ［　　　］ 円で、硬貨は ［　　　］ 枚

② **919** 円の買い物で **1020** 円支払うと、

お釣りは ［　　　］ 円で、硬貨は ［　　　］ 枚

③ **726** 円の買い物で **1301** 円支払うと、

お釣りは ［　　　］ 円で、硬貨は ［　　　］ 枚

この解答は201ページ

クロスワード

タテのカギ、ヨコのカギをヒントに、クロスワードを解いてください。

〈タテのカギ〉

①割れたくす玉から舞う
②印刷物のこと
③カサが必要な天気
⑤洋皿に盛ったご飯
⑥文学や漢字を学ぶ教科

〈ヨコのカギ〉

①お坊さんがゴーンとつく
②テストに合格しアマから昇格
③甘い物に行列を作る虫
④スペインの情熱的なダンス
⑦電圧の単位「ボルト」の略号
⑧早起きは三文の○○
⑨1、3、5、7…

この解答は201ページ

256
日目

言葉さがし

<リスト>の県名をすべて一直線上に見つけてください。

バ	チ	マ	エ	マ	ギ
マ	ミ	ウ	ヤ	フ	リ
イ	ヤ	ト	コ	カ	モ
ワ	ク	カ	ク	テ	オ
ギ	ガ	フ	ワ	シ	ア
ワ	タ	イ	オ	オ	マ

<リスト>

- □ アオモリ(青森)
- □ イワテ(岩手)
- □ オオイタ(大分)
- □ オカヤマ(岡山)
- □ カガワ(香川)
- □ ギフ(岐阜)
- □ コウチ(高知)
- □ チバ(千葉)
- □ トクシマ(徳島)
- □ トヤマ(富山)
- □ フクイ(福井)
- □ ワカヤマ(和歌山)

この解答は202ページ

✎◯月◯日

二字熟語ピースしりとり

スタートから二字熟語のしりとりになるように<リスト>のピースをうまくあてはめましょう。熟語は矢印の方向に読み、ピースは向きを変えずそのまま入ります。【例】今日→日記→記憶

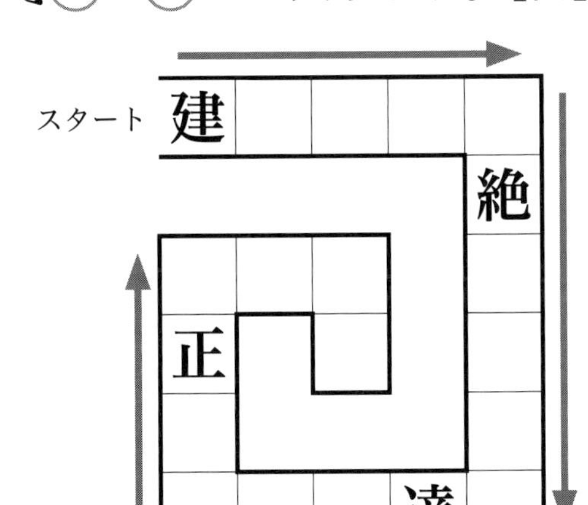

<リスト>

□ 設問

□ 夢幻

□ 権人

□ 屋根

□ 厳威（縦）

□ 盟友（縦）

□ 賛同（縦）

□ 想像（縦）

この解答は202ページ

258
日目

✎◯月◯日

詰めクロス

マス目に<リスト>のカナを入れて、クロスワードを完成させてください。

※小さい「ッ」や「ャ」なども大きな文字として扱います。

<リスト>

□ ア　□ ソ　□ モ

□ イ　□ ナ　□ ヤ

□ オ　□ バ　□ ー

□ キ　□ ベ　□ ー

□ ジ　□ マ

		チ	ゴ	■	ツ
	ド	■		ミ	
ビ	■		ク	■	ツ
		ビ		カ	
■	テ	■	ラ		■
ホ		ム			ス

133ページの解答　【254日目】①52・3　②101・2　③575・5

この解答は202ページ

スケルトンパズル

マス目の数と同じ文字数の言葉を<リスト>から選び、あてはめてください。

✎◯月◯日

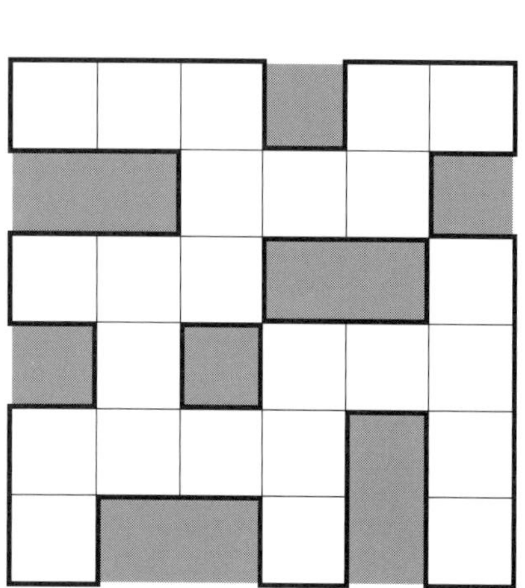

<リスト>

2文字

- □ アサ（麻）
- □ ハギ（萩）
- □ ハス（蓮）

3文字

- □ アヤメ（菖蒲）
- □ ダリア
- □ ツクシ（土筆）
- □ ナツメ（棗）
- □ ノギク（野菊）
- □ ノバラ（野薔薇）
- □ ヤナギ（柳）

4文字

- □ アシタバ（明日葉）
- □ モクレン（木蓮）

この解答は138ページ

260 日目

漢字熟語ダイヤモンド

AとBに入れた2つの漢字でできる二字熟語を答えてください。

✎◯月◯日

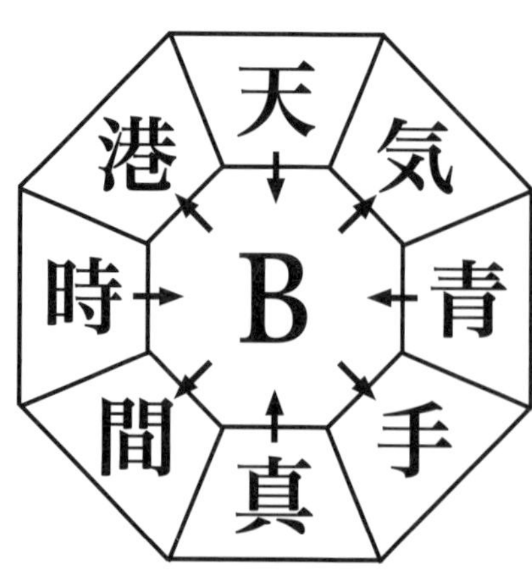

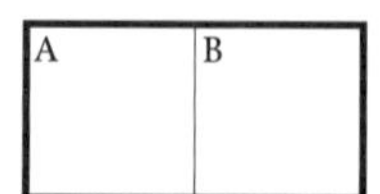

この解答は139ページ

漢字パーツ組み立て

バラバラになったパーツを組み合わせて四字熟語を作ってください。
【例】角＋刀＋牛＝解

✎◯月◯日

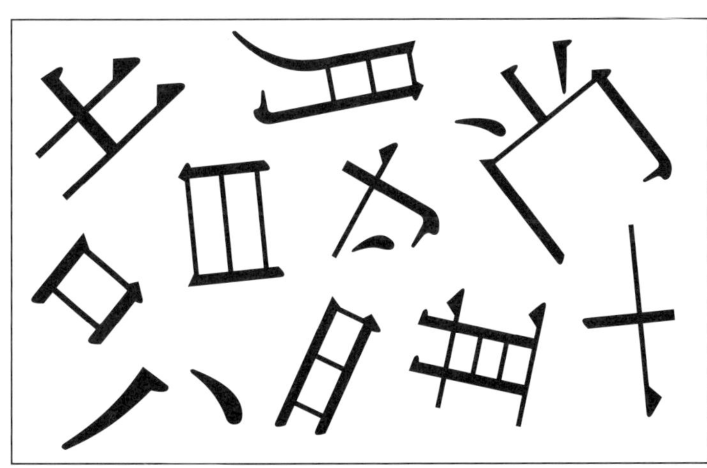

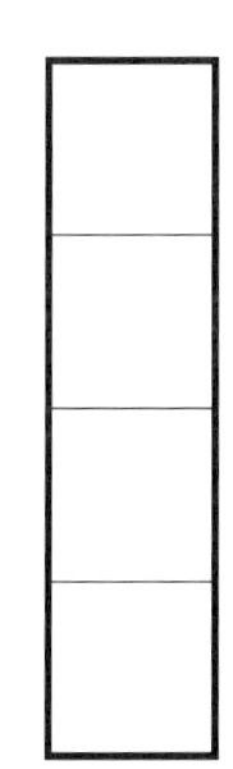

この解答は202ページ

262
日目

三字熟語リレー

すでに入っている漢字のように<リスト>の漢字を空きマスに入れ、三字熟語を作ってください。線でつながれているマスには同じ漢字が入ります。

✎◯月◯日

<リスト>

☑ 屋　□ 唱
□ 留　□ 気
□ 天　□ 番
□ 歌　□ 四

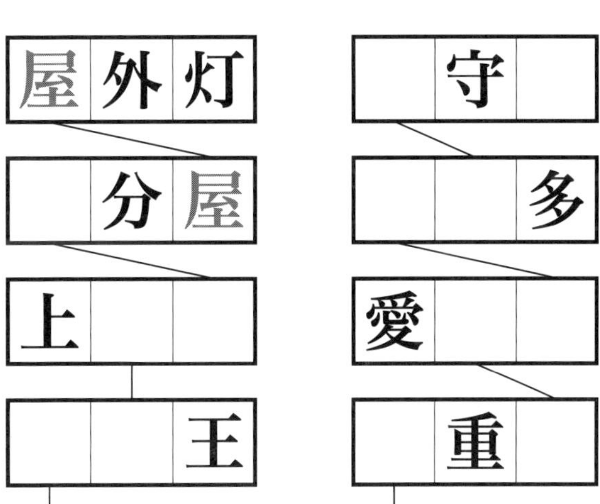

この解答は140ページ

263
日目

✎◯月◯日

四字熟語合体パズル

四字熟語の隠れた部分を推理して、①と②の四字熟語を答えてください。

①　②

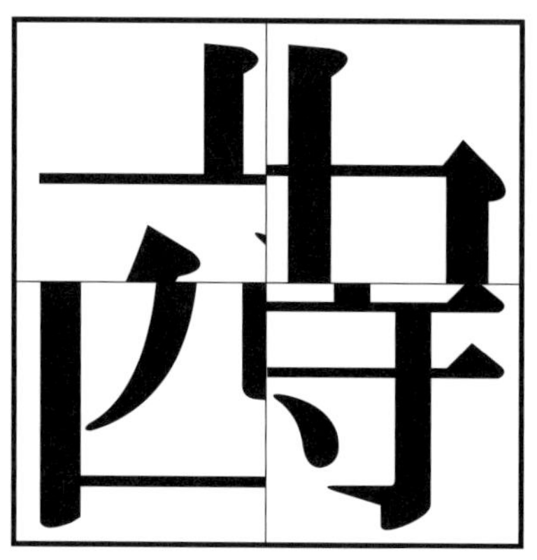

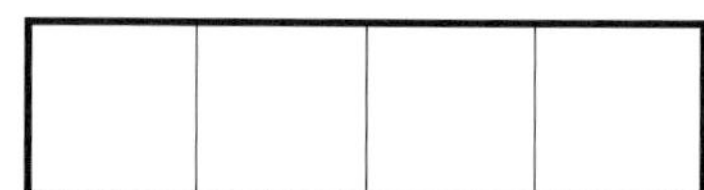

この解答は202ページ

264
日目

✎◯月◯日

ブロック分割パズル

<リスト>の言葉をマス目から探し出し、ブロックに分割してください。

※タテまたはヨコにつながるように区切ります。
※小さい「ッ」や「ャ」なども大きな文字として扱います。

ー	ス	モ	ロ	ポ	ト
カ	ツ	ウ	ラ	カ	ー
ジ	サ	ー	テ	ス	ケ
ユ	ウ	ケ	ツ	ラ	グ
ス	ド	ウ	ホ	ウ	ビ
ニ	テ	ヤ	キ	ユ	ー

<リスト>

2文字
- □ ポロ

3文字
- □ カラテ(空手)
- □ スモウ(相撲)
- □ テニス

4文字
- □ サッカー
- □ スケート
- □ ホッケー
- □ ヤキュウ(野球)
- □ ラグビー

5文字
- □ ジュウドウ(柔道)

136ページの解答　【260日目】 A星 B空

この解答は141ページ

265日目 キューブ問題

✎◯月◯日

矢印の方向からどう見えるか、ＡＢＣの中から答えてください。

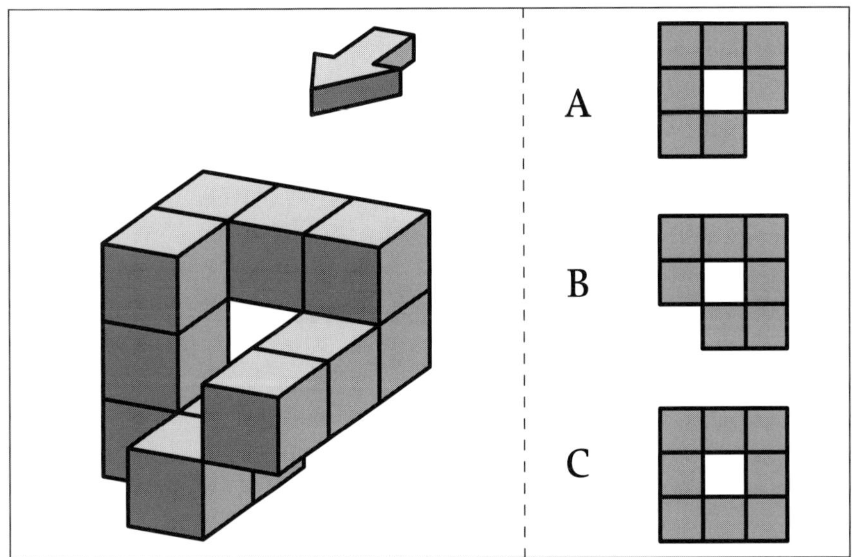

この解答は141ページ

266日目 カード推理

✎◯月◯日

表と裏にイラストが描かれたカードを５枚、【見本】のように重ねて置きました。これを裏返して見た時に正しいものは、①～③のうちどれでしょう？

解答

【裏】

【表】

【見本】

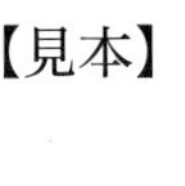

①

②

③

137ページの解答　【261日目】時期尚早

この解答は202ページ

点つなぎ

☆から★まで番号順に点をつないだ時、あらわれる絵を答えてください。

◯月◯日

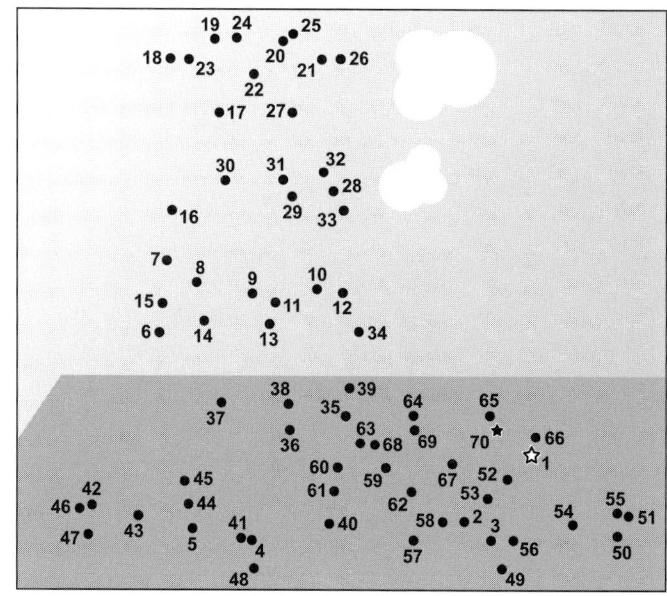

この解答は142ページ

268日目

立方体展開図クイズ

【見本】の展開図を組み立てたときに出来るサイコロとして、正しいものは①～③のうちどれでしょう？

解答

【見本】

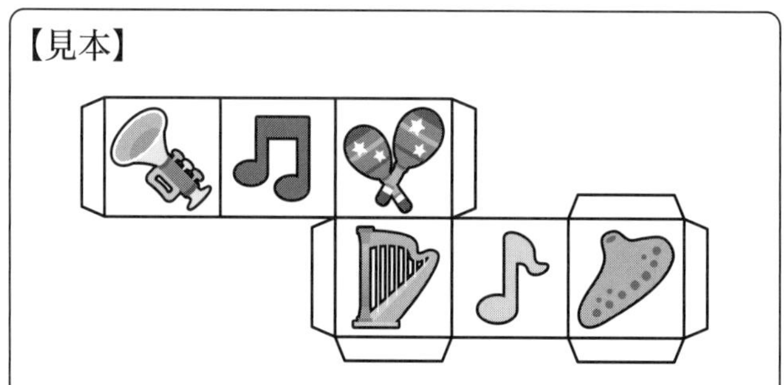

①

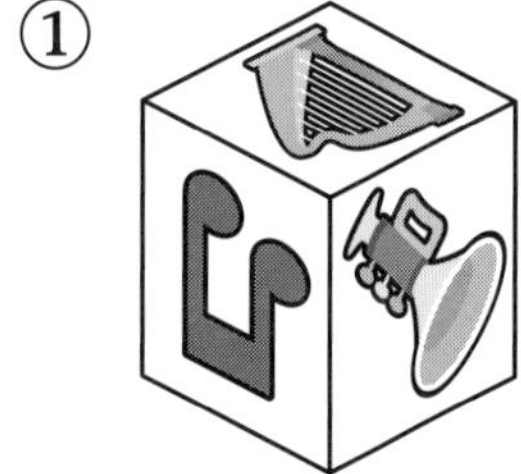

②

③

138ページの解答　【263日目】①四六時中　②無理難題

この解答は143ページ

✎◯月◯日

同じセットさがし

【見本】と同じ内容のセットを①～③の中から選んでください。

【見本】

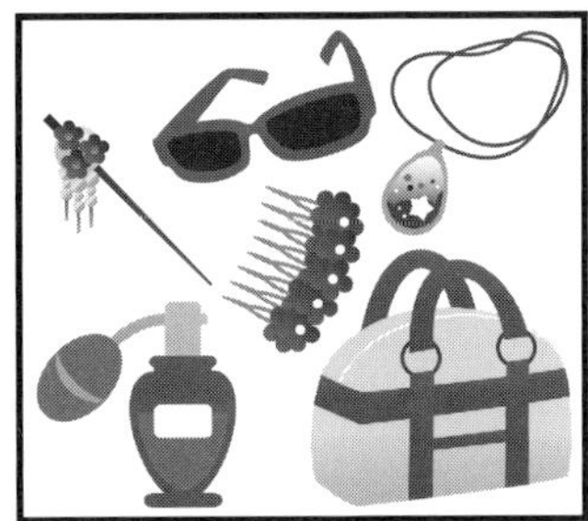

①

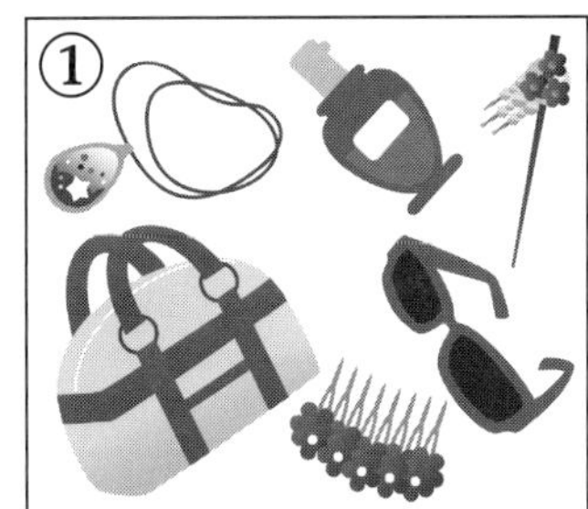

②

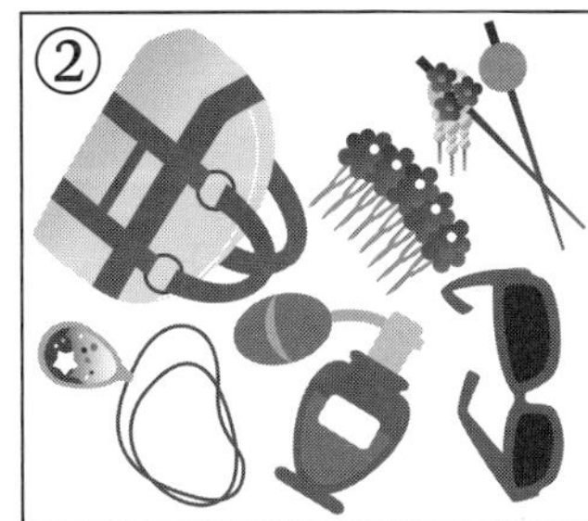

③

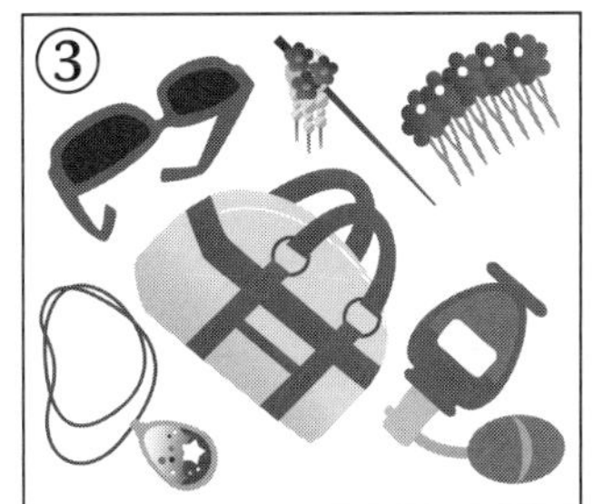

この解答は143ページ

270 日目

✎◯月◯日

足し算迷路

スタートからゴールまで最短距離で進みましょう。通った数字を合計するといくつになるでしょう？

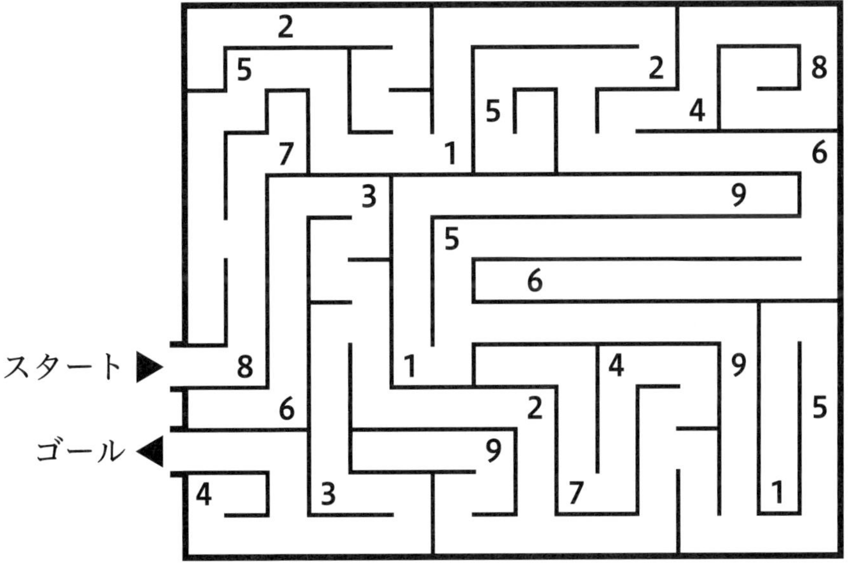

139ページの解答
【265日目】B
【266日目】①

この解答は202ページ

文字アート間違いさがし

文字が集まって出来たイラストがあります。このうちリストの文字以外のものが3つ含まれています。それは何でしょう？

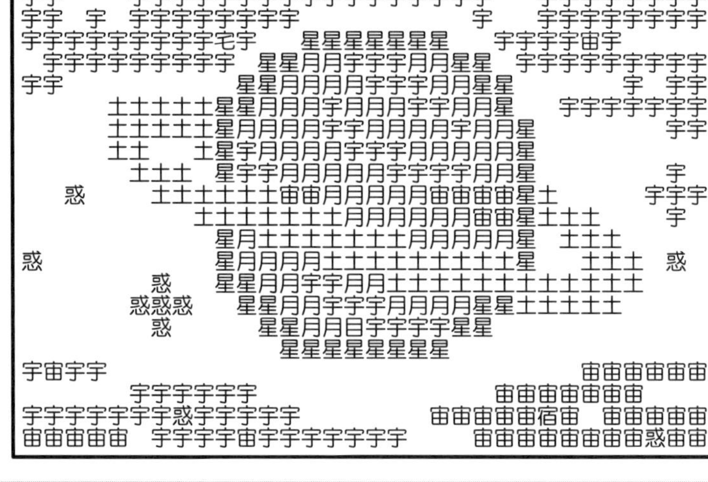

リスト

宇・宙・惑・土・星・月

解答

この解答は144ページ

272
日目

月　日

サイコロ回転クイズ

矢印にそってサイコロを転がして進んだとき、最後のマスで一番上になる目の数は？
【ヒント】サイコロは対面の目を足すと7になります。

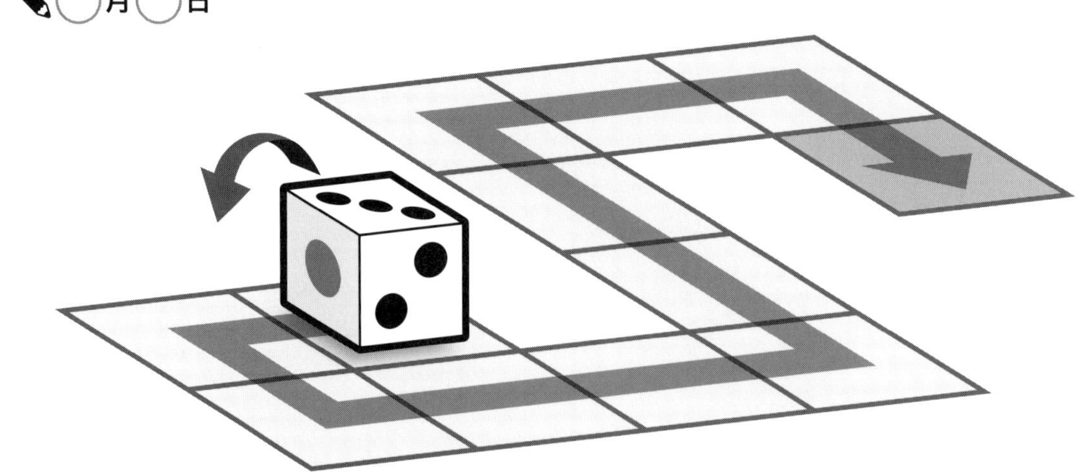

140ページの解答

【268日目】②

この解答は202ページ

273日目

✎○月○日

塗り絵パズル

記号のあるマスを塗りつぶすと、あるイラストが出てきます。それは何でしょう？

解答

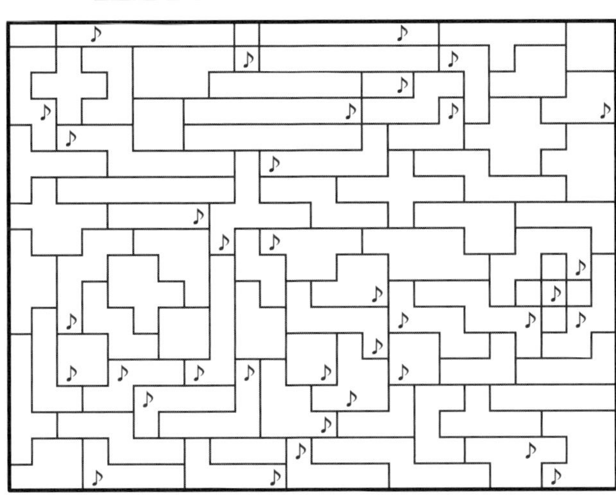

この解答は145ページ

274日目

✎○月○日

一筆書き

一筆書きできるか○×で答えましょう。どの線も必ず一度だけ通り、一度ですべての線をなぞります。

①

②

141ページの解答
【269日目】③
【270日目】41

この解答は202ページ

275日目

✎〇月〇日

ミニナンプレ

タテ６列、ヨコ６列と、太線で囲まれた６個のブロックにはそれぞれ１～６の数字が必ず一つずつ入ります。
すべての空きマスに数字を入れてください。

	5	4	2	1	
		2	3		
2	6			3	1
	4			6	
5		6	1		3
4	3			2	5

この解答は202ページ

276日目

✎〇月〇日

かんたんナンプレ

タテ９列、ヨコ９列と、太線で囲まれた９個のブロックにはそれぞれ１～９の数字が必ず一つずつ入ります。すべての空きマスに数字を入れてください。

5		3	2	4		1		8
8	4	9	7				2	
1				9	8			3
3	1		4	2	9		6	5
	5	2	1		3	7	4	
9	8		6	7	5		3	1
7			8	6				4
	6				7	3	5	2
2		1		5	4	6		7

142ページの解答　【272日目】3

この解答は202ページ

不等号ナンプレ

タテ列とヨコ列にはマスの個数分の数字が一つずつ入ります。各マスの間の不等号は隣り合ったマスに入る数字の大小をあらわします。すべての空きマスに数字を入れてください。

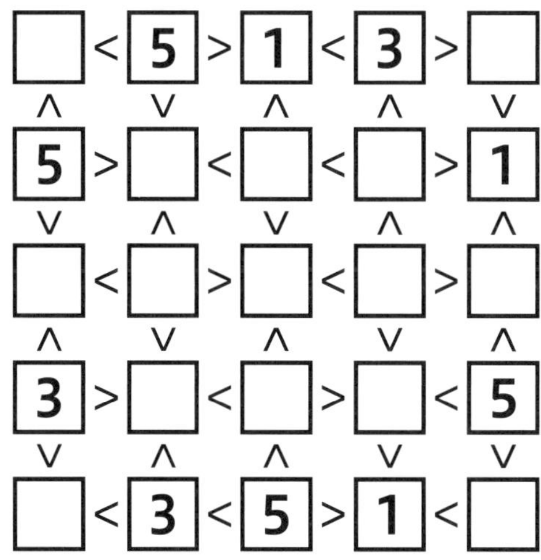

この解答は202ページ

イラストつなぎ

同じイラストを線でつないでください。線同士が交差したり、他のイラストの上を通過することはありません。網掛けマスを通るイラストはどれでしょう？

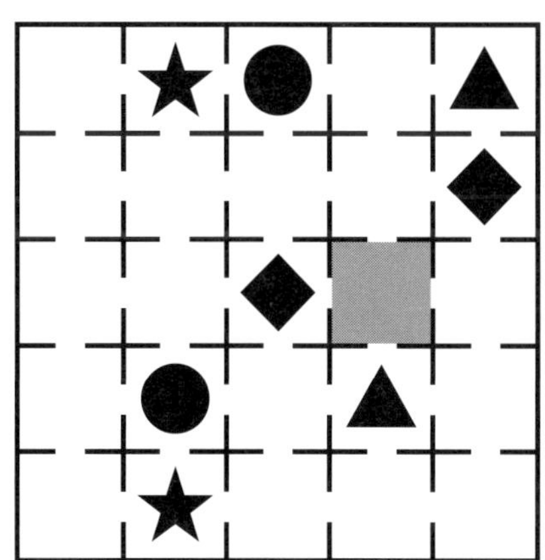

リスト

●	A
▲	B
★	C
◆	D

解答

143ページの解答　【274日目】①×　②○

この解答は203ページ

279 日目

虫食い算

虫食い穴に数字を入れて、正しい式にしてください。

```
    □ 5        5 4 □        □ 1 2 □
+ 7 □      + □ 8 6      − 3 0 □ 9
───────    ─────────    ───────────
□ 0 3      □ 3 □ 5        3 □ 7 8
```

この解答は203ページ

280 日目

魔方陣計算クイズ

盤面には1～16の数字が一つずつ入ります。
タテ・ヨコの各列と、対角線上に並んだ数字の和が34になる数字を書き入れましょう。

①

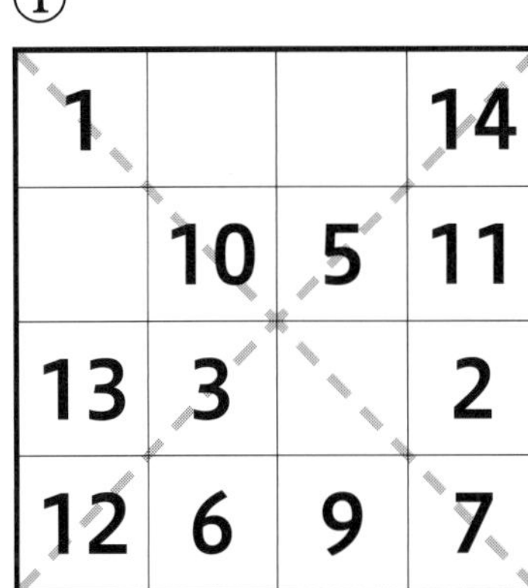

1			14
	10	5	11
13	3		2
12	6	9	7

②

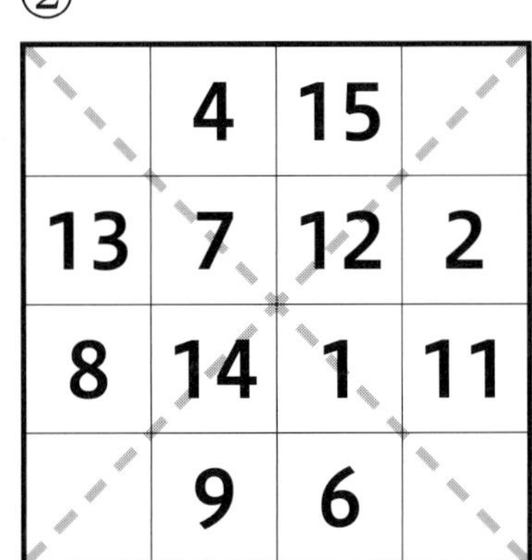

	4	15	
13	7	12	2
8	14	1	11
	9	6	

この解答は203ページ

四角に区切ろう

数字とマスの数が同じになるように、盤面を四角（正方形または長方形）に切り分けてください。どの四角にも数字は必ず一つずつ含まれます。

✎〇月〇日

				5	
			2		
3		4		6	
		6			
2			3		5

この解答は149ページ

お釣り枚数クイズ

お釣りの金額と硬貨の枚数を計算してください。ただし、お釣りは一番少ない枚数で返ってくるものとします。

✎〇月〇日

① **807** 円の買い物で **812** 円支払うと、

お釣りは ［　　　］ 円で、硬貨は ［　　　］ 枚

② **777** 円の買い物で **1000** 円支払うと、

お釣りは ［　　　］ 円で、硬貨は ［　　　］ 枚

③ **2451** 円の買い物で **3000** 円支払うと、

お釣りは ［　　　］ 円で、硬貨は ［　　　］ 枚

この解答は203ページ

283 日目

クロスワード

タテのカギ、ヨコのカギをヒントに、クロスワードを解いてください。

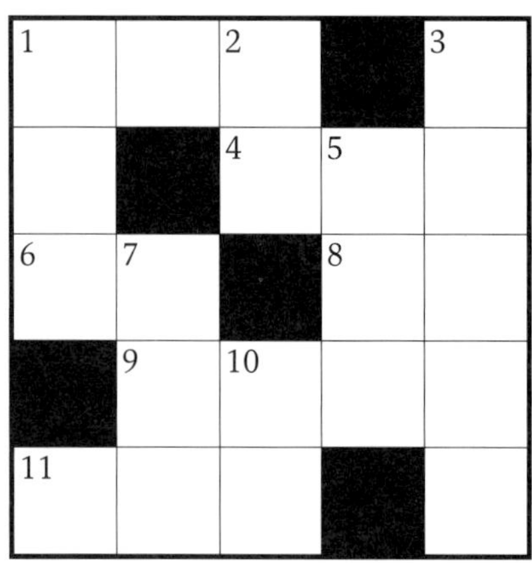

〈タテのカギ〉

①今日と明後日の間
②〇〇を射た発言
③景色を楽しみながらゆったり浸かる
⑤旅行会社が企画する
⑦お茶の間で、家族の視線を独り占め
⑩レモンに多いビタミン

〈ヨコのカギ〉

①ヘルメットでガード
④引き出しのつかむ部分
⑥〇〇の物を横にもしない
⑧モンゴメリの小説『赤毛の〇〇』
⑨サーブを返すこと
⑪ホテルの玄関スペース

この解答は203ページ

284 日目

言葉さがし

＜リスト＞の着物に関する言葉をすべて一直線上に見つけてください。

〇月〇日

ト	ゲ	サ	ケ	ツ	オ
エ	メ	カ	タ	ハ	ン
リ	チ	ゾ	シ	カ	バ
ウ	オ	ヨ	リ	ウ	ユ
ビ	リ	ハ	ユ	ボ	ジ
タ	レ	ケ	タ	キ	シ

＜リスト＞

- □ ウチカケ(打掛け)
- □ エリ(襟)
- □ オハショリ(御端折り)
- □ オビ(帯)
- □ キタケ(着丈)
- □ シボリゾメ(絞り染め)
- □ ジュバン(襦袢)
- □ タビ(足袋)
- □ ツケサゲ(付け下げ)
- □ ハオリ(羽織)
- □ ユカタ(浴衣)
- □ ユキ(裄)

この解答は203ページ

二字熟語ピースしりとり

スタートから二字熟語のしりとりになるように<リスト>のピースをうまくあてはめましょう。熟語は矢印の方向に読み、ピースは向きを変えずそのまま入ります。【例】今日→日記→記憶

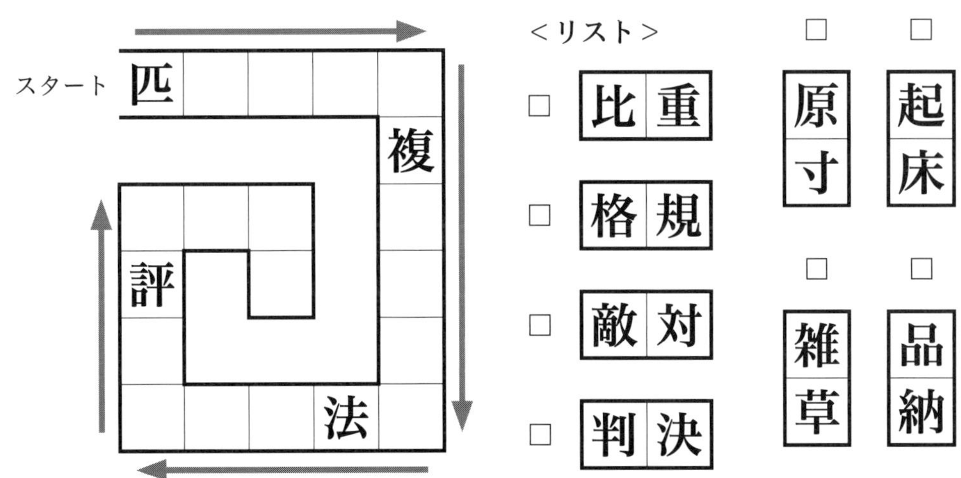

この解答は203ページ

286
日目

詰めクロス

月　日

マス目に<リスト>のカナを入れて、クロスワードを完成させてください。

※小さい「ッ」や「ャ」なども大きな文字として扱います。

<リスト>

□ ウ　□ キ　□ ハ
□ オ　□ ク　□ ビ
□ オ　□ コ　□ ユ
□ カ　□ ス　□ リ
□ ガ　□ ハ

ハ	■		ム	ス	
	ラ	ペ		■	ジ
		ラ	■	ア	
ヤ	■		チ		ツ
■	ボ		■		
エ			ポ	■	ン

この解答は203ページ

スケルトンパズル

マス目の数と同じ文字数の数字を＜リスト＞から選び、あてはめてください。

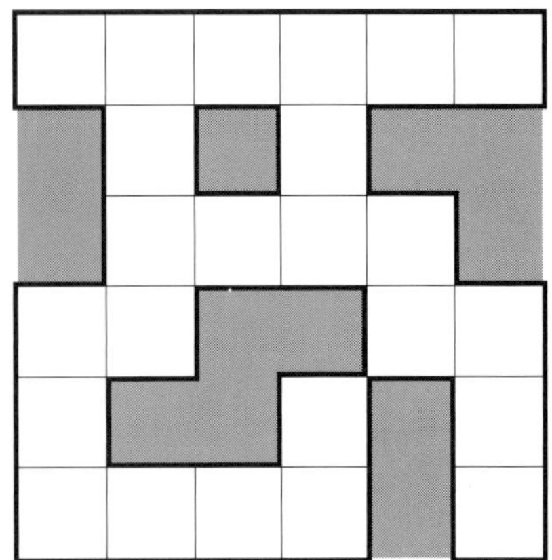

<リスト>

2文字	3文字	4文字	6文字
□ 16	□ 609	□ 5963	□ 154649
□ 17	□ 670	□ 6256	
□ 63	□ 686	□ 6491	
□ 76			

この解答は152ページ

288
日目

漢字熟語ダイヤモンド

AとBに入れた2つの漢字でできる二字熟語を答えてください。

月 日

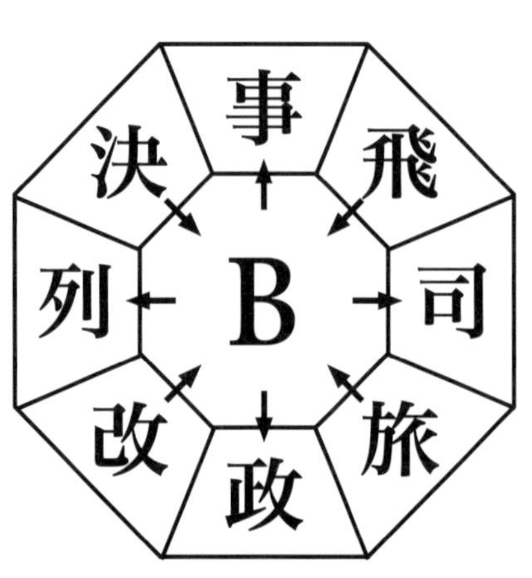

A	B

この解答は153ページ

漢字パーツ組み立て

バラバラになったパーツを組み合わせて四字熟語を作ってください。

【例】角＋刀＋牛＝解

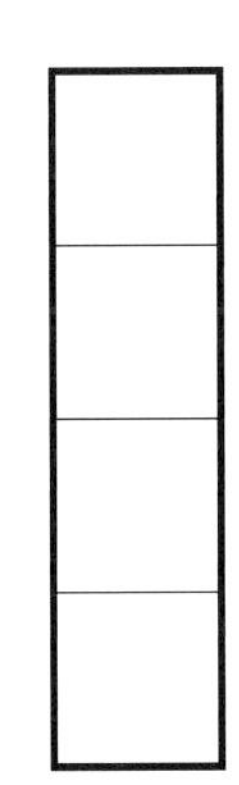

この解答は203ページ

290 日目

三字熟語リレー

すでに入っている漢字のように<リスト>の漢字を空きマスに入れ、三字熟語を作ってください。線でつながれているマスには同じ漢字が入ります。

○月○日

<リスト>

- ☑ 帯
- ☐ 物
- ☐ 奉
- ☐ 無
- ☐ 曲
- ☐ 所
- ☐ 線
- ☐ 行

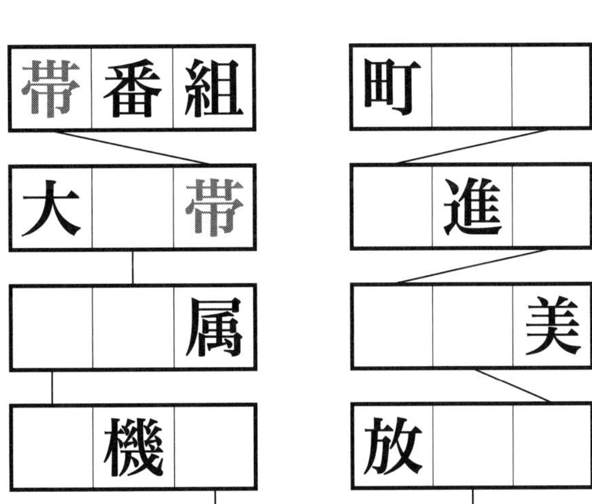

この解答は154ページ

✎◯月◯日

四字熟語合体パズル

四字熟語の隠れた部分を推理して、①と②の四字熟語を答えてください。

①

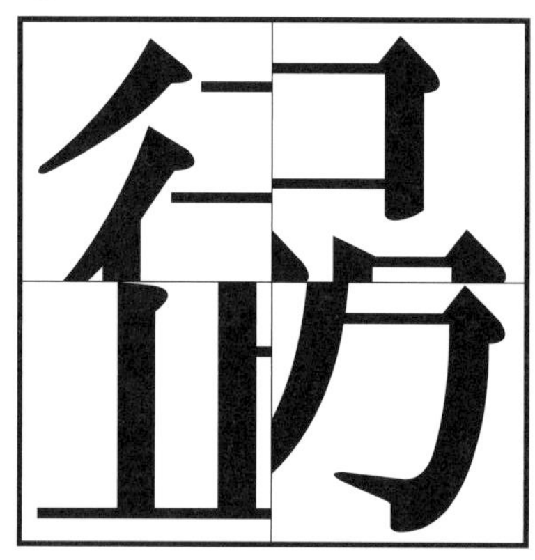

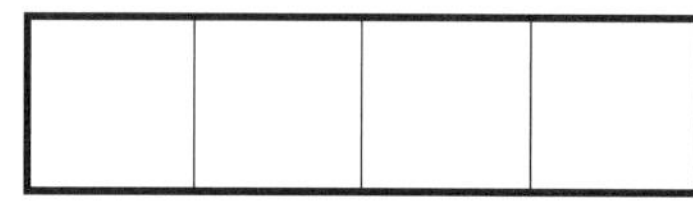

②

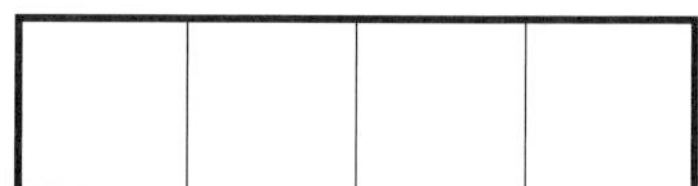

この解答は203ページ

292
日目

✎◯月◯日

ブロック分割パズル

＜リスト＞の言葉をマス目から探し出し、ブロックに分割してください。

※タテまたはヨコにつながるように区切ります。
※小さい「ッ」や「ャ」なども大きな文字として扱います。

ア	ギ	ン	ウ	ヨ	シ
ミ	シ	リ	ギ	ク	イ
モ	ノ	ツ	ド	グ	ハ
ウ	リ	シ	ク	ン	ニ
ヨ	チ	ヨ	イ	ゴ	デ
リ	ギ	リ	エ	ガ	ー

<リスト>

2文字
- □ イゴ(囲碁)
- □ ツリ(釣り)

3文字
- □ シギン(詩吟)
- □ ハイク(俳句)

4文字
- □ アミモノ(編み物)
- □ ショウギ(将棋)
- □ チギリエ(ちぎり絵)
- □ ドクショ(読書)
- □ リョウリ(料理)

6文字
- □ ガーデニング

150ページの解答 【288日目】 [A]流 [B]行

この解答は155ページ

キューブ問題

矢印の方向からどう見えるか、ＡＢＣの中から答えてください。

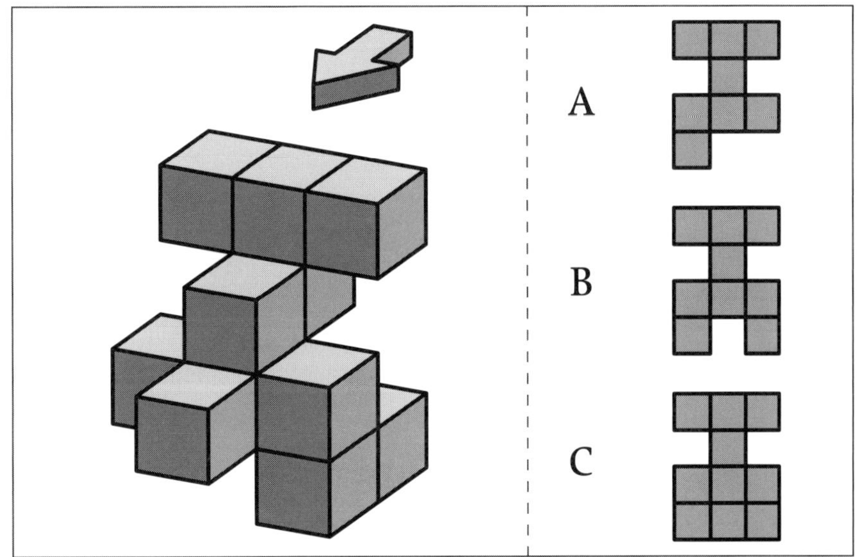

この解答は155ページ

カード推理

表と裏にイラストが描かれたカードを５枚、【見本】のように重ねて置きました。これを裏返して見た時に正しいものは、①〜③のうちどれでしょう？

解答

①

②

③

151ページの解答　【289日目】孤軍奮闘

この解答は203ページ

点つなぎ

☆から★まで番号順に点をつないだ時、あらわれる絵を答えてください。

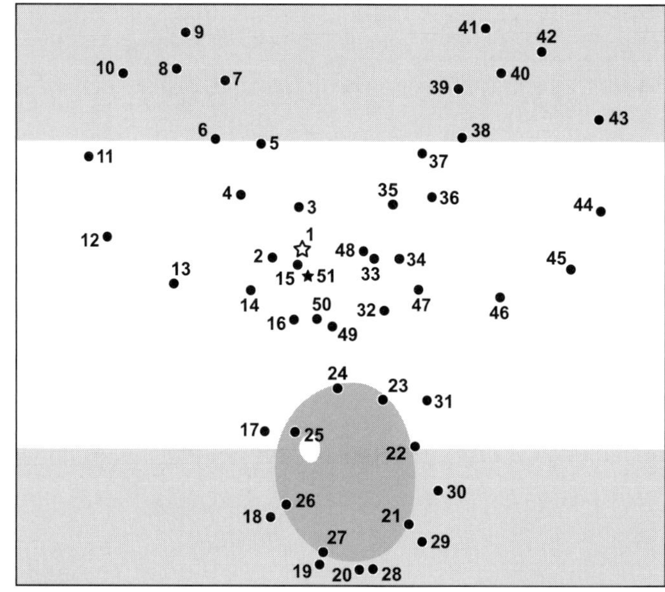

この解答は156ページ

296
日目

立方体展開図クイズ

【見本】の展開図を組み立てたときに出来るサイコロとして、正しいものは①～③のうちどれでしょう？

月　日

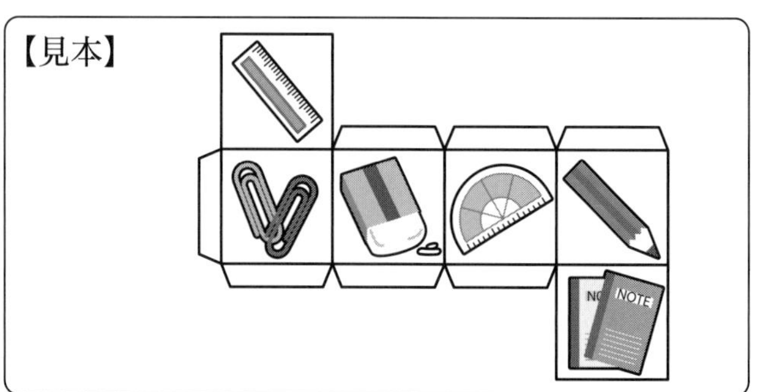

①

②

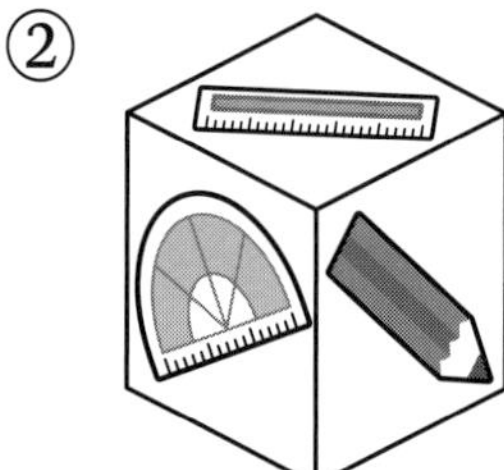

③

152ページの解答 【291日目】①品行方正　②言語道断

この解答は157ページ

◯月◯日

同じセットさがし

【見本】と同じ内容のセットを①～③の中から選んでください。

【見本】

この解答は157ページ

298
日目

◯月◯日

足し算迷路

スタートからゴールまで最短距離で進みましょう。通った数字を合計するといくつになるでしょう？

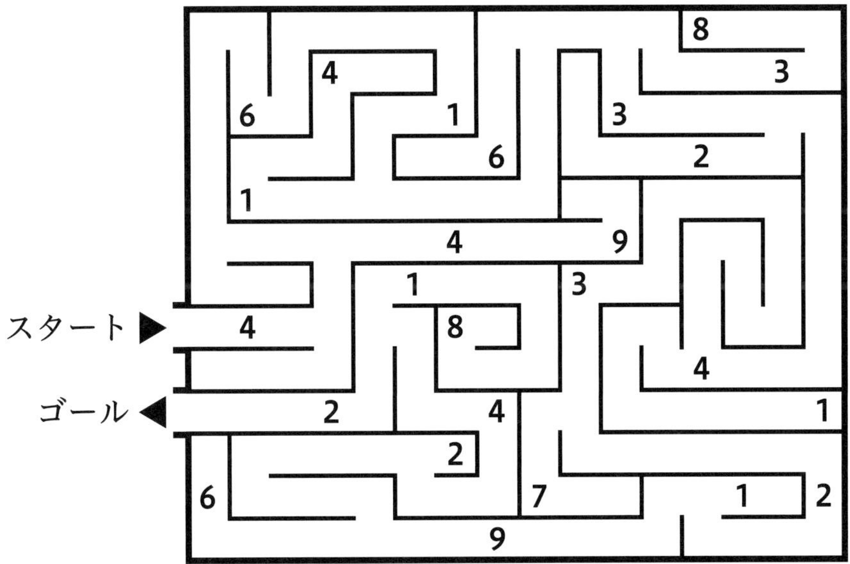

【293日目】A
【294日目】③

この解答は203ページ

文字アート間違いさがし

文字が集まって出来たイラストがあります。このうちリストの文字以外のものが3つ含まれています。それは何でしょう？

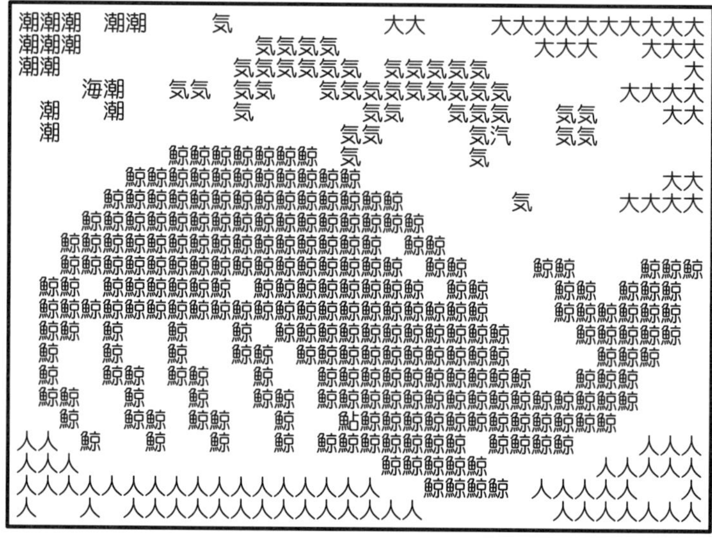

リスト

鯨・大・潮・人・気

解答

この解答は158ページ

サイコロ回転クイズ

矢印にそってサイコロを転がして進んだとき、最後のマスで一番上になる目の数は？

【ヒント】サイコロは対面の目を足すと7になります。

月　日

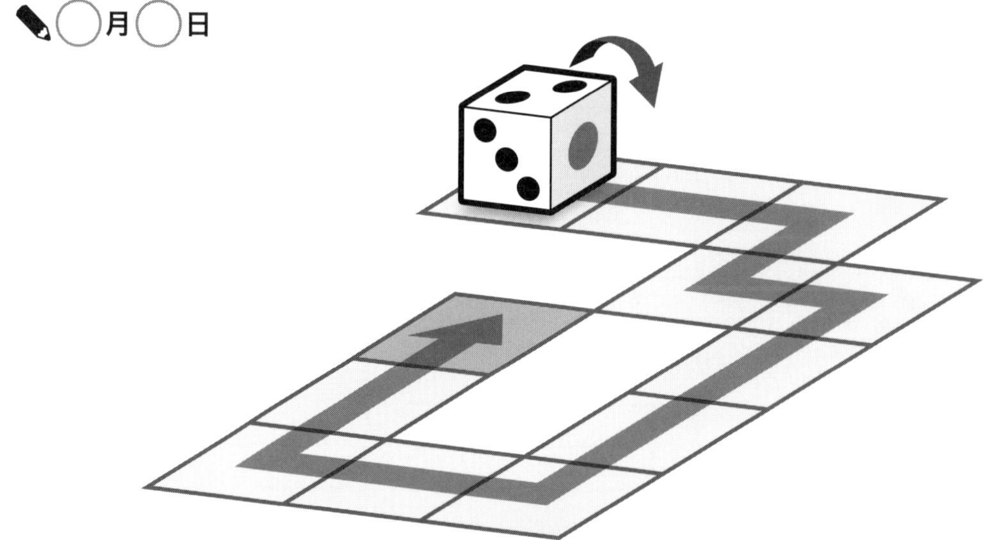

154ページの解答 【296日目】①

この解答は204ページ

✎◯月◯日

塗り絵パズル

記号のあるマスを塗りつぶすと、あるイラストが出てきます。それは何でしょう？

解答

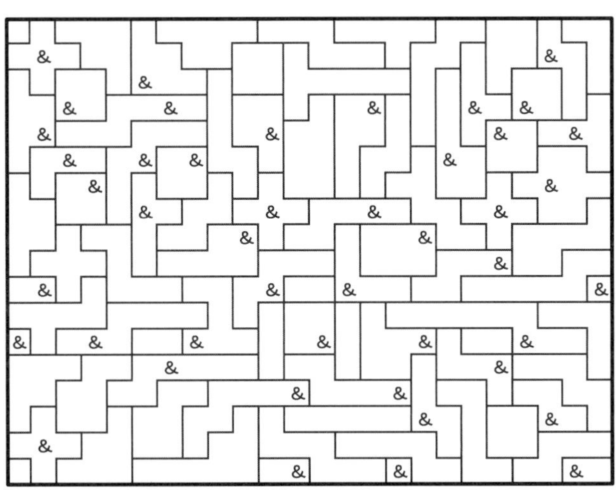

この解答は159ページ

302
日目

✎◯月◯日

一筆書き

一筆書きできるか○×で答えましょう。どの線も必ず一度だけ通り、一度ですべての線をなぞります。

①

②

155ページの解答
【297日目】②
【298日目】38

この解答は204ページ

✎◯月◯日

ミニナンプレ

タテ６列、ヨコ６列と、太線で囲まれた６個のブロックにはそれぞれ１～６の数字が必ず一つずつ入ります。
すべての空きマスに数字を入れてください。

2		6		5	
3			6	1	2
	4	5			3
1			4	6	
4	6	2			1
	3		2		6

この解答は204ページ

✎◯月◯日

かんたんナンプレ

タテ９列、ヨコ９列と、太線で囲まれた９個のブロックにはそれぞれ１～９の数字が必ず一つずつ入ります。すべての空きマスに数字を入れてください。

		5	4		2	3		
	3	2		6		4	5	
9			3	5	1			6
4	2			1			3	5
8	5		9	2	6		1	4
6		1		4		8		2
3	1	7	2		4	5	6	8
2	9	8		3		1	4	7
	4		1		7		2	

156ページの解答　【300日目】５

この解答は204ページ

不等号ナンプレ

タテ列とヨコ列にはマスの個数分の数字が一つずつ入ります。各マスの間の不等号は隣り合ったマスに入る数字の大小をあらわします。すべての空きマスに数字を入れてください。

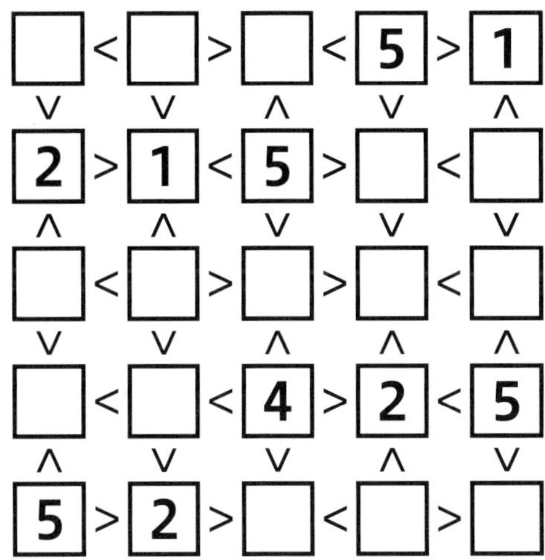

この解答は204ページ

イラストつなぎ

同じイラストを線でつないでください。線同士が交差したり、他のイラストの上を通過することはありません。網掛けマスを通るイラストはどれでしょう？

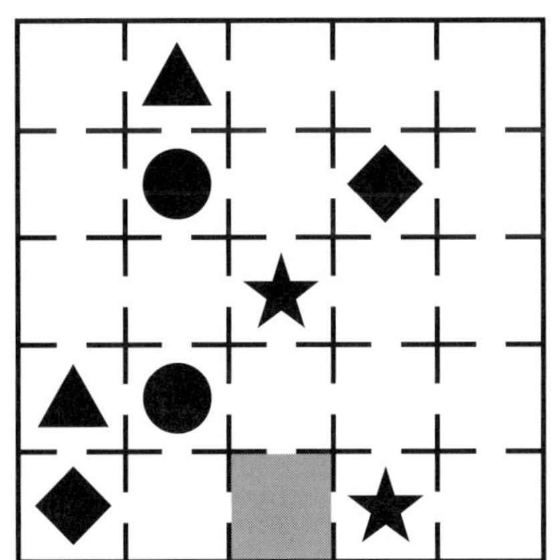

リスト

●	A
▲	B
★	C
◆	D

解答

この解答は204ページ

✎◯月◯日

虫食い算

虫食い穴に数字を入れて、正しい式にしてください。

```
   7 2
－ 1 □
―――――
   □ 5
```

```
   □ 9 9
＋ 4 8 □
―――――――
   8 □ 9
```

```
    □ 8 7 □
＋  9 2 □ 5
―――――――――――
□ 5 □ 6 9
```

この解答は204ページ

✎◯月◯日

魔方陣計算クイズ

盤面には1～16の数字が一つずつ入ります。
タテ・ヨコの各列と、対角線上に並んだ数字の和が34になる数字を書き入れましょう。

①

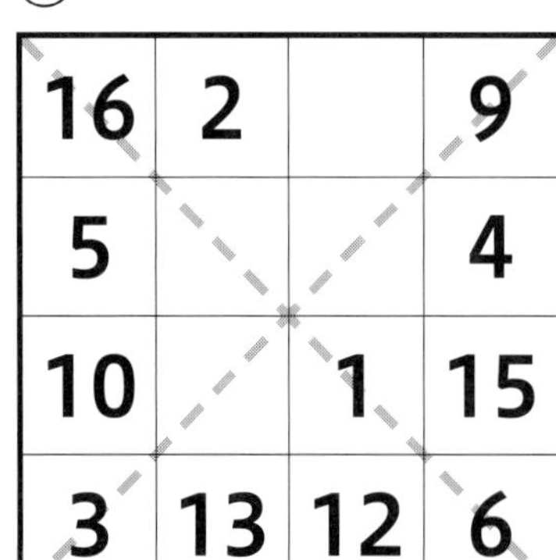

16	2		9
5			4
10		1	15
3	13	12	6

②

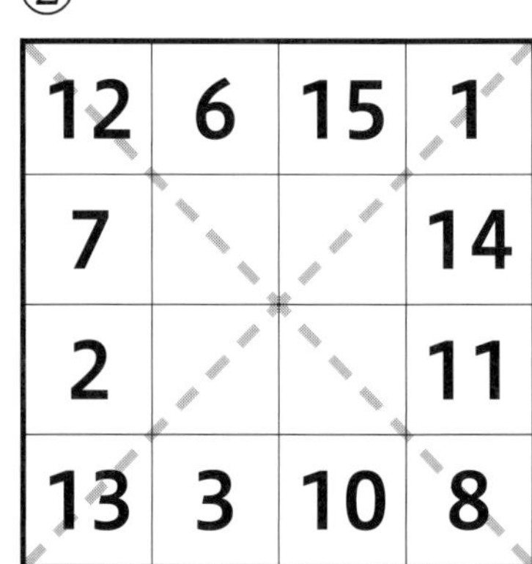

12	6	15	1
7			14
2			11
13	3	10	8

この解答は204ページ

四角に区切ろう

数字とマスの数が同じになるように、盤面を四角（正方形または長方形）に切り分けてください。どの四角にも数字は必ず一つずつ含まれます。

✎〇月〇日

					4
	4		3		
			4		5
	9			2	
2			3		

この解答は163ページ

お釣り枚数クイズ

お釣りの金額と硬貨の枚数を計算してください。ただし、お釣りは一番少ない枚数で返ってくるものとします。

✎〇月〇日

① **1522**円の買い物で**1600**円支払うと、

お釣りは［　　　］円で、硬貨は［　　　］枚

② **108**円の買い物で**200**円支払うと、

お釣りは［　　　］円で、硬貨は［　　　］枚

③ **1744**円の買い物で**2050**円支払うと、

お釣りは［　　　］円で、硬貨は［　　　］枚

この解答は204ページ

クロスワード

タテのカギ、ヨコのカギをヒントに、クロスワードを解いてください。

〈タテのカギ〉

②バンド演奏が生で聴ける
③アウトドア⇔○○ドア
⑤使うとカスが出る文房具
⑥寒い日に水たまりに張る
⑦イカを干して作る珍味

〈ヨコのカギ〉

①魚の呼吸器官
③チワワやトイプードル
④会議で述べる考え
⑥ボクサーはこれで勝負
⑧マラソンランナーが目指す
⑨ワルツは三拍子

この解答は204ページ

312 日目

言葉さがし

＜リスト＞の食器に関する言葉をすべて一直線上に見つけてください。

ノ	ユ	リ	ブ	ン	ド
フ	ジ	ノ	ワ	イ	ソ
サ	イ	ル	ミ	バ	ス
カ	シ	ナ	チ	ラ	コ
ズ	ハ	ヨ	グ	サ	バ
キ	コ	ン	ワ	ヤ	チ

＜リスト＞

- □ グラス
- □ コバチ（小鉢）
- □ サカズキ（杯）
- □ サジ（匙）
- □ サラ（皿）
- □ シルワン（汁椀）
- □ ソバチョコ（蕎麦猪口）
- □ チャワン（茶碗）
- □ ドンブリ（丼）
- □ ナイフ
- □ ハシ（箸）
- □ ユノミ（湯飲み）

この解答は204ページ

313 日目

✎◯月◯日

二字熟語ピースしりとり

スタートから二字熟語のしりとりになるように<リスト>のピースをうまくあてはめましょう。熟語は矢印の方向に読み、ピースは向きを変えずそのまま入ります。【例】今日→日記→記憶

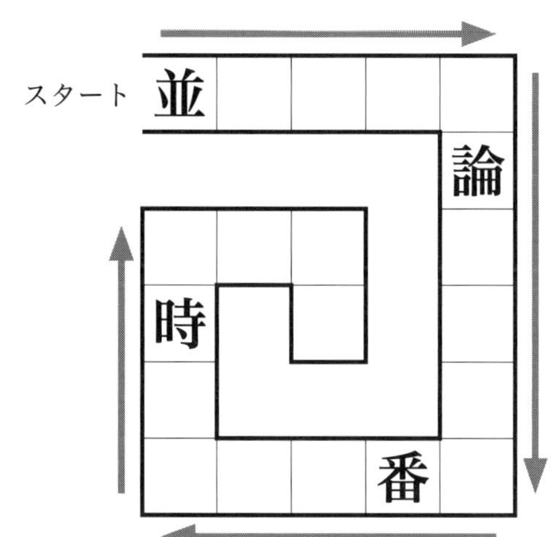

この解答は204ページ

314 日目

✎◯月◯日

詰めクロス

マス目に<リスト>のカナを入れて、クロスワードを完成させてください。

※小さい「ッ」や「ャ」なども大きな文字として扱います。

<リスト>

□ ア	□ ト	□ ユ
□ イ	□ ボ	□ ロ
□ コ	□ ポ	□ ン
□ コ	□ マ	□ ー
□ ザ	□ ム	

	ー		■	ピ	
ネ	■	エ		■	ブ
	ラ		ニ	ス	
■		■	キ	■	
	タ	ン		キ	■
シ		■			ハ

161ページの解答　【310日目】①78・7　②92・7　③306・5

この解答は205ページ

スケルトンパズル

マス目の数と同じ文字数の数字を<リスト>から選び、あてはめてください。

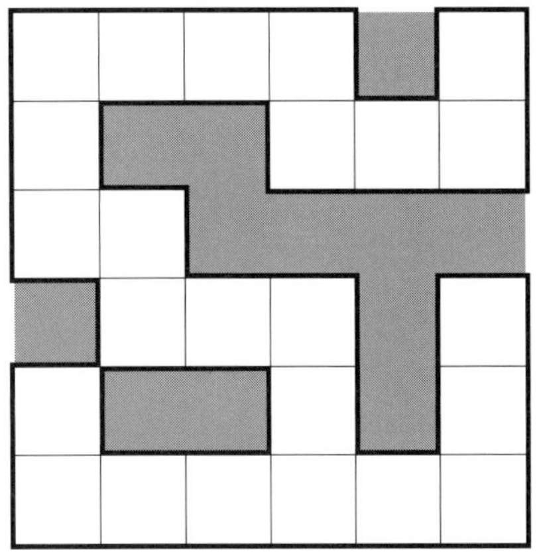

<リスト>

2文字	3文字	4文字	6文字
□ 15	□ 246	□ 8251	□ 584696
□ 19	□ 572		
□ 23	□ 802		
□ 27	□ 836		
□ 35	□ 907		

この解答は166ページ

漢字熟語ダイヤモンド

AとBに入れた2つの漢字でできる二字熟語を答えてください。

○月○日

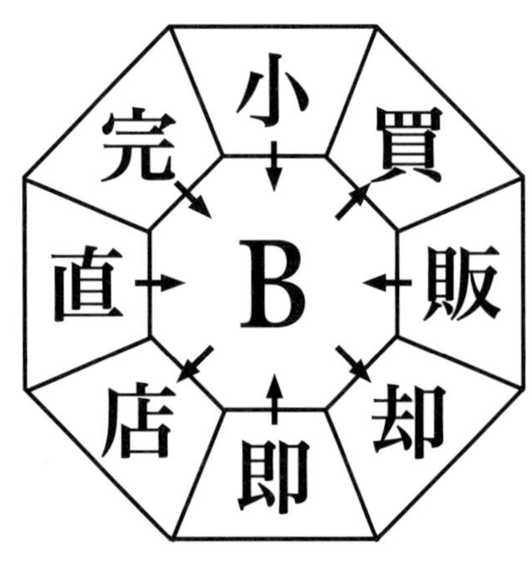

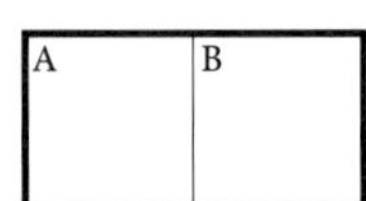

この解答は167ページ

漢字パーツ組み立て

バラバラになったパーツを組み合わせて四字熟語を作ってください。

【例】角＋刀＋牛＝解

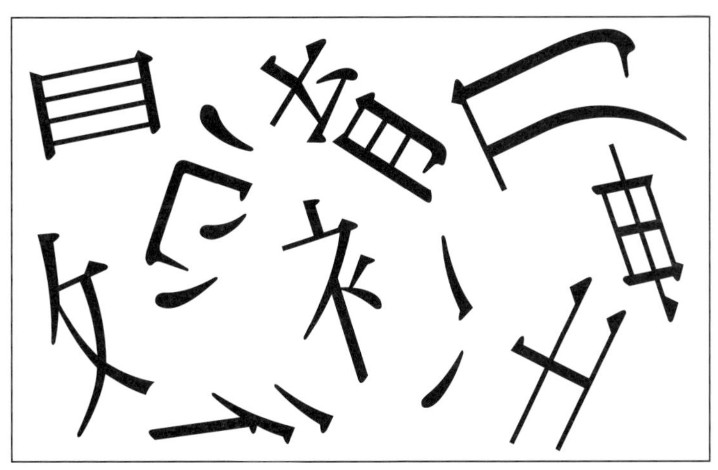

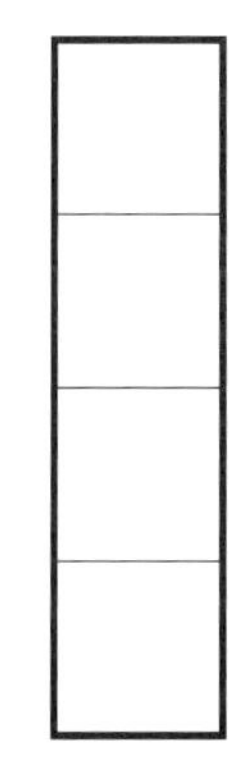

この解答は205ページ

318
日目

三字熟語リレー

すでに入っている漢字のように<リスト>の漢字を空きマスに入れ、三字熟語を作ってください。線でつながれているマスには同じ漢字が入ります。

◯月◯日

<リスト>

- ☑ 力
- ☐ 意
- ☐ 解
- ☐ 白
- ☐ 不
- ☐ 図
- ☐ 漂
- ☐ 説

力	一	杯
	得	力
		者
	可	

		剤
	地	
		的
	本	

この解答は168ページ

四字熟語合体パズル

四字熟語の隠れた部分を推理して、①と②の四字熟語を答えてください。

①

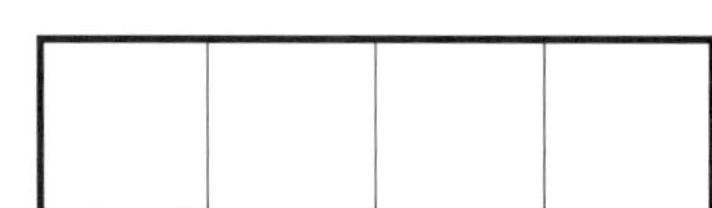

②

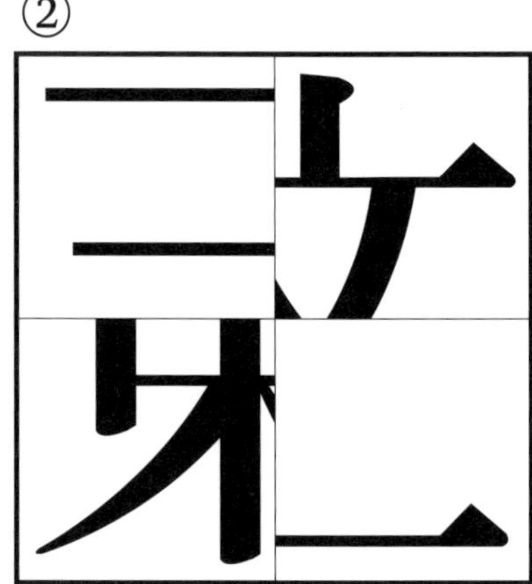

この解答は205ページ

320日目

✎◯月◯日

ブロック分割パズル

＜リスト＞の言葉をマス目から探し出し、ブロックに分割してください。

※タテまたはヨコにつながるように区切ります。
※小さい「ッ」や「ャ」なども大きな文字として扱います。

ア	ノ	ト	ー	ミ	ヅ
ピ	イ	バ	ル	マ	ツ
リ	オ	ト	フ	ラ	カ
ン	ン	ラ	ホ	ル	ス
ツ	ペ	シ	ン	ン	ラ
ト	ワ	ビ	バ	ル	リ

＜リスト＞

2文字
- □ ビワ(琵琶)
- □ リラ

3文字
- □ ツヅミ(鼓)
- □ ピアノ
- □ ホルン

4文字
- □ シンバル
- □ フルート
- □ マラカス

5文字
- □ バイオリン

6文字
- □ トランペット

164ページの解答 【316日目】 A商 B売

この解答は169ページ

キューブ問題

何個のブロックで出来ているか答えてください。

✎◯月◯日

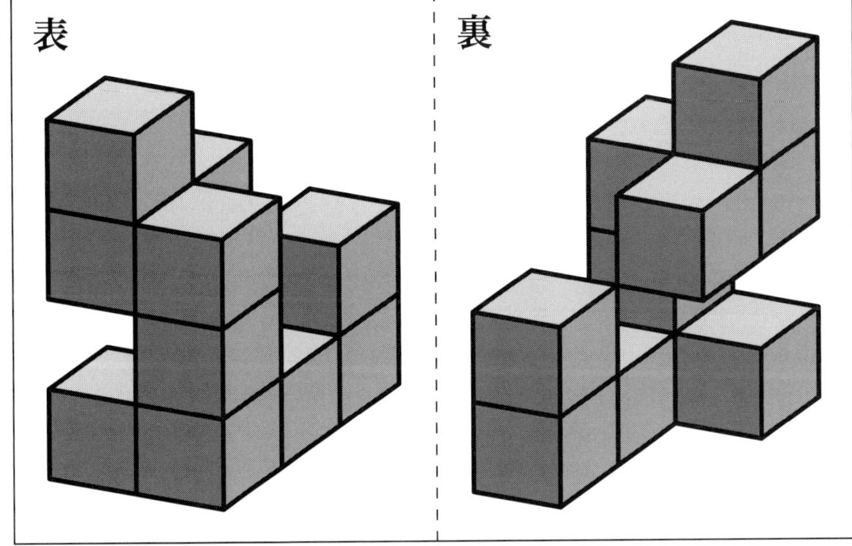

この解答は169ページ

カード推理

表と裏にイラストが描かれたカードを５枚、【見本】のように重ねて置きました。これを裏返して見た時に正しいものは、①～③のうちどれでしょう？

✎◯月◯日

解答

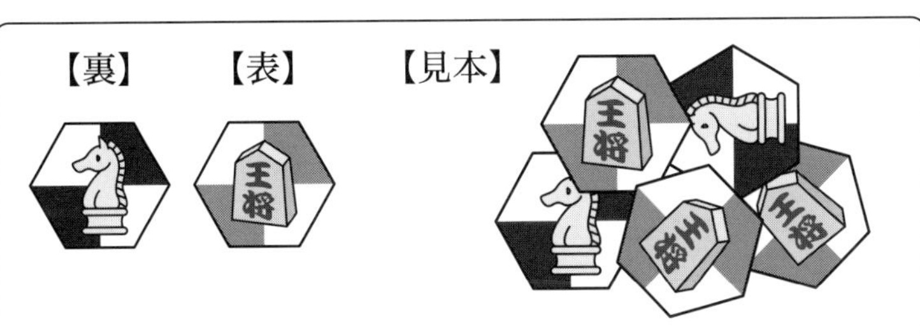

①

②

③

この解答は205ページ

点つなぎ

☆から★まで番号順に点をつないだ時、あらわれる絵を答えてください。

月　日

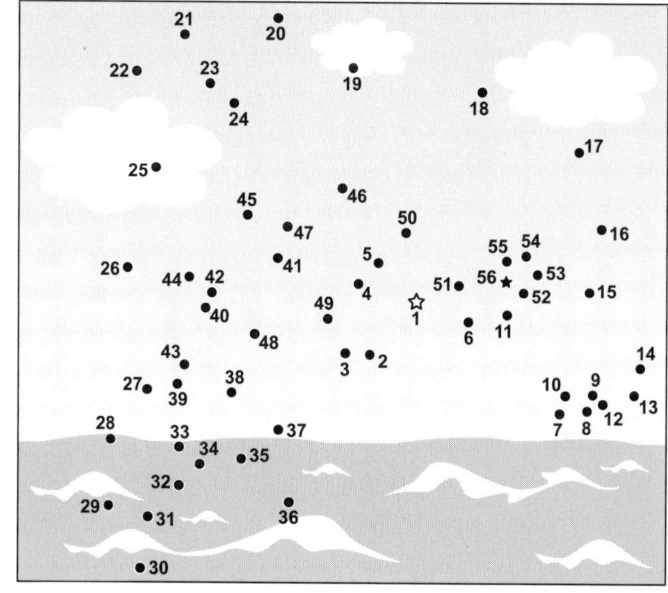

この解答は170ページ

324
日目

立方体展開図クイズ

【見本】の展開図を組み立てたときに出来るサイコロとして、正しいものは①～③のうちどれでしょう？

解答 

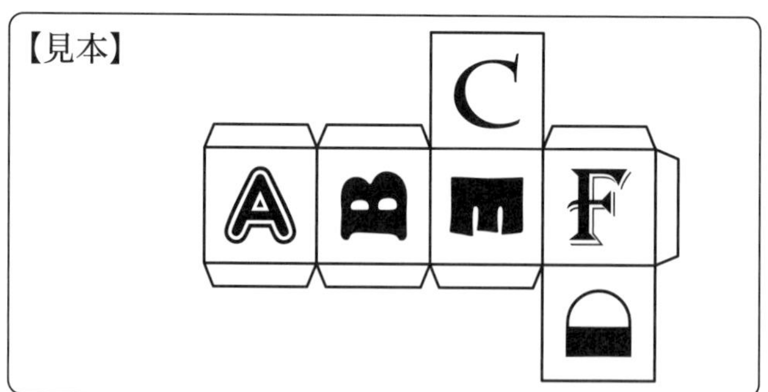

①

②
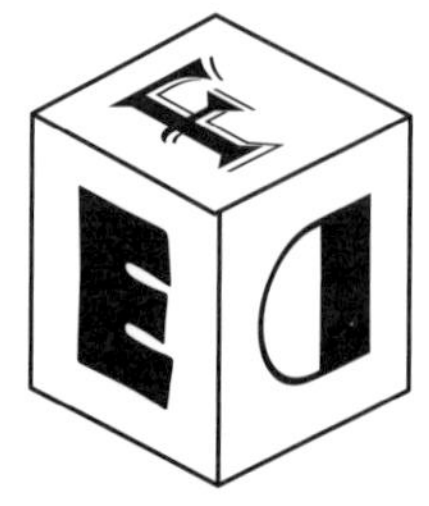

③
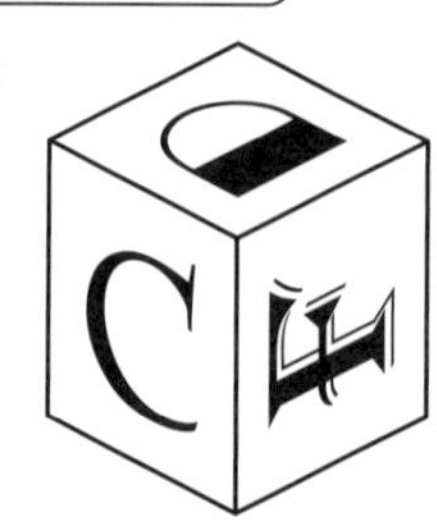

166ページの解答　【319日目】①花鳥風月　②二束三文

この解答は171ページ

325日目

✎◯月◯日

同じセットさがし

【見本】と同じ内容のセットを①～③の中から選んでください。

【見本】

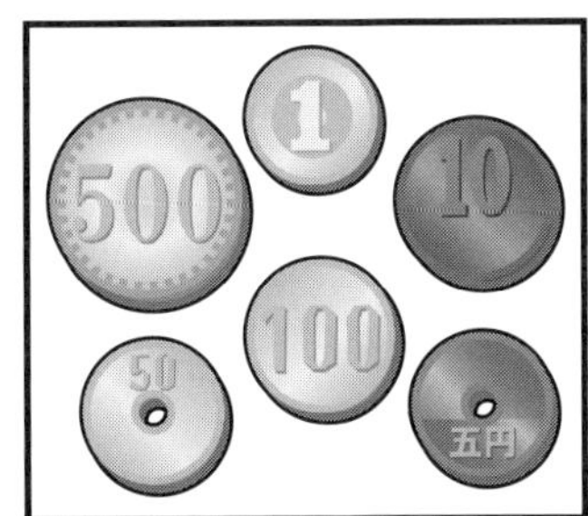

①

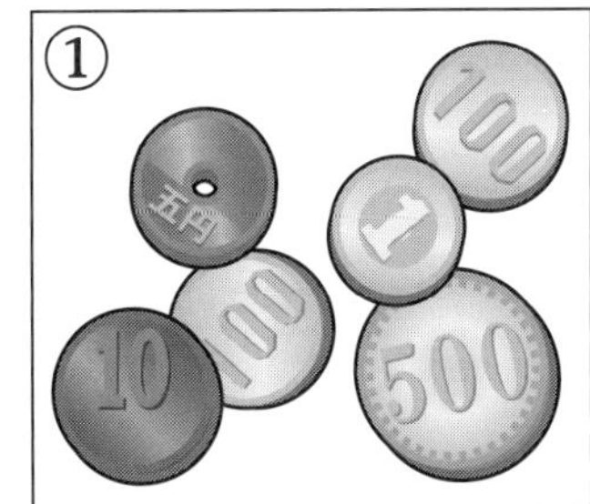

②

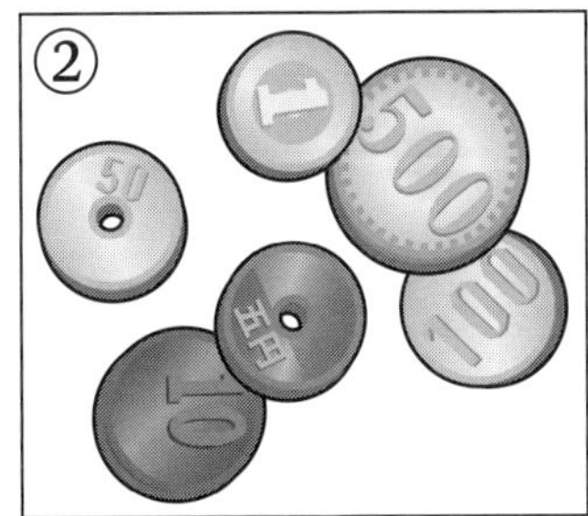

③

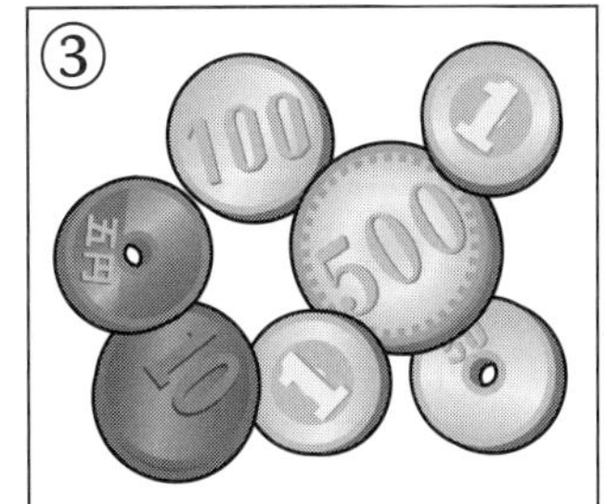

この解答は171ページ

326日目

✎◯月◯日

足し算迷路

スタートからゴールまで最短距離で進みましょう。
通った数字を合計するといくつになるでしょう？

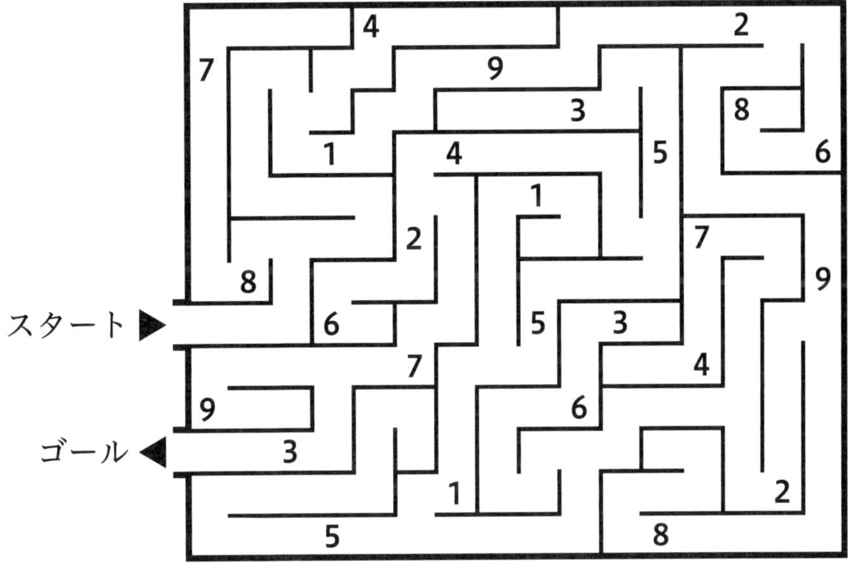

167ページの解答

【321日目】10個
【322日目】①

この解答は205ページ

327 日目

文字アート間違いさがし

文字が集まって出来たイラストがあります。このうちリストの文字以外のものが３つ含まれています。それは何でしょう？

○月○日

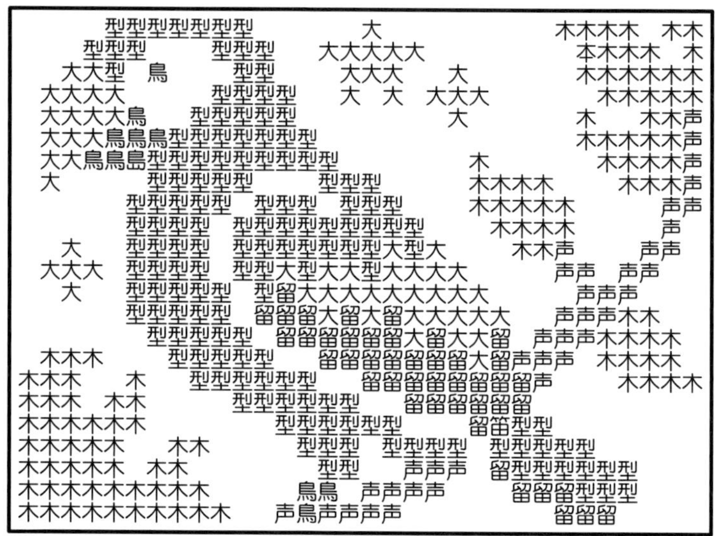

リスト

大・型・鳥・声・留・木

解答

この解答は172ページ

328 日目

サイコロ回転クイズ

矢印にそってサイコロを転がして進んだとき、最後のマスで一番上になる目の数は？
【ヒント】サイコロは対面の目を足すと７になります。

○月○日

168ページの解答 【324日目】①

この解答は205ページ

○月○日

塗り絵パズル

記号のあるマスを塗りつぶすと、あるイラストが出てきます。それは何でしょう？

解答

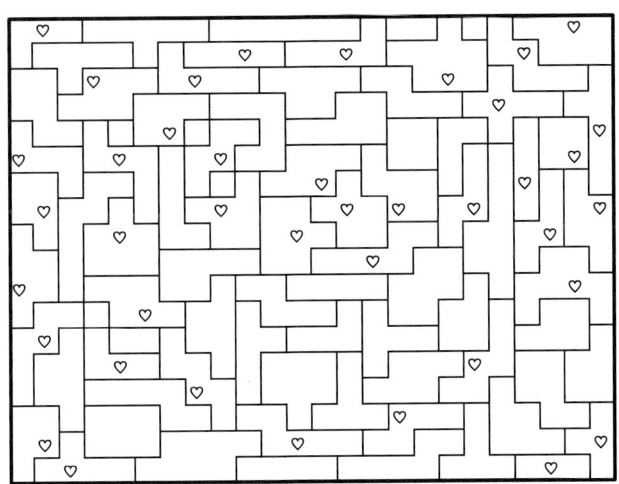

この解答は173ページ

330日目

○月○日

一筆書き

一筆書きできるか○×で答えましょう。どの線も必ず一度だけ通り、一度ですべての線をなぞります。

①

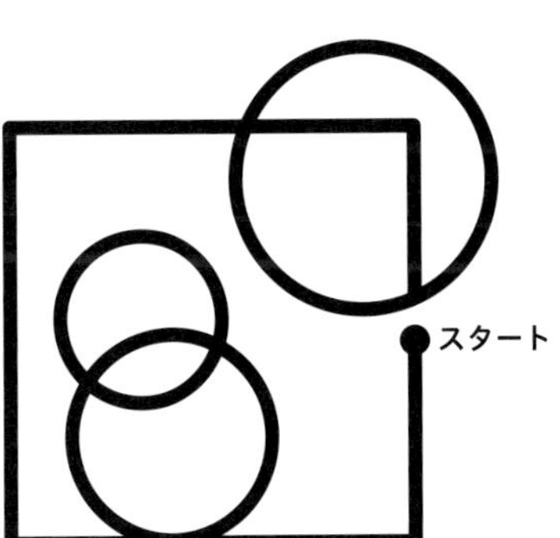

②

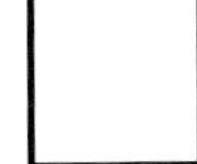

169ページの解答

【325日目】②
【326日目】43

この解答は205ページ

ミニナンプレ

タテ６列、ヨコ６列と、太線で囲まれた６個のブロックにはそれぞれ１～６の数字が必ず一つずつ入ります。
すべての空きマスに数字を入れてください。

	3	2	4		1
1			2	5	
4		1		3	
	6		1		2
	5	4			6
6		3	5	2	

この解答は205ページ

かんたんナンプレ

タテ９列、ヨコ９列と、太線で囲まれた９個のブロックにはそれぞれ１～９の数字が必ず一つずつ入ります。すべての空きマスに数字を入れてください。

✎◯月◯日

6		7	2		3	5		1
	4	8		1		6	9	
5	2			9			8	3
1		2		4		3		7
	3		8		2		1	
9	5			7			2	4
2	7		1	3	8		6	9
4	6	3	9		5	1	7	8
	1		7	6	4		3	

170ページの解答　【328日目】４

この解答は205ページ

✎◯月◯日

不等号ナンプレ

タテ列とヨコ列にはマスの個数分の数字が一つずつ入ります。各マスの間の不等号は隣り合ったマスに入る数字の大小をあらわします。すべての空きマスに数字を入れてください。

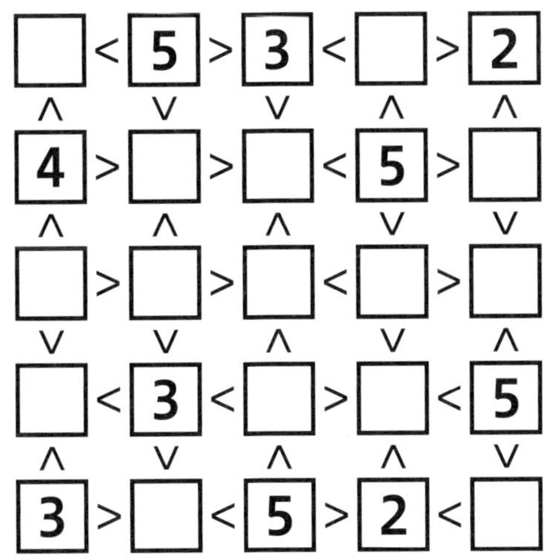

この解答は205ページ

334
日目

✎◯月◯日

イラストつなぎ

同じイラストを線でつないでください。線同士が交差したり、他のイラストの上を通過することはありません。網掛けマスを通るイラストはどれでしょう？

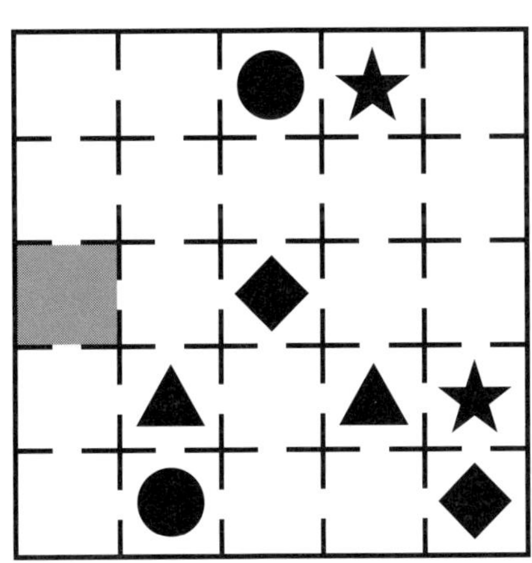

リスト

●	A
▲	B
★	C
◆	D

解答

この解答は205ページ

虫食い算

虫食い穴に数字を入れて、正しい式にしてください。

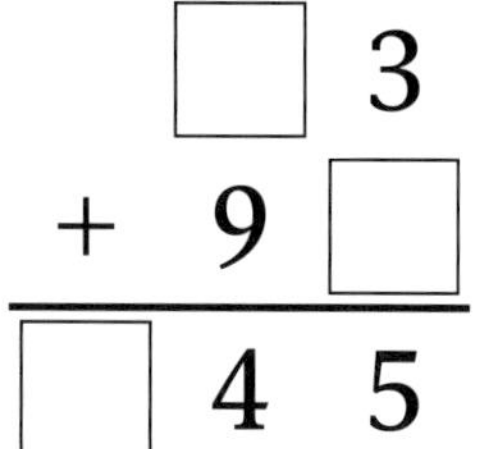

```
   □3
+  9□
-----
 □45
```

```
   16□
+  5□8
------
   □15
```

```
   8□61
+  □1□9
-------
 □090□
```

この解答は205ページ

336日目

魔方陣計算クイズ

✎◯月◯日

盤面には1～16の数字が一つずつ入ります。
タテ・ヨコの各列と、対角線上に並んだ数字の和が34になる数字を書き入れましょう。

①

2	13	7	12
		9	6
		14	1
5	10	4	15

②

	14	4	
3	8	10	13
6	1	15	12
	11	5	

この解答は206ページ

四角に区切ろう

数字とマスの数が同じになるように、盤面を四角（正方形または長方形）に切り分けてください。どの四角にも数字は必ず一つずつ含まれます。

	3				8
		4			4
			3		
6					2
	3			3	

この解答は177ページ

月　日

お釣り枚数クイズ

お釣りの金額と硬貨の枚数を計算してください。ただし、お釣りは一番少ない枚数で返ってくるものとします。

① **2130** 円の買い物で **2500** 円支払うと、

お釣りは［　　　］円で、硬貨は［　　　］枚

② **237** 円の買い物で **352** 円支払うと、

お釣りは［　　　］円で、硬貨は［　　　］枚

③ **1102** 円の買い物で **1500** 円支払うと、

お釣りは［　　　］円で、硬貨は［　　　］枚

この解答は206ページ

339日目

クロスワード

タテのカギ、ヨコのカギをヒントに、クロスワードを解いてください。

◯月◯日

〈タテのカギ〉

②10分後にピピピと鳴るようにセット
③草木の赤ちゃん
④学び舎を巣立つ◯◯◯◯◯式
⑥ちょっとした失敗
⑦もう少しで花が咲きそう
⑩苦楽を◯◯にした仲間

〈ヨコのカギ〉

①武士が腰に差す
⑤徳川幕府の第３代将軍
⑦結婚して彼女から◯◯に
⑧春に花粉を飛ばす針葉樹
⑨モーター、ゴム、スワン
⑪唐草◯◯◯の風呂敷

この解答は206ページ

言葉さがし

＜リスト＞の国名をすべて一直線上に見つけてください。

◯月◯日

ペ	ツ	イ	ド	ン	ナ
ジ	ル	タ	ダ	リ	カ
ギ	ヤ	ー	マ	メ	ル
リ	ス	マ	ル	ナ	ー
シ	チ	ー	イ	ド	パ
ヤ	ン	ダ	ナ	カ	ネ

＜リスト＞

- □ カナダ
- □ カメルーン
- □ ギリシャ
- □ ジャマイカ
- □ スーダン
- □ タイ
- □ チリ
- □ ドイツ
- □ ネパール
- □ パナマ
- □ ペルー
- □ マリ

この解答は206ページ

341日目

二字熟語ピースしりとり

スタートから二字熟語のしりとりになるように<リスト>のピースをうまくあてはめましょう。熟語は矢印の方向に読み、ピースは向きを変えずそのまま入ります。【例】今日→日記→記憶

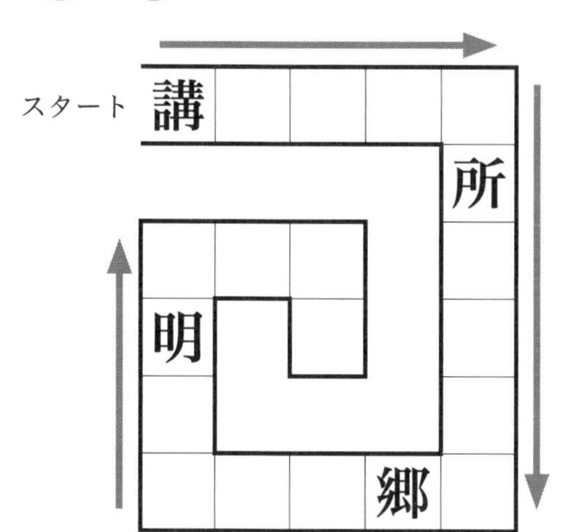

<リスト>

□ 暗黙
□ 管土
□ 劇場
□ 演歌

□ 読者（縦）
□ 解理（縦）
□ 欲望（縦）
□ 得意（縦）

この解答は206ページ

342日目

詰めクロス

マス目に<リスト>のカナを入れて、クロスワードを完成させてください。

※小さい「ッ」や「ャ」なども大きな文字として扱います。

<リスト>

□ イ　□ ジ　□ ナ
□ ウ　□ ス　□ ハ
□ ウ　□ ス　□ パ
□ ウ　□ ダ　□ ビ
□ コ　□ チ

ハ		■			ワ
	ツ	イ		ヨ	■
■	ポ	■			ホ
サ			■	オ	■
■	サ		ペ	ン	
ケ			■		パ

175ページの解答
【338日目】①370・6　②115・3　③398・12

この解答は206ページ

スケルトンパズル

マス目の数と同じ文字数の数字を＜リスト＞から選び、あてはめてください。

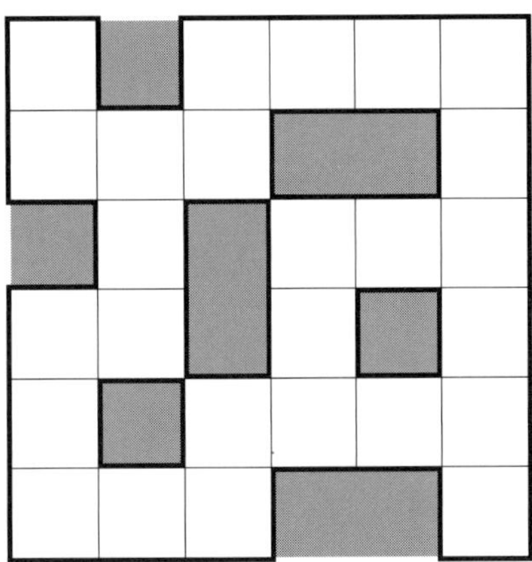

<リスト>

2文字	3文字	4文字	6文字
□ 14	□ 152	□ 7092	□ 461223
□ 71	□ 202	□ 7964	
□ 72	□ 481		
□ 84	□ 830		
	□ 851		
	□ 894		

この解答は180ページ

漢字熟語ダイヤモンド

AとBに入れた2つの漢字でできる二字熟語を答えてください。

月 日

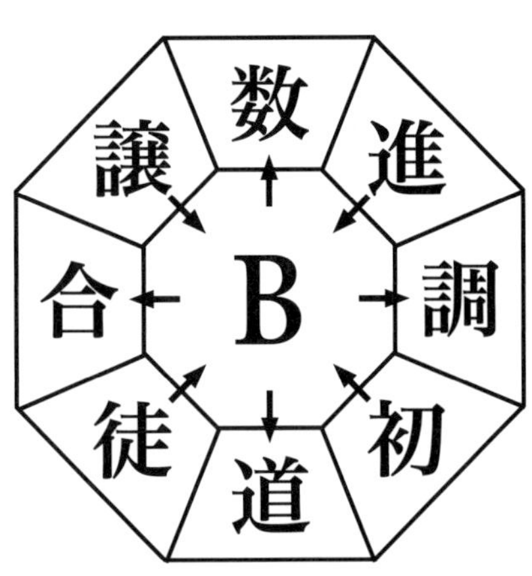

A	B

この解答は181ページ

✎◯月◯日

漢字パーツ組み立て

バラバラになったパーツを組み合わせて四字熟語を作ってください。
【例】角＋刀＋牛＝解

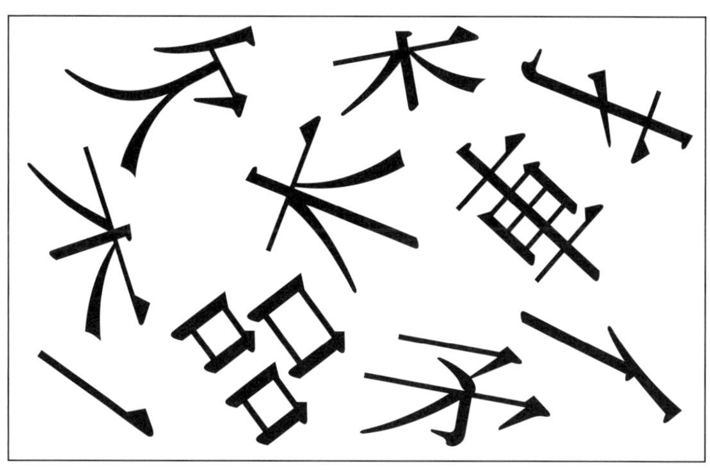

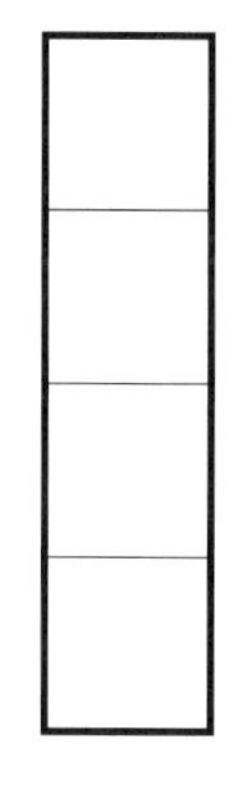

この解答は206ページ

✎◯月◯日

三字熟語リレー

すでに入っている漢字のように＜リスト＞の漢字を空きマスに入れ、三字熟語を作ってください。線でつながれているマスには同じ漢字が入ります。

＜リスト＞

☑ 内　☐ 出
☐ 度　☐ 奏
☐ 演　☐ 来
☐ 間　☐ 外

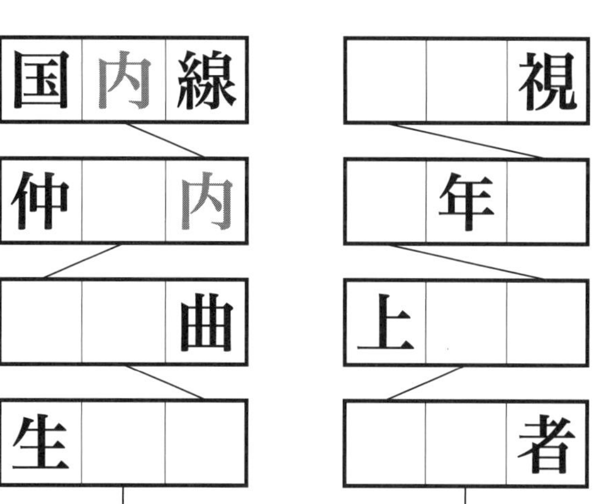

この解答は182ページ

347日目

✎ ◯月◯日

四字熟語合体パズル

四字熟語の隠れた部分を推理して、①と②の四字熟語を答えてください。

①

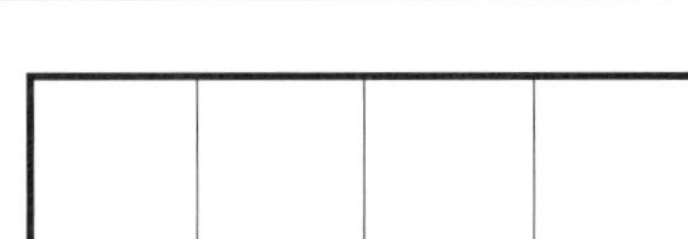

②

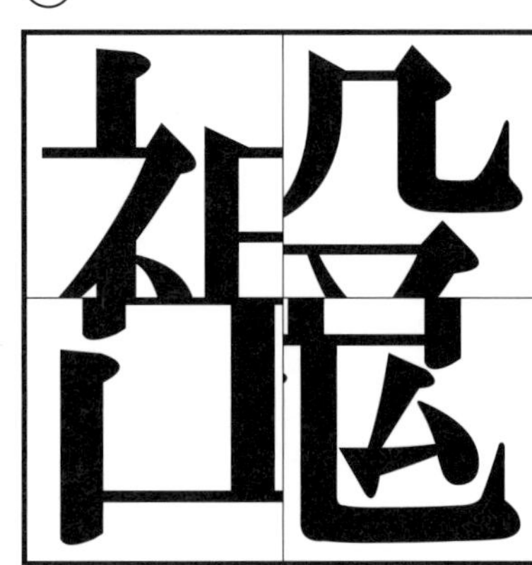

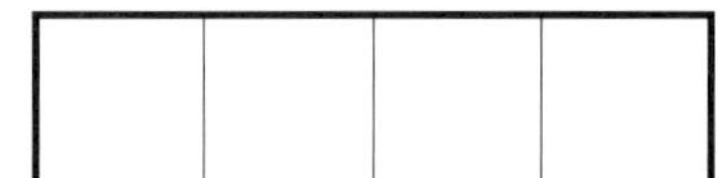

この解答は206ページ

348日目

✎ ◯月◯日

ブロック分割パズル

<リスト>の言葉をマス目から探し出し、ブロックに分割してください。

※タテまたはヨコにつながるように区切ります。

※小さい「ッ」や「ャ」なども大きな文字として扱います。

ル	イ	タ	イ	ウ	ボ
ド	ヤ	カ	ン	ネ	ン
ン	ハ	ー	ト	ツ	ク
ブ	レ	ー	マ	ド	ン
ラ	ミ	キ	ン	ト	ラ
ー	エ	ン	ジ	ア	ド

<リスト>

2文字

□ ドア

□ マド(窓)

3文字

□ タイヤ

□ ミラー

4文字

□ エンジン

□ トランク

□ ハンドル

□ ブレーキ

5文字

□ ウインカー

□ ボンネット

178ページの解答 【344日目】 A 散 B 歩

この解答は183ページ

キューブ問題

何個のブロックで出来ているか答えてください。

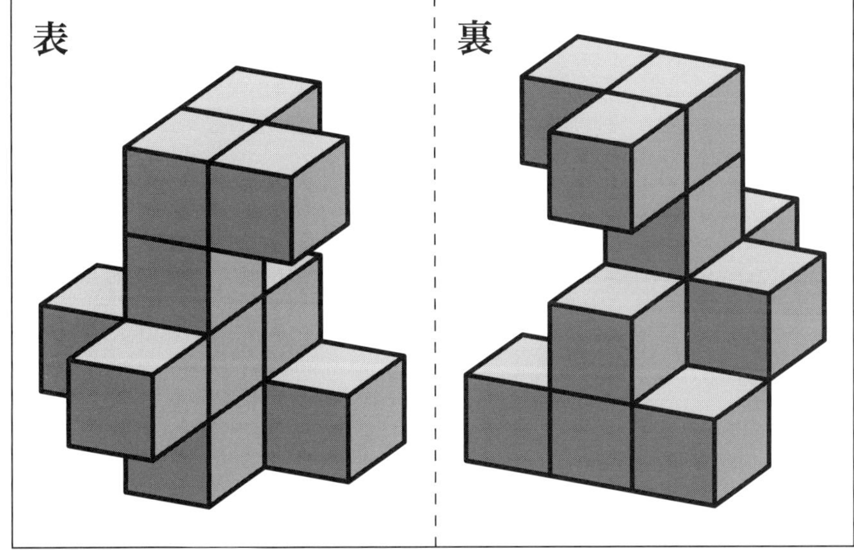

この解答は183ページ

カード推理

表と裏にイラストが描かれたカードを５枚、【見本】のように重ねて置きました。これを裏返して見た時に正しいものは、①〜③のうちどれでしょう？

解答

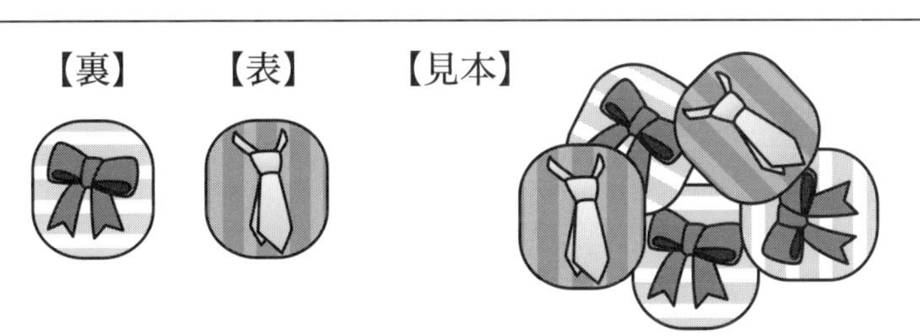

①

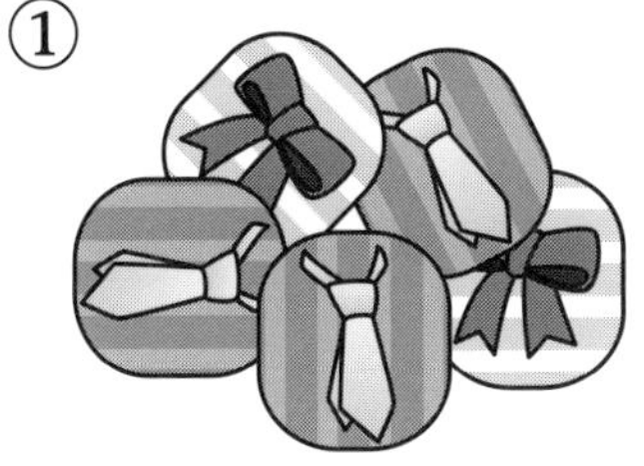

②

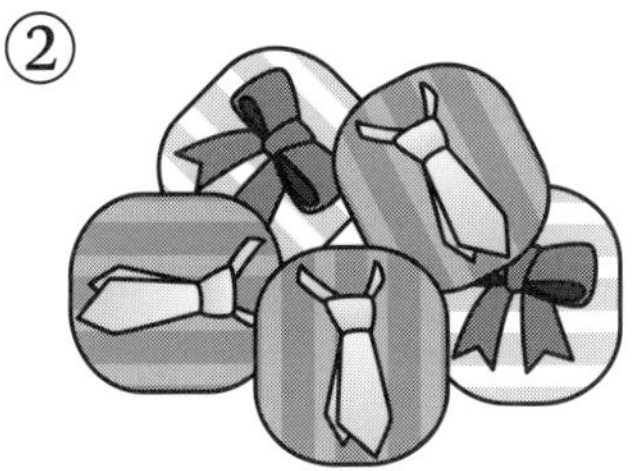

③

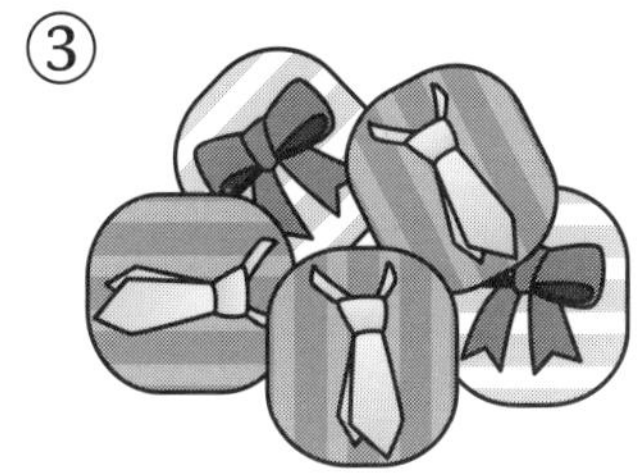

【345日目】柔軟体操

この解答は206ページ

点つなぎ

☆から★まで番号順に点をつないだ時、あらわれる絵を答えてください。

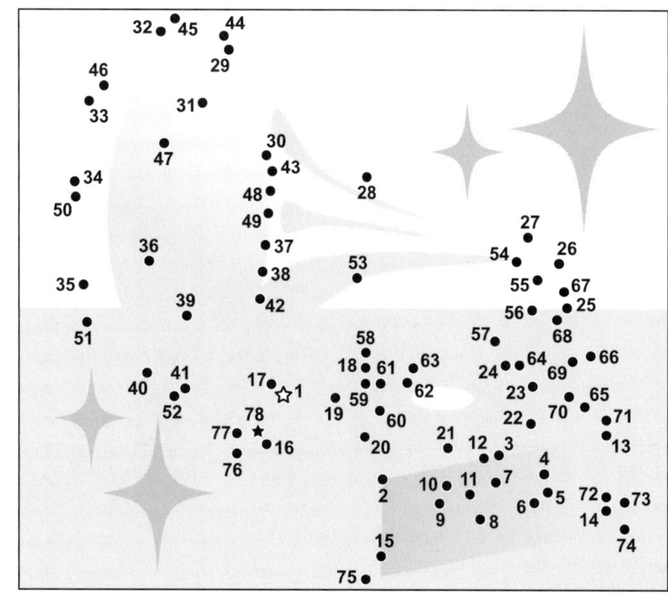

この解答は184ページ

立方体展開図クイズ

【見本】の展開図を組み立てたときに出来るサイコロとして、正しいものは①～③のうちどれでしょう？

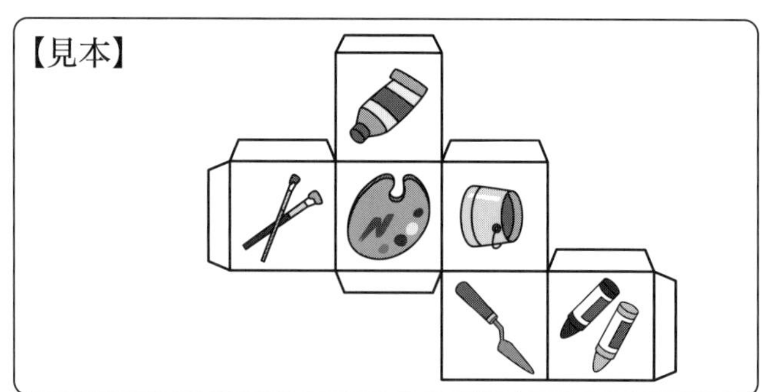

①

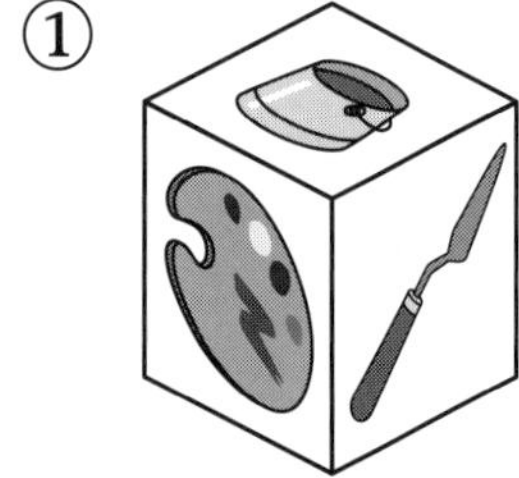

②

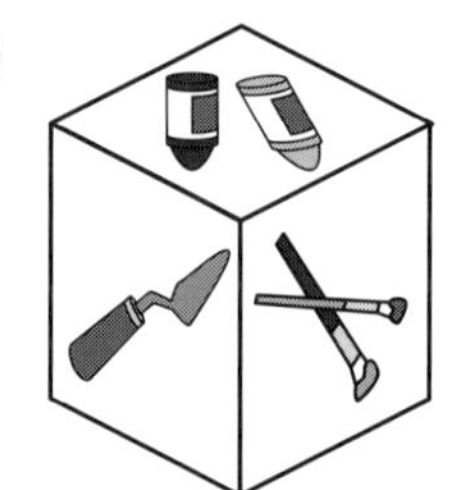

③

180ページの解答 【347日目】①油断大敵　②神出鬼没

この解答は185ページ

◯月◯日

同じセットさがし

【見本】と同じ内容のセットを①～③の中から選んでください。

【見本】

この解答は185ページ

354
日目

◯月◯日

足し算迷路

スタートからゴールまで最短距離で進みましょう。通った数字を合計するといくつになるでしょう？

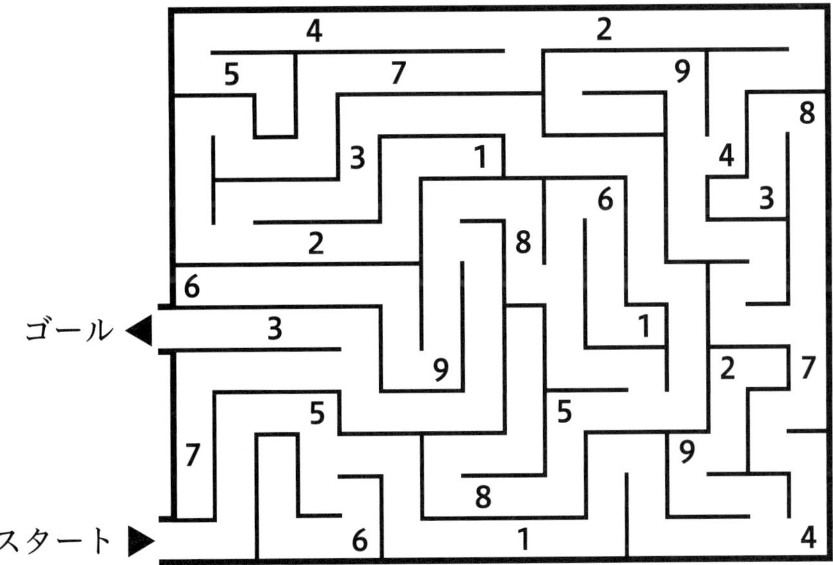

181ページの解答

【349日目】12個
【350日目】②

この解答は206ページ

355
日目

文字アート間違いさがし

文字が集まって出来たイラストがあります。このうちリストの文字以外のものが3つ含まれています。それは何でしょう？

◯月◯日

リスト

警・察・車・白・黒

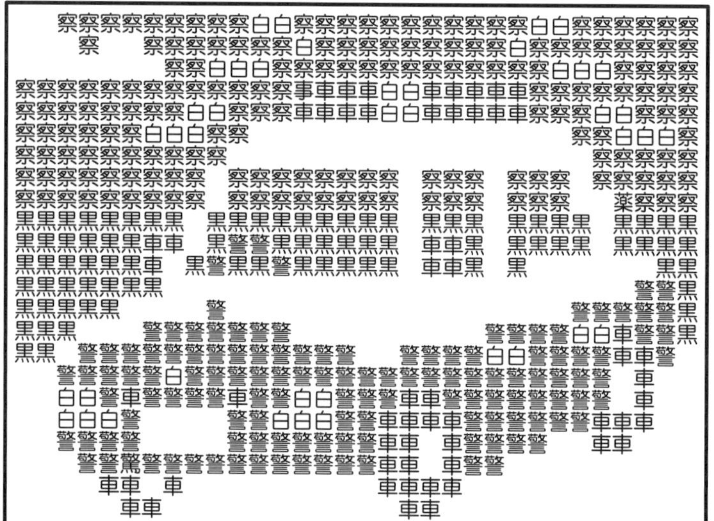

解答

この解答は186ページ

356
日目

サイコロ回転クイズ

矢印にそってサイコロを転がして進んだとき、最後のマスで一番上になる目の数は？
【ヒント】サイコロは対面の目を足すと7になります。

◯月◯日

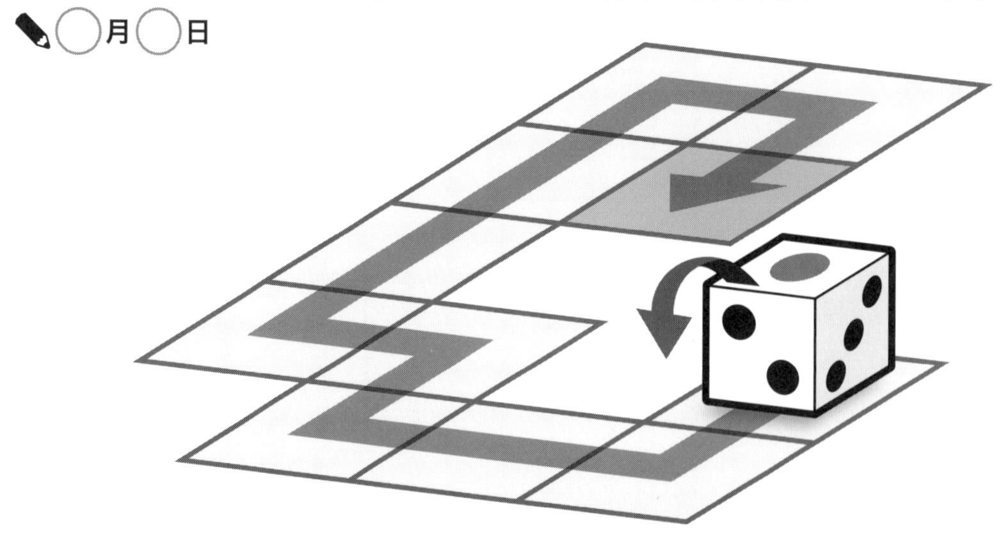

182ページの解答 【352日目】②

この解答は206ページ

357日目

✎◯月◯日

塗り絵パズル

記号のあるマスを塗りつぶすと、あるイラストが出てきます。それは何でしょう？

解答

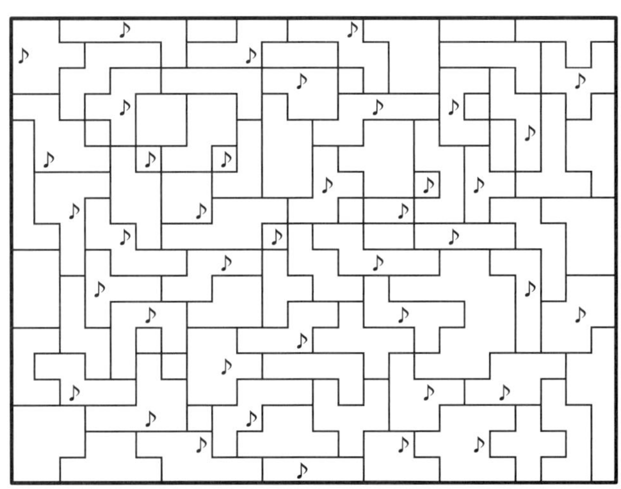

この解答は187ページ

358日目

✎◯月◯日

一筆書き

一筆書きできるか○×で答えましょう。どの線も必ず一度だけ通り、一度ですべての線をなぞります。

①

②

183ページの解答
【353日目】①
【354日目】44

この解答は206ページ

◯月◯日

ミニナンプレ

タテ6列、ヨコ6列と、太線で囲まれた6個のブロックにはそれぞれ1～6の数字が必ず一つずつ入ります。
すべての空きマスに数字を入れてください。

6				3	
	4	3	5		2
4	1	2			3
5			2	1	4
2		1	3	4	
	6				5

この解答は207ページ

◯月◯日

かんたんナンプレ

タテ9列、ヨコ9列と、太線で囲まれた9個のブロックにはそれぞれ1～9の数字が必ず一つずつ入ります。すべての空きマスに数字を入れてください。

3	7	4	1		2	6	8	9
8	2			7			3	1
		6		9		2		
	5		3		7		9	
6		2	4		9	3		5
9	3	7		6		4	1	2
1		3				9		4
2	4		9		1		6	8
7		8	2	4	6	1		3

184ページの解答　【356日目】3

この解答は207ページ

◯月◯日

不等号ナンプレ

タテ列とヨコ列にはマスの個数分の数字が一つずつ入ります。各マスの間の不等号は隣り合ったマスに入る数字の大小をあらわします。すべての空きマスに数字を入れてください。

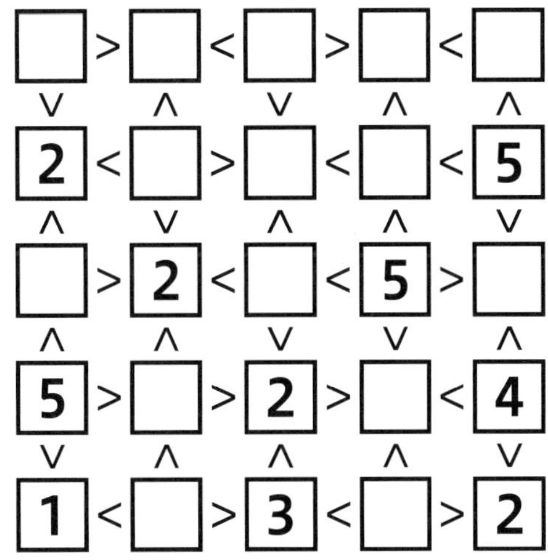

この解答は207ページ

362
日目

◯月◯日

イラストつなぎ

同じイラストを線でつないでください。線同士が交差したり、他のイラストの上を通過することはありません。網掛けマスを通るイラストはどれでしょう？

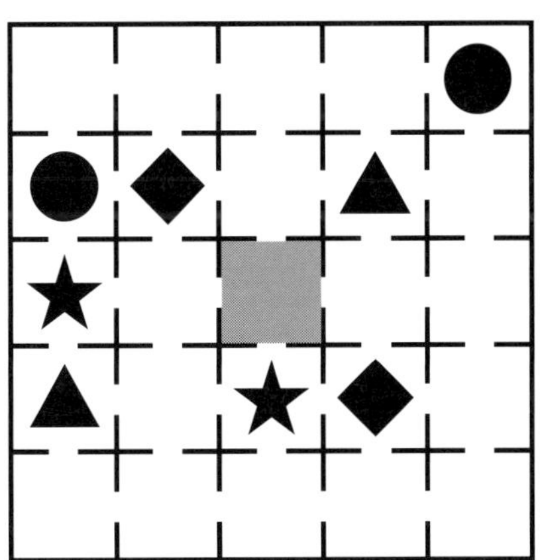

リスト

●	A
▲	B
★	C
◆	D

解答

この解答は207ページ

✎◯月◯日

虫食い算

虫食い穴に数字を入れて、正しい式にしてください。

	6	□
+	□	9
□	0	5

	9	7	2
−	□	9	□
	5	□	6

	□	4	1	8
−	2	3	□	6
	5	□	5	□

この解答は207ページ

364
日目

✎◯月◯日

魔方陣計算クイズ

盤面には1～16の数字が一つずつ入ります。
タテ・ヨコの各列と、対角線上に並んだ数字の和が34になる数字を書き入れましょう。

①

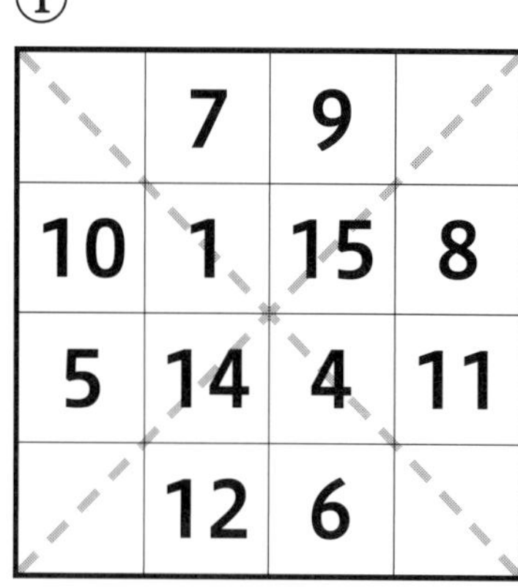

	7	9	
10	1	15	8
5	14	4	11
	12	6	

②

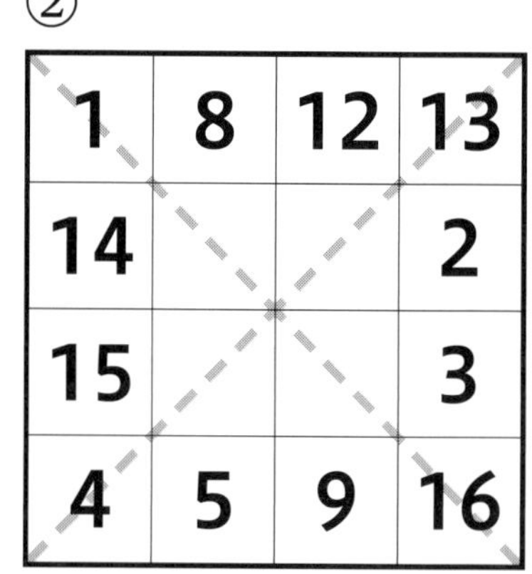

1	8	12	13
14			2
15			3
4	5	9	16

この解答は207ページ

✎〇月〇日

四角に区切ろう

数字とマスの数が同じになるように、盤面を四角（正方形または長方形）に切り分けてください。どの四角にも数字は必ず一つずつ含まれます。

			4		
3		6			
	2				5
		9		4	
					3

この解答は191ページ

✎〇月〇日

お釣り枚数クイズ

お釣りの金額と硬貨の枚数を計算してください。ただし、お釣りは一番少ない枚数で返ってくるものとします。

① **822** 円の買い物で **850** 円支払うと、

お釣りは［　　］円で、硬貨は［　　］枚

② **663** 円の買い物で **720** 円支払うと、

お釣りは［　　］円で、硬貨は［　　］枚

③ **545** 円の買い物で **1000** 円支払うと、

お釣りは［　　］円で、硬貨は［　　］枚

【1日目】

1 チ	2 カ	■	3 シ	キ
4 ユ	イ	イ	ツ	■
5 ウ	シ	■	6 カ	7 メ
ボ	■	8 ト	ク	イ
9 ウ	ワ	サ	■	ジ

【2日目】

前	所	頃	色	金	黄
得	身	電	賃	電	火
前	国	均	発	門	石
等	平	家	前	金	光
大	身	町	試	賃	電
得	見	大	石	験	家

【3日目】

【4日目】

花	鳥	風	月	■	無
■	居	■	見	物	人
背	■	雑	草	■	島
後	日	談	■	平	■
■	本	■	流	行	歌
他	人	行	儀	■	詞

【5日目】

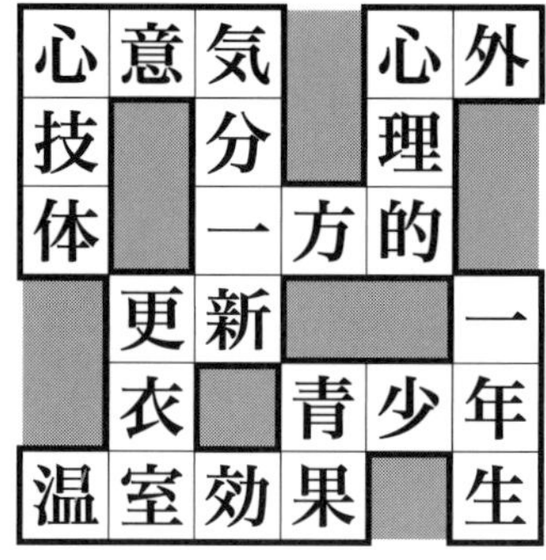

【8日目】

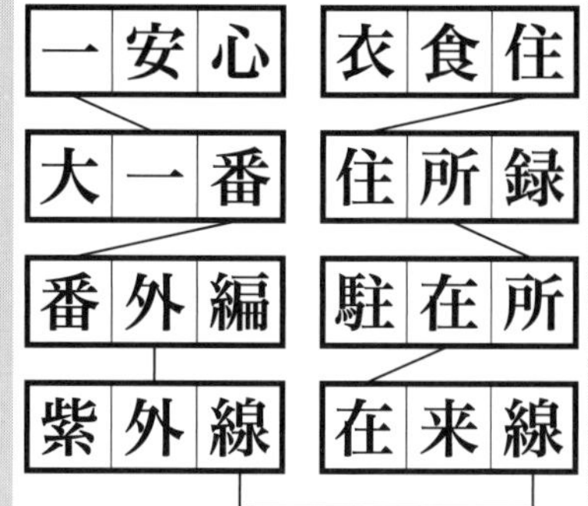

【10日目】

日	木	流	式	金	千
本	地	方	程	方	値
一	図	次	行	行	世
界	世	一	雲	話	間
日	間	食	流	水	山
常	会	話	明	水	紫

【13日目】

解答：けんだま

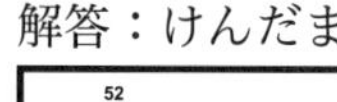

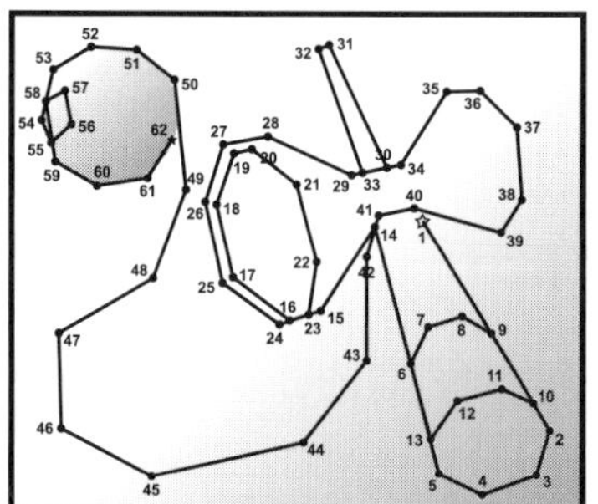

【17日目】

解答：池・水・堂

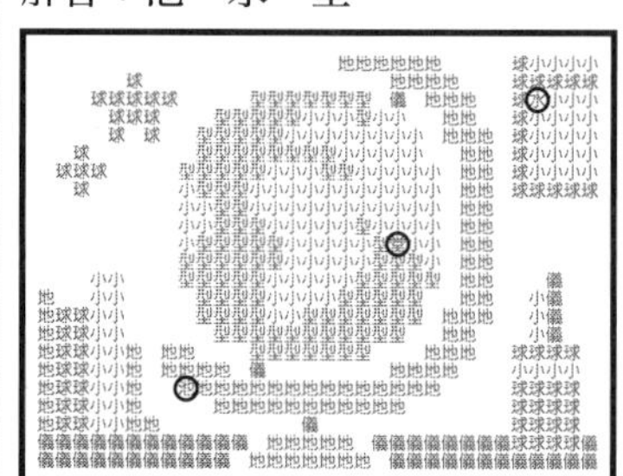

【19日目】

解答：カサ

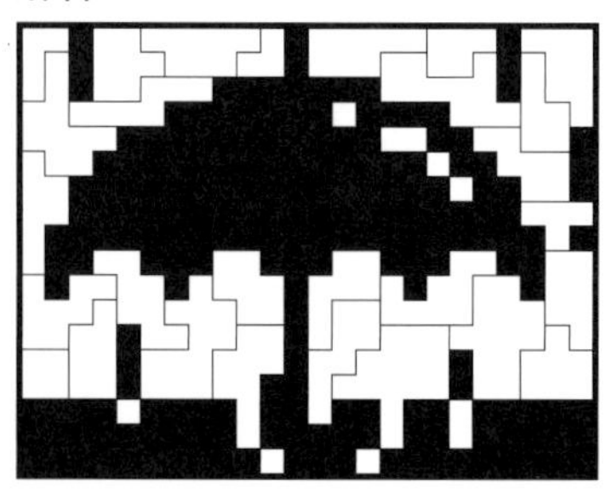

【21日目】

3	5	1	6	4	2
4	2	6	3	5	1
2	1	3	5	6	4
6	4	5	1	2	3
1	6	2	4	3	5
5	3	4	2	1	6

【22日目】

5	6	3	2	1	7	4	9	8
4	7	9	5	6	8	2	3	1
8	1	2	9	3	4	5	6	7
2	9	5	6	7	1	3	8	4
3	8	6	4	2	5	7	1	9
7	4	1	3	8	9	6	2	5
1	3	7	8	5	2	9	4	6
9	2	8	7	4	6	1	5	3
6	5	4	1	9	3	8	7	2

【23日目】

4	>	2	<	5	>	1	<	3
∨		∧		∨		∧		∧
1	<	4	>	2	<	3	<	5
∧		∧		∧		∧		∨
2	<	5	>	3	<	4	>	1
∧		∨		∧		∧		∧
3	>	1	<	4	<	5	>	2
∧		∧		∨		∨		∧
5	>	3	>	1	<	2	<	4

【24日目】

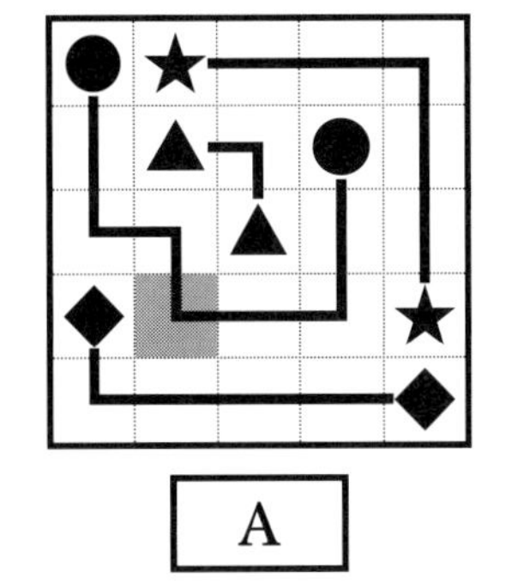

A

【25日目】

$$\begin{array}{r} 6\,\boxed{8} \\ +\ \boxed{2}\,4 \\ \hline 9\,2 \end{array}$$

$$\begin{array}{r} 1\,\boxed{5}\,7 \\ +\ 3\,6\,\boxed{2} \\ \hline \boxed{5}\,1\,9 \end{array}$$

$$\begin{array}{r} 2\,\boxed{6}\,3\,8 \\ +\ 1\,5\,4\,\boxed{2} \\ \hline \boxed{4}\,1\,\boxed{8}\,0 \end{array}$$

【26日目】

①

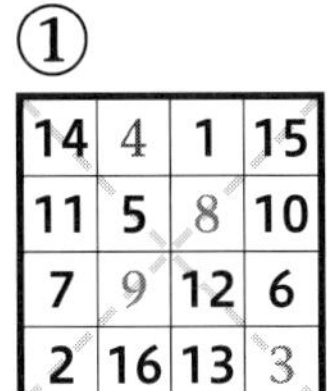

14	4	1	15
11	5	8	10
7	9	12	6
2	16	13	3

②

9	12	6	7
5	8	10	11
4	1	15	14
16	13	3	2

【27日目】

3			9		
		6			
				2	
	2		3		2
5		4			

【32日目】

【34日目】

1 ス	2 モ	ウ	■	3 ユ
4 ス	ナ	■	5 ヒ	ゲ
■	6 カ	7 エ	ル	■
8 オ	■	9 ビ	ネ	10 ツ
11 ダ	ン	ス	■	キ

【35日目】

象	一	大	衆	酒	場
万	止	浴	一	止	盤
羅	林	停	公	張	針
森	番	衆	時	低	羅
酒	浴	一	周	一	出
場	止	波	大	張	本

【36日目】

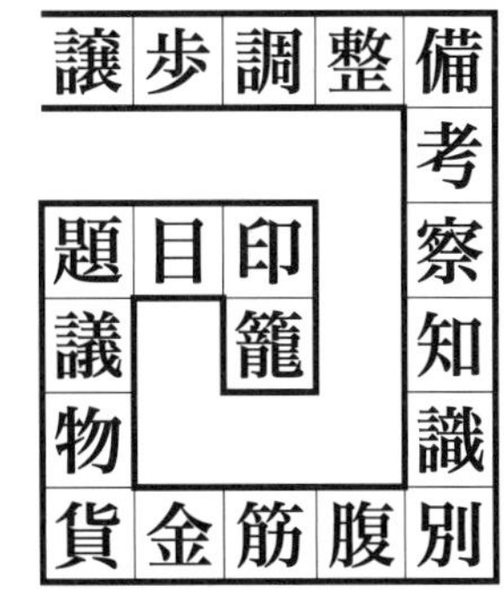

譲	歩	調	整	備
				考
題	目	印		察
議		籠		知
物				識
貨	金	筋	腹	別

【37日目】

変	幻	自	在	■	炭
遷	■	治	■	香	水
■	一	体	感	■	化
砥	石	■	動	植	物
■	二	世	■	樹	■
雛	鳥	■	祝	祭	日

【38日目】

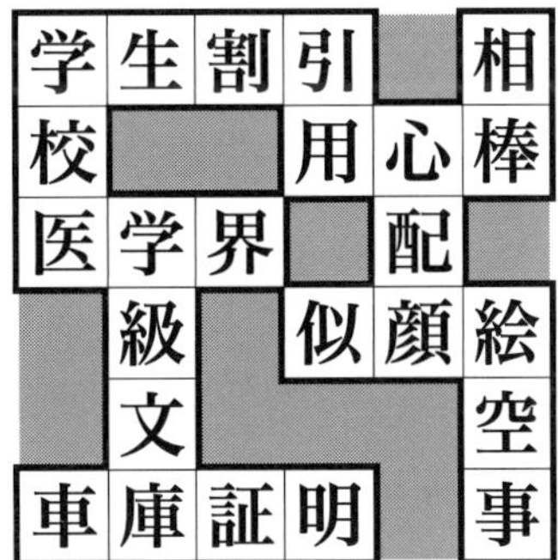

学	生	割	引	■	相
校	■	■	用	心	棒
医	学	界	■	配	■
■	級	■	似	顔	絵
■	文	■	■	■	空
車	庫	証	明	■	事

【41日目】

可能性	伝書鳩
能楽堂	図書館
千秋楽	家系図
針千本	脚本家

189ページの解答　【366日目】①28・6　②57・4　③455・6

解答

【43日目】

新	型	大	千	人	力
人	五	十	鳥	百	十
物	品	歩	百	歩	人
面	目	人	力	色	十
百	一	新	車	大	入
面	相	試	入	学	記

【46日目】

解答：ネズミ

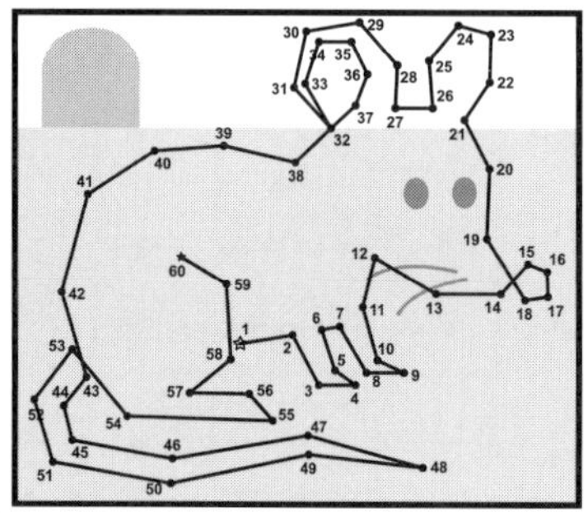

【50日目】

解答：遠・線・赴

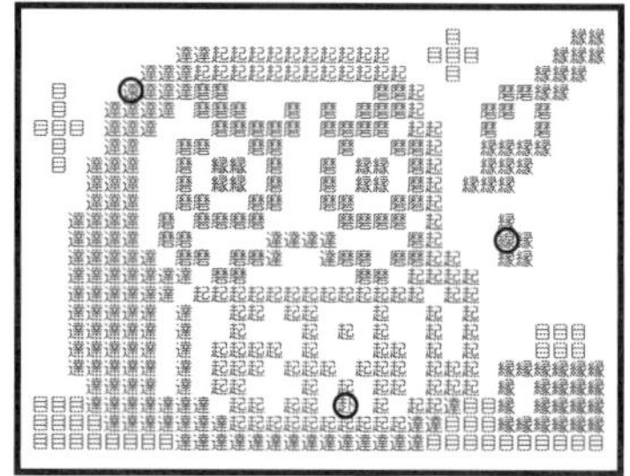

【52日目】

解答：サクランボ

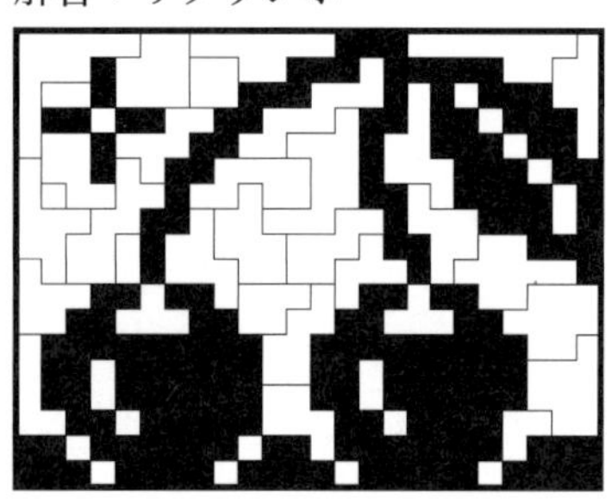

【54日目】

4	1	6	2	5	3
2	3	5	6	4	1
1	5	2	3	6	4
6	4	3	5	1	2
3	6	1	4	2	5
5	2	4	1	3	6

【55日目】

2	7	9	1	8	4	5	3	6
4	8	6	2	3	5	7	1	9
1	3	5	7	6	9	8	2	4
6	2	4	8	5	1	3	9	7
3	1	8	9	7	6	4	5	2
5	9	7	3	4	2	1	6	8
9	4	2	5	1	8	6	7	3
7	6	1	4	9	3	2	8	5
8	5	3	6	2	7	9	4	1

【56日目】

2 < 3 > 1 < 4 < 5
^ v ^ v v
4 > 1 < 5 > 2 < 3
v ^ v ^ ^
3 < 5 > 2 > 1 < 4
^ v ^ ^ v
5 > 2 < 4 > 3 > 1
v ^ v ^ ^
1 < 4 > 3 < 5 > 2

【57日目】

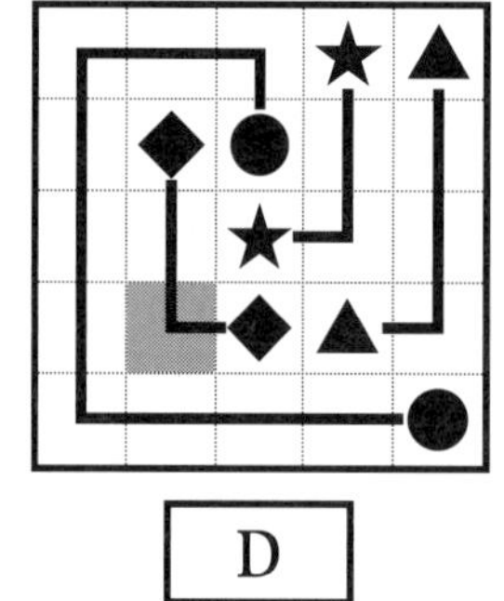

D

【58日目】

59 − 24 = 35

306 + 714 = 1020

6439 + 6215 = 12654

【59日目】

①

1	15	14	4
8	10	11	5
12	6	7	9
13	3	2	16

②

12	3	6	13
14	5	4	11
1	10	15	8
7	16	9	2

【60日目】

8					6
			3		
4					5
	6			4	

【65日目】

【67日目】

1 ワ	2 タ	■	3 シ	4 ミ
■	5 オ	6 カ	ワ	リ
7 ク	ル	マ	■	ン
ラ	■	8 ク	9 ワ	■
10 ス	ト	ラ	イ	ク

【68日目】

日	本	食	昔	品	用
会	料	理	質	気	当
品	計	管	料	用	質
昔	理	学	日	席	計
気	用	記	定	念	会
品	本	指	理	食	記

【69日目】

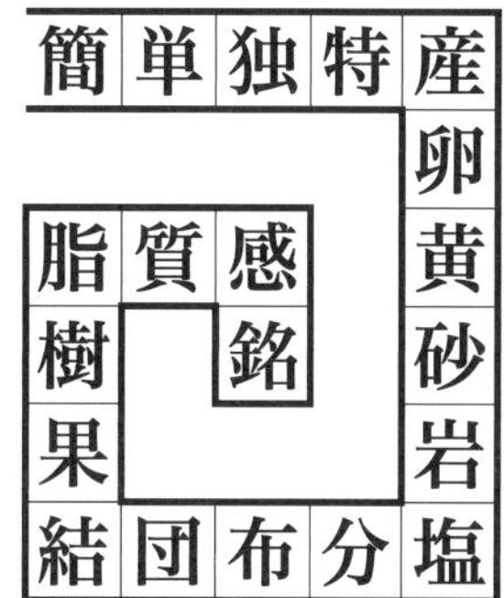

【70日目】

【71日目】

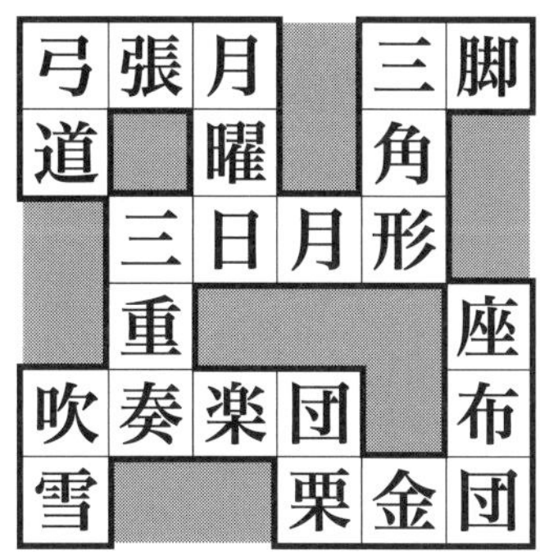

【74日目】

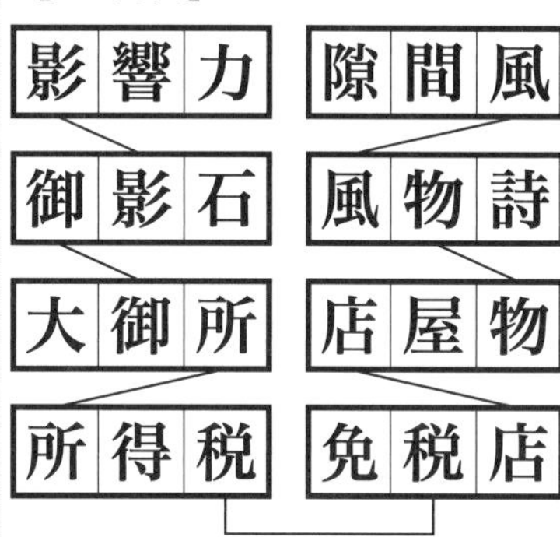

【76日目】

和	見	主	主	関	白
日	空	義	亭	心	理
義	青	日	手	紙	学
理	人	白	天	青	人
心	情	手	平	和	生
関	無	相	見	談	相

【79日目】

解答：気球

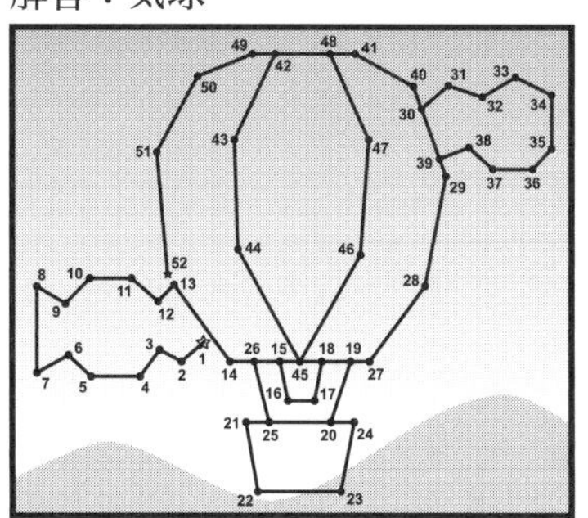

【83日目】

解答：幹・よ・日

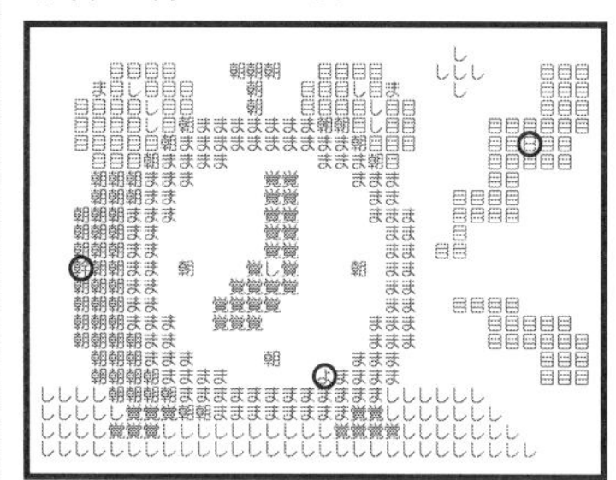

【85日目】

解答：ネコ

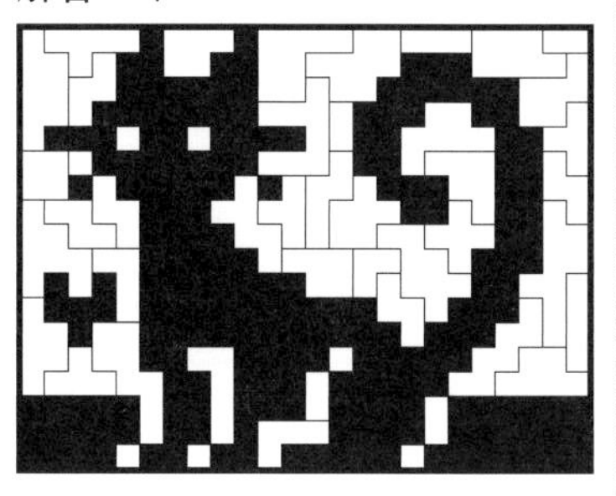

【87日目】

1	2	5	6	3	4
4	6	3	5	2	1
3	1	6	2	4	5
2	5	4	1	6	3
6	3	1	4	5	2
5	4	2	3	1	6

【88日目】

4	5	1	2	6	7	9	3	8
3	6	7	9	1	8	4	5	2
2	9	8	4	5	3	7	6	1
7	3	9	1	8	6	2	4	5
5	4	6	7	9	2	8	1	3
8	1	2	5	3	4	6	9	7
9	8	4	3	2	1	5	7	6
6	7	3	8	4	5	1	2	9
1	2	5	6	7	9	3	8	4

【89日目】

3	1	2	4	5
2	3	1	5	4
4	5	3	2	1
1	4	5	3	2
5	2	4	1	3

【90日目】

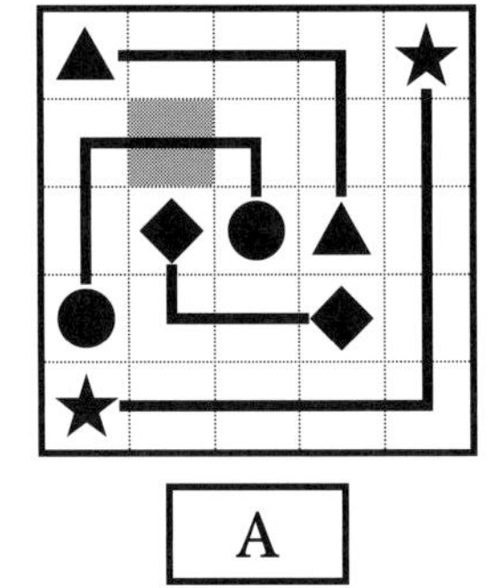

A

【91日目】

47 + 37 = 84

813 − 592 = 221

3746 + 5691 = 9437

【92日目】

①

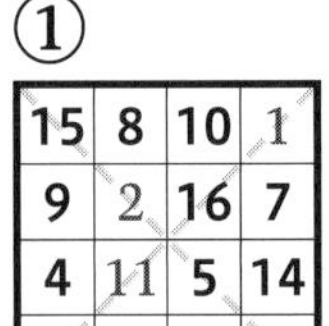

15	8	10	1
9	2	16	7
4	11	5	14
6	13	3	12

②

7	16	9	2
1	10	15	8
14	5	4	11
12	3	6	13

【93日目】

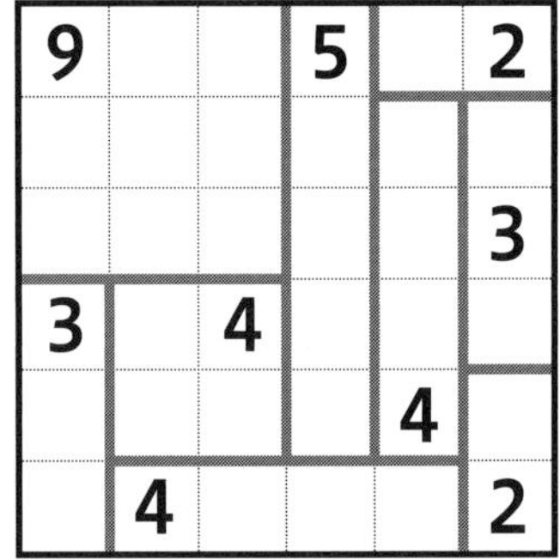

9			5		2
					3
3		4			
				4	
	4				2

【98日目】

【100日目】

1カ	2ワ	■	3シ	4タ
■	5カ	6ビ	■	オ
7グ	レ	ー	8テ	ル
ラ	■	9フ	ジ	■
10ス	シ	■	11ナ	ベ

【101日目】

民	市	誉	名	水	月
地	風	仮	葉	致	風
実	平	月	一	言	鳥
葉	無	文	線	絵	花
水	言	名	葉	平	風
古	文	書	有	無	水

【102日目】

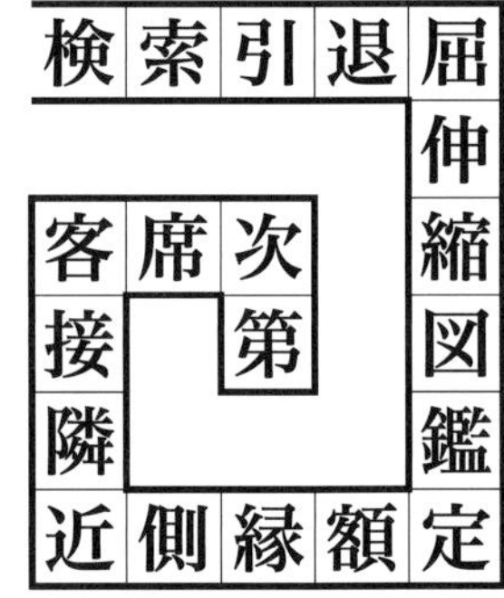

検索引退届

伸縮図鑑定

近側縁額

隣接客席次第

【103日目】

冷	静	■	真	四	角
■	電	卓	■	重	■
天	気	■	演	奏	会
下	■	観	劇	■	費
御	来	光	■	説	■
免	■	客	員	教	授

【104日目】

世	間	体	■	容	積
帯	■	感	無	量	■
主	人	■	駄	■	動
■	間	■	口	語	体
事	業	主	■	■	視
態	■	権	利	能	力

【107日目】

熱気球　学習塾

地球儀　奨学金

土地柄　金一封

手柄話　一塁手

【109日目】

商	品	産	小	生	意
力	化	財	業	産	気
主	粧	品	財	要	主
生	書	文	化	重	力
注	重	要	意	注	書
文	生	産	力	公	文

【112日目】

解答：キツネ

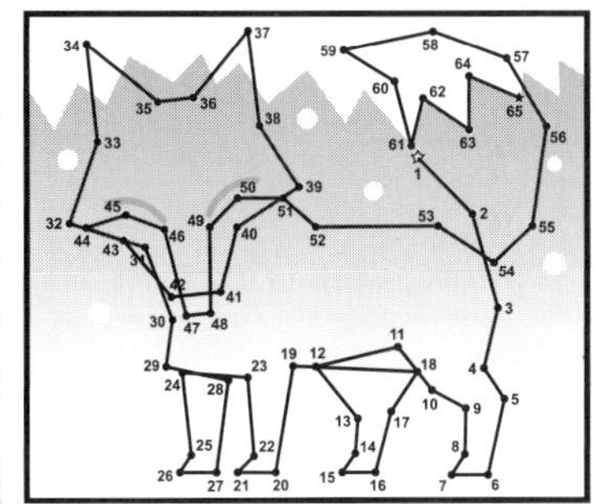

【116日目】

解答：果・謡・本

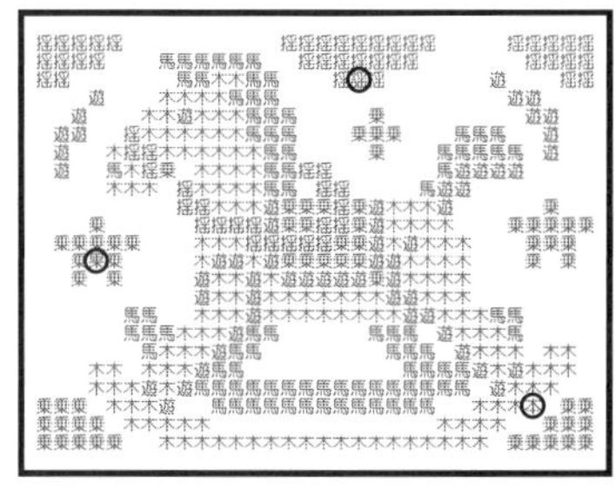

【118日目】

解答：ヨット

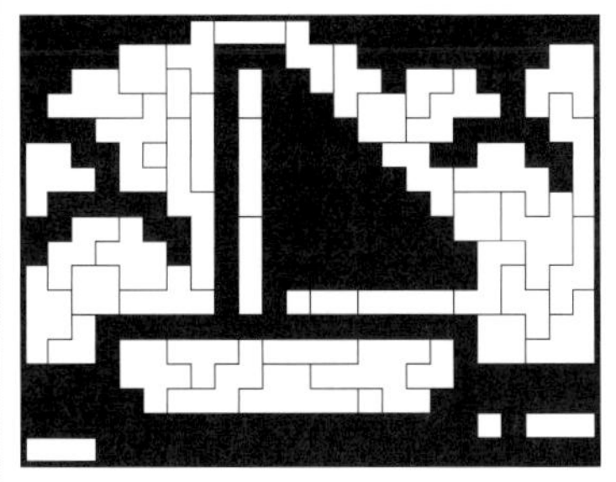

【120日目】

2	6	4	5	1	3
5	3	1	4	6	2
1	2	5	6	3	4
3	4	6	2	5	1
6	1	2	3	4	5
4	5	3	1	2	6

【121日目】

9	2	5	8	7	1	4	3	6
7	3	6	2	5	4	1	8	9
1	8	4	9	6	3	5	2	7
8	4	1	3	2	9	7	6	5
2	5	9	6	8	7	3	1	4
3	6	7	4	1	5	8	9	2
5	7	8	1	9	2	6	4	3
6	9	3	7	4	8	2	5	1
4	1	2	5	3	6	9	7	8

【122日目】

5 > 4 > 1 < 3 > 2
∨ ∨ ∧ ∨ ∧
1 < 3 < 4 > 2 < 5
∧ ∨ ∨ ∧ ∨
2 > 1 < 3 < 5 > 4
∧ ∧ ∧ ∨ ∨
3 > 2 < 5 > 4 > 1
∧ ∧ ∨ ∨ ∧
4 < 5 > 2 > 1 < 3

【123日目】

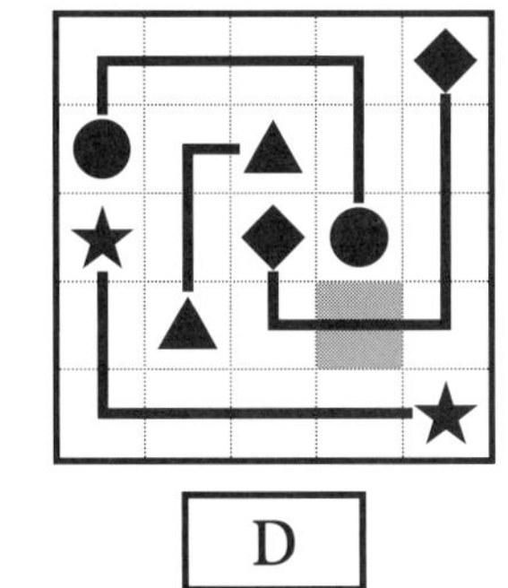

D

【124日目】

$$76 + 48 = 124$$

$$246 + 591 = 837$$

$$9637 - 1848 = 7789$$

【125日目】

①

3	2	13	16
15	14	1	4
6	7	12	9
10	11	8	5

②

13	1	12	8
16	4	9	5
2	14	7	11
3	15	6	10

【126日目】

6					
	8				4
5				6	
	2				
		3			2

【131日目】

【133日目】

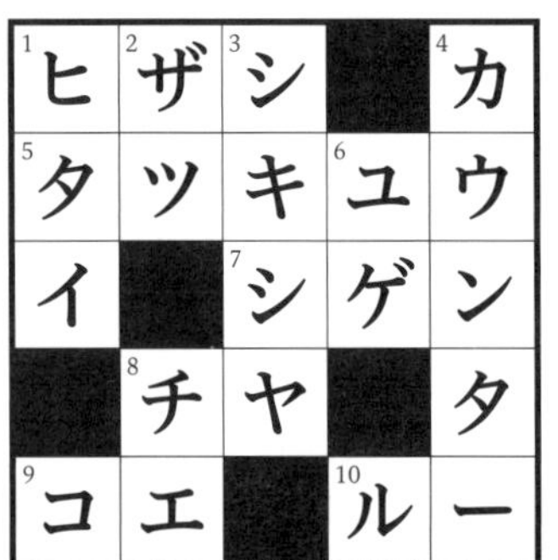

ヒ	ザ	シ	■	カ
タ	ツ	キ	ユ	ウ
イ	■	シ	ゲ	ン
■	チ	ヤ	■	タ
コ	エ	■	ル	ー

【134日目】

所	係	権	先	優	離
長	高	関	散	距	合
散	玄	所	間	分	集
解	集	事	大	人	団
告	分	合	所	問	学
予	想	外	離	高	習

【135日目】

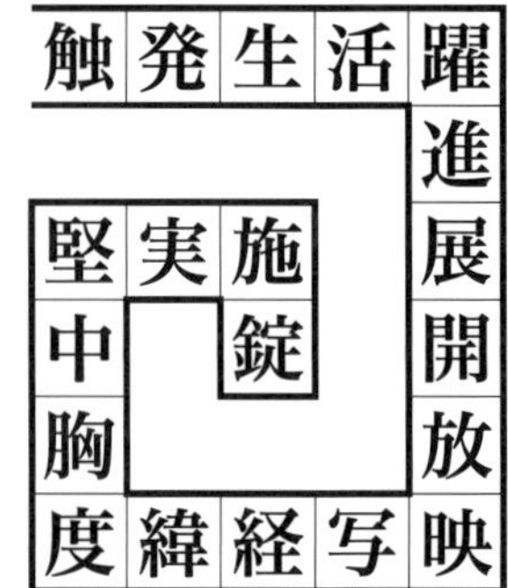

【136日目】

水	■	不	■	純	情
先	手	必	勝	■	報
案	■	要	■	音	源
内	面	■	影	響	■
■	倒	置	法	■	歴
味	見	■	師	範	代

【137日目】

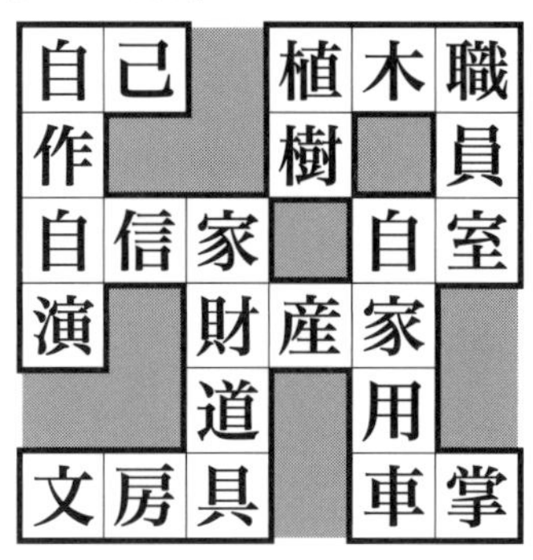

自	己	■	植	木	職
作	■	■	樹	■	員
自	信	家	■	自	室
演	■	財	産	家	■
■	■	道	■	用	■
文	房	具	■	車	掌

【140日目】

貴公子	類義語
公倍数	修飾語
多数決	修正液
多様化	正当化

【142日目】

制	無	定	出	版	号
限	不	限	多	大	番
号	等	敵	数	出	席
別	特	無	多	定	特
番	魂	席	敵	不	不
組	胆	等	特	胆	大

【145日目】

解答：イヌ

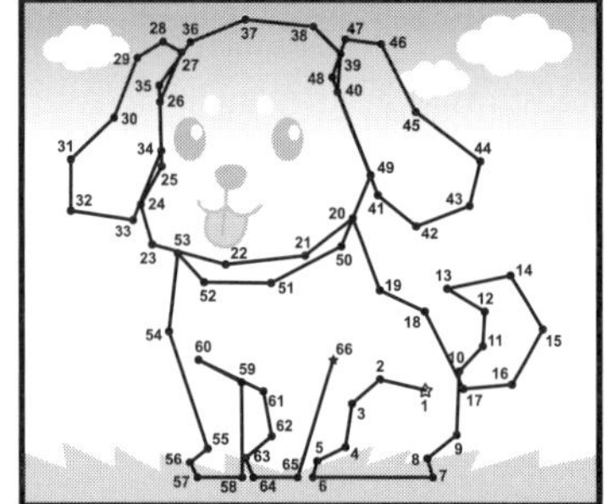

【149日目】

解答：族・フ・般

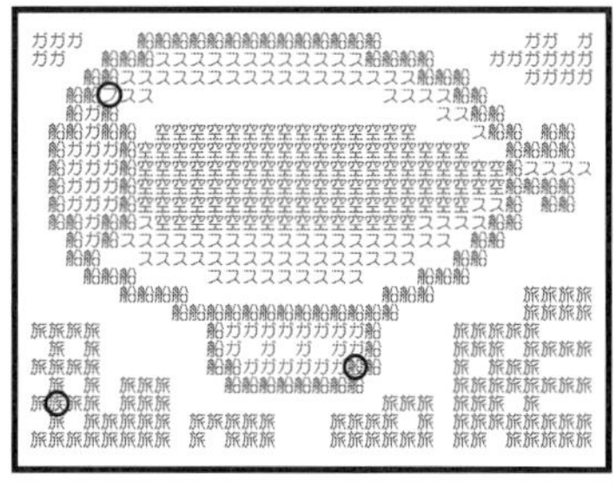

【151日目】

解答：カタツムリ

【153日目】

5	4	1	2	3	6
3	6	2	1	5	4
1	3	4	6	2	5
2	5	6	4	1	3
4	1	3	5	6	2
6	2	5	3	4	1

【154日目】

8	2	1	3	5	9	7	4	6
7	4	9	8	2	6	1	5	3
5	6	3	4	1	7	8	2	9
6	3	2	5	9	8	4	1	7
4	5	8	6	7	1	3	9	2
1	9	7	2	3	4	5	6	8
3	7	5	1	6	2	9	8	4
9	8	6	7	4	5	2	3	1
2	1	4	9	8	3	6	7	5

【155日目】

1 < 2 < 5 > 4 > 3
∧ ∧ ∨ ∨ ∧
5 > 3 > 2 > 1 < 4
∨ ∨ ∧ ∧ ∨
4 > 1 < 3 < 5 > 2
∨ ∧ ∨ ∨ ∧
2 < 4 > 1 < 3 < 5
∧ ∧ ∧ ∨ ∨
3 < 5 > 4 > 2 > 1

【156日目】

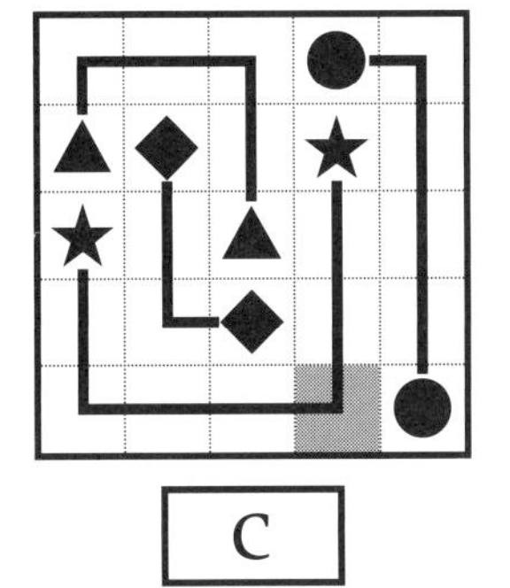

【157日目】

$91 - 68 = 23$

$163 + 749 = 912$

$8013 - 1927 = 6086$

【158日目】

①

6	3	16	9
15	10	5	4
1	8	11	14
12	13	2	7

②

5	10	11	8
16	3	2	13
4	15	14	1
9	6	7	12

【159日目】

					3
	9				
			4		4
4		6			
4				2	

【164日目】

【166日目】

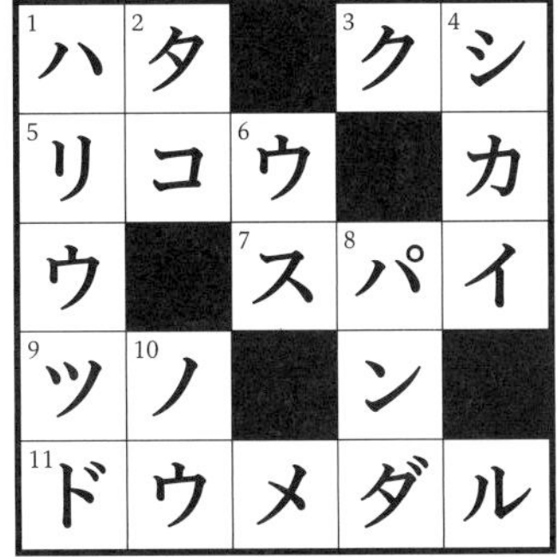

【167日目】

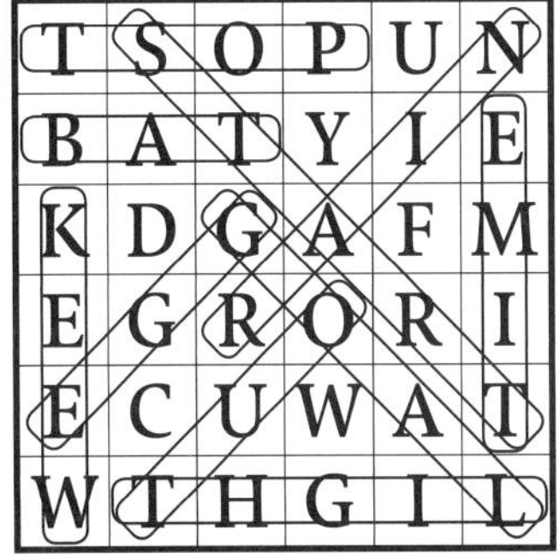

【168日目】

【169日目】

衛	生	■	紙	一	重
■	真	実	■	代	■
壁	面	■	筆	記	体
■	目	安	箱	■	感
募	■	心	■	常	温
金	銭	感	覚	■	度

【170日目】

紅	一	点	■	架	空
■	家	■	■	■	返
■	総	■	一	大	事
再	出	発	■	一	■
■	■	電	話	番	号
派	出	所	■	■	外

【173日目】

【175日目】

思	売	非	売	機	心
考	品	動	販	自	負
回	路	自	議	思	馬
動	運	販	路	不	木
自	挙	選	転	回	転
転	心	機	一	考	選

【178日目】

解答：ショートケーキ

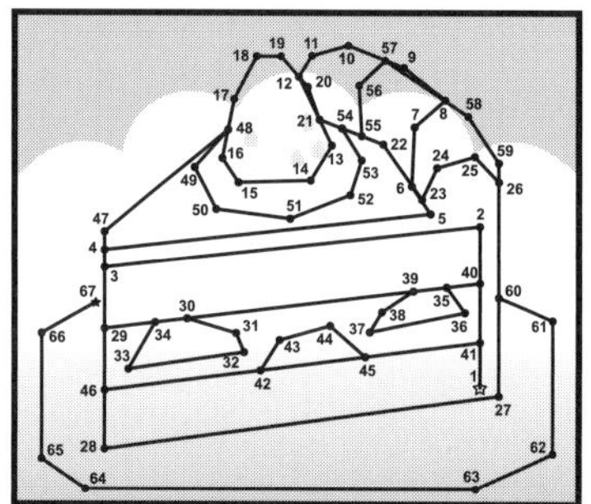

【182日目】

解答：特・さ・刃

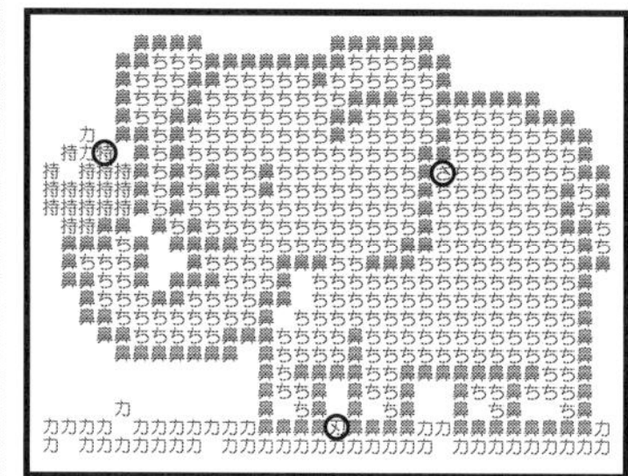

【184日目】

解答：パイプ

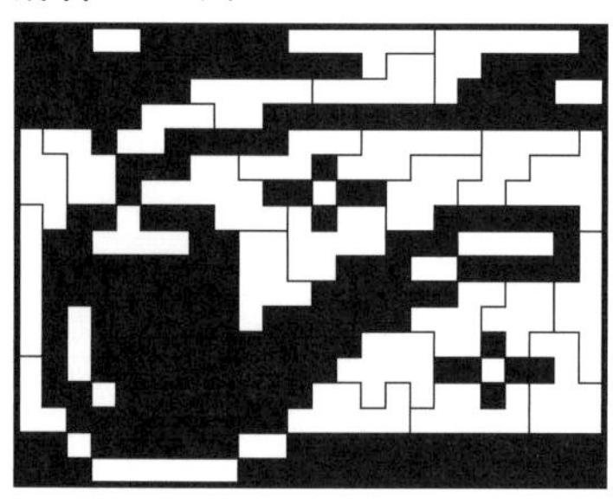

【186日目】

1	5	2	4	6	3
3	6	4	1	5	2
6	2	1	5	3	4
5	4	3	2	1	6
2	3	5	6	4	1
4	1	6	3	2	5

【187日目】

6	1	8	4	3	7	5	9	2
9	7	2	1	5	8	6	3	4
3	4	5	2	9	6	7	8	1
8	2	6	7	4	1	9	5	3
7	3	1	5	6	9	4	2	8
4	5	9	3	8	2	1	7	6
1	9	4	8	2	5	3	6	7
5	8	3	6	7	4	2	1	9
2	6	7	9	1	3	8	4	5

【188日目】

2 < 5 > 3 > 1 < 4
∧ ∨ ∧ ∧ ∨
4 > 1 < 5 > 3 > 2
∨ ∧ ∨ ∧ ∧
1 < 2 < 4 < 5 > 3
∧ ∧ ∨ ∨ ∨
5 > 3 > 2 < 4 > 1
∨ ∧ ∨ ∨ ∧
3 < 4 > 1 < 2 < 5

【189日目】

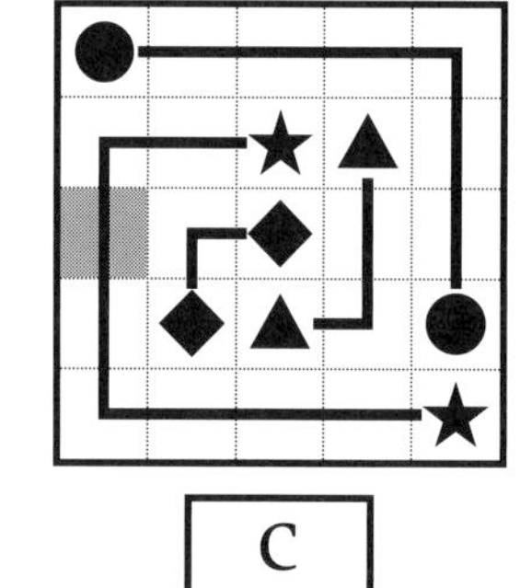

C

【190日目】

$18 + 49 = 67$

$702 - 197 = 505$

$3871 + 4962 = 8833$

【191日目】

①

11	8	1	14
2	13	12	7
16	3	6	9
5	10	15	4

②

7	6	9	12
11	10	5	8
14	15	4	1
2	3	16	13

【192日目】

			4		5
		6			
				5	
	3				
		6		4	
					3

【197日目】

【199日目】

【200日目】

O	E	D	I	V	D
Y	E	B	S	P	T
B	K	C	A	G	R
I	V	S	N	U	A
R	S	I	L	A	P
D	K	E	P	E	D

【201日目】

【202日目】

【203日目】

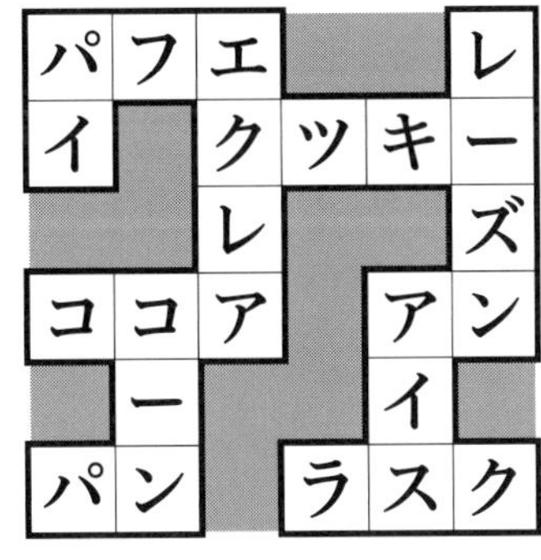

【206日目】

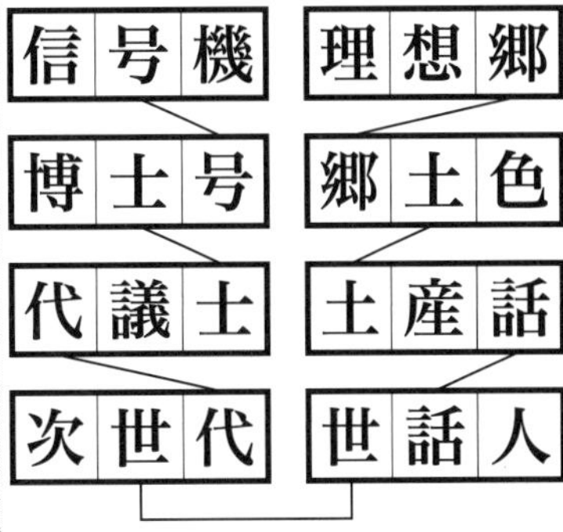

【208日目】

リ	ン	ギ	ク	ン	オ
ド	ミ	ム	ラ	ピ	ア
ベ	カ	フ	サ	キ	ー
ー	ジ	ロ	シ	ル	ド
ク	ユ	チ	ヤ	ボ	オ
ロ	コ	ゲ	ジ	ン	レ

【211日目】

解答：軍配

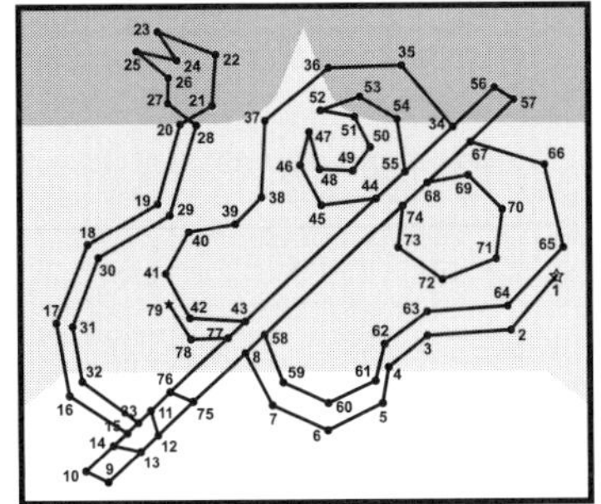

【215日目】

解答：寅・百・免

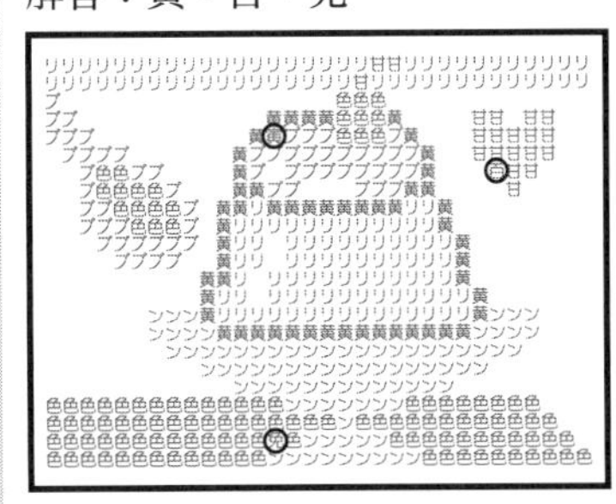

【217日目】

解答：ヘビ

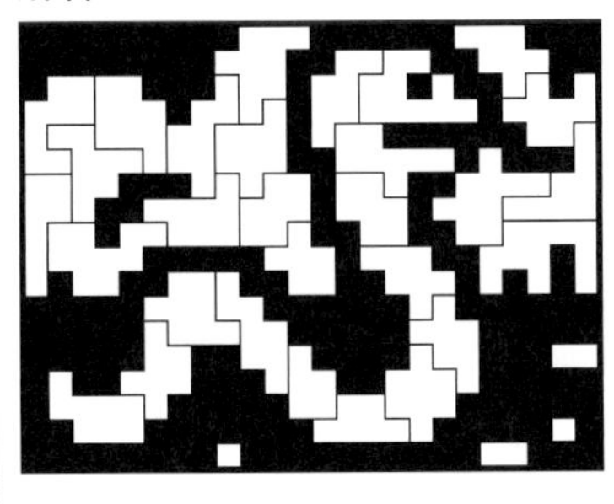

【219日目】

6	3	1	2	5	4
5	2	4	6	1	3
3	1	6	4	2	5
4	5	2	1	3	6
1	6	3	5	4	2
2	4	5	3	6	1

【220日目】

4	1	6	8	9	5	2	7	3
5	7	8	3	1	2	4	9	6
3	9	2	7	6	4	8	5	1
2	5	9	6	3	7	1	4	8
6	3	7	1	4	8	5	2	9
8	4	1	2	5	9	3	6	7
9	6	5	4	8	1	7	3	2
1	2	4	9	7	3	6	8	5
7	8	3	5	2	6	9	1	4

【221日目】

5	>	2	<	3	<	4	>	1
∨		∧		∧		∨		∧
1	<	3	<	5	>	2	<	4
∧		∨		∨		∧		∧
2	>	1	<	4	>	3	<	5
∧		∧		∨		∨		∨
4	<	5	>	2	>	1	<	3
∨		∨		∨		∧		∨
3	<	4	>	1	<	5	>	2

【222日目】

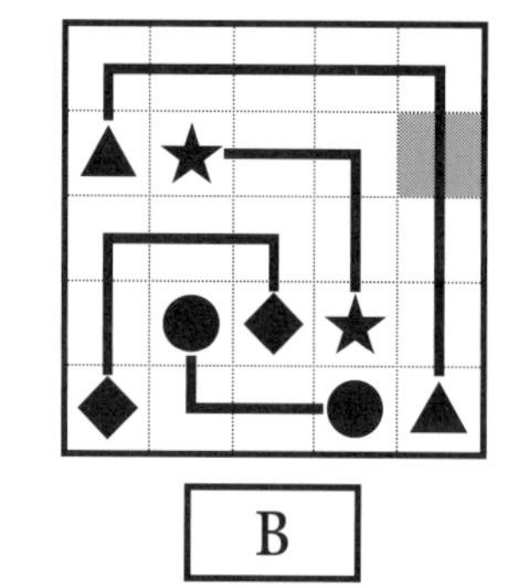

【223日目】

$$34 + 26 = 60$$

$$537 - 491 = 46$$

$$4700 - 1326 = 3374$$

【224日目】

①

8	2	11	13
15	9	4	6
1	7	14	12
10	16	5	3

②

13	7	12	2
10	4	15	5
8	14	1	11
3	9	6	16

【225日目】

		4			
	4		3		
4					4
				3	
3		6			
				5	

【227日目】

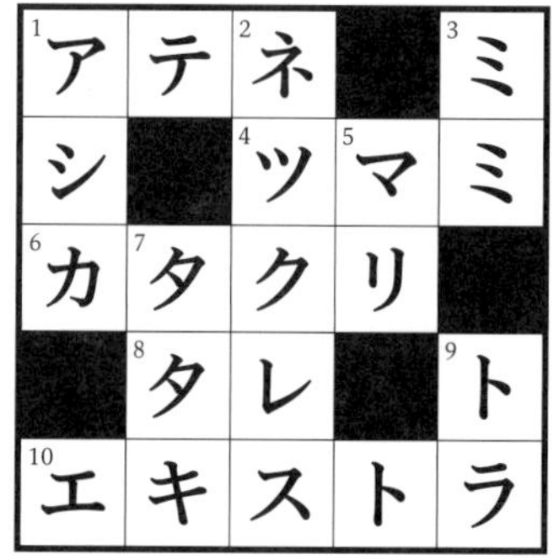

【228日目】

【229日目】

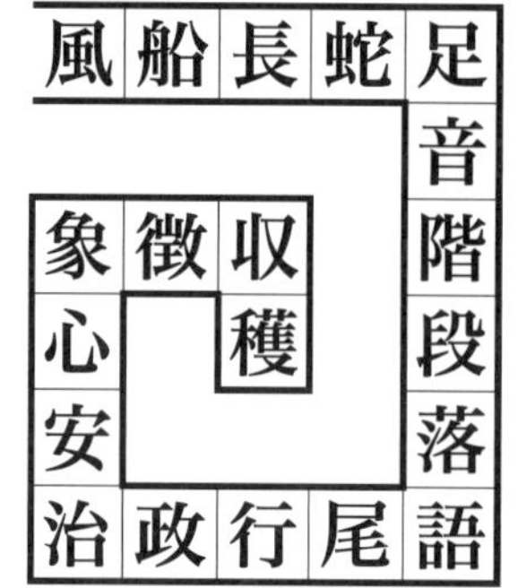

【230日目】

オ	ア	シ	ス	■	ネ
コ	■	ズ	■	モ	モ
ノ	ツ	ク	ア	ウ	ト
ミ	キ	■	ニ	シ	■
ヤ	ヨ	イ	■	コ	ゲ
キ	■	ヌ	カ	ミ	ソ

【231日目】

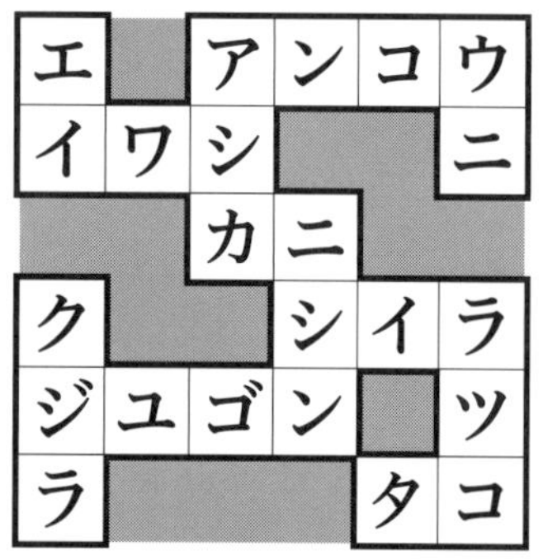

【234日目】

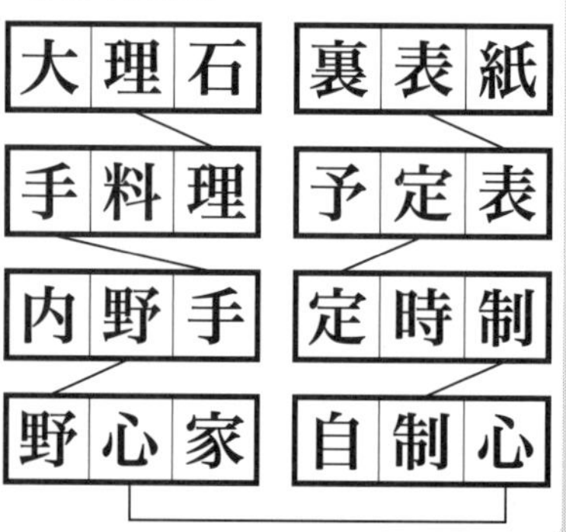

【236日目】

チ	ボ	カ	マ	ト	ツ
ヤ	ー	リ	ト	ヤ	ベ
ン	マ	コ	ツ	キ	ナ
ギ	ー	ピ	ロ	ブ	ス
ネ	ユ	キ	ジ	ン	オ
リ	ウ	ニ	ン	ラ	ク

【239日目】

解答：ハンバーグ

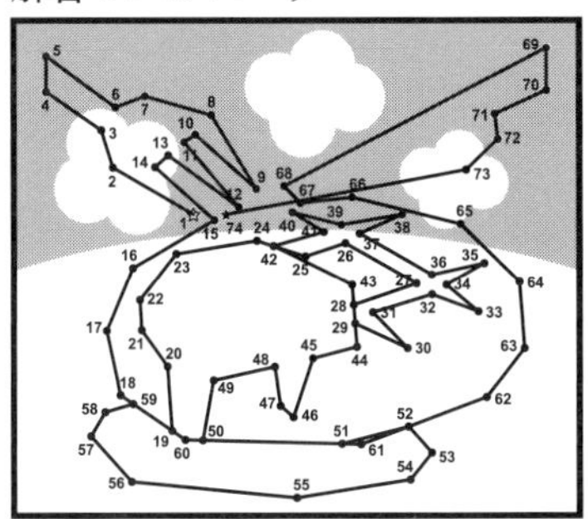

【243日目】

解答：曇・兆・守

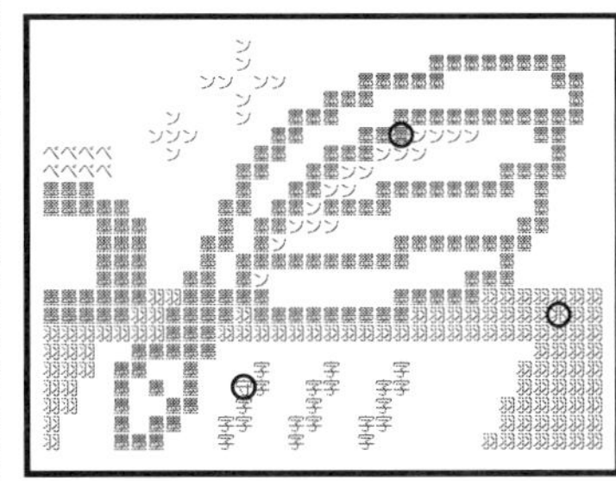

【245日目】

解答：カメラ

【247日目】

4	6	1	5	3	2
2	3	5	4	6	1
6	1	2	3	4	5
3	5	4	2	1	6
1	2	3	6	5	4
5	4	6	1	2	3

【248日目】

9	6	7	8	5	4	1	2	3
4	8	5	3	1	2	9	6	7
3	1	2	6	7	9	5	8	4
8	4	3	2	6	5	7	1	9
2	7	6	9	4	1	3	5	8
1	5	9	7	8	3	2	4	6
5	9	1	4	3	8	6	7	2
7	2	8	5	9	6	4	3	1
6	3	4	1	2	7	8	9	5

【249日目】

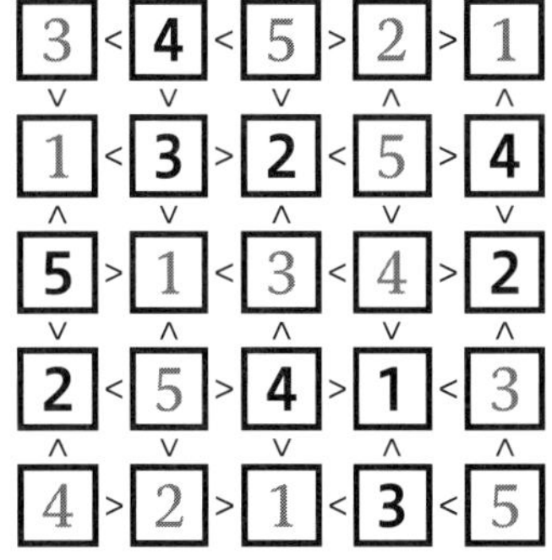

【250日目】

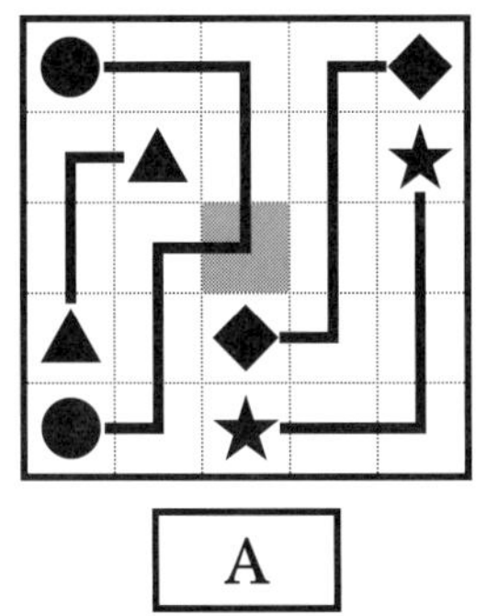

【251日目】

$$90 - 43 = 47$$

$$656 + 219 = 875$$

$$5274 + 7809 = 13083$$

【252日目】

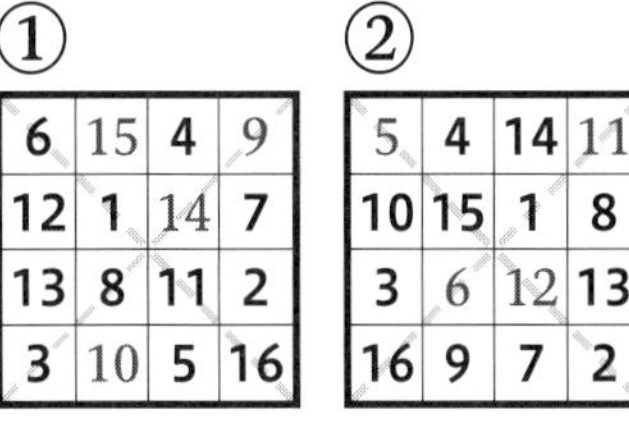

【253日目】

	2			4	
		6			3
5			4		
	4				8

【255日目】

1 カ	ネ	■	2 プ	ロ
ミ	■	3 ア	リ	■
4 フ	5 ラ	メ	ン	6 コ
7 ブ	イ	■	8 ト	ク
9 キ	ス	ウ	■	ゴ

【256日目】

【257日目】

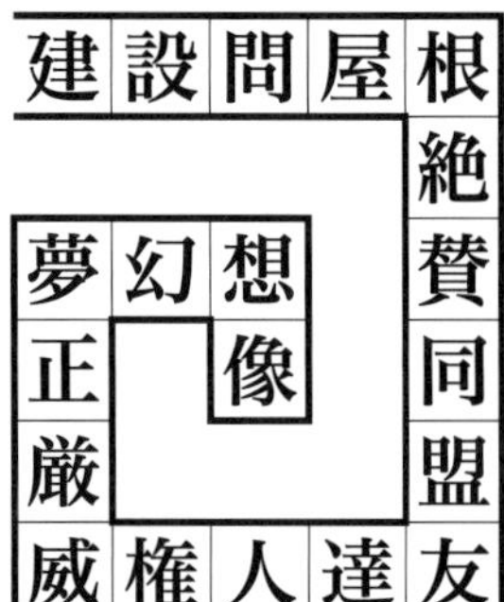

【258日目】

【259日目】

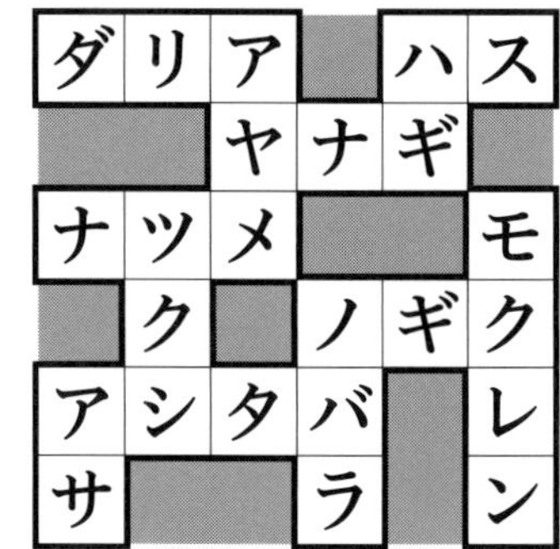

【262日目】

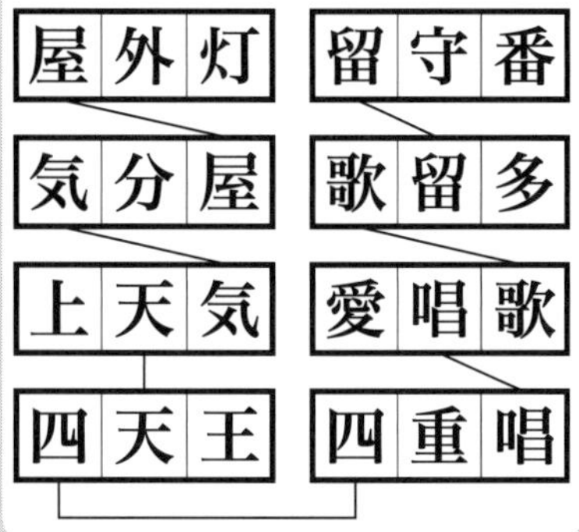

【264日目】

ー	ス	モ	ロ	ポ	ト
カ	ツ	ウ	ラ	カ	ー
ジ	サ	ー	テ	ス	ケ
ユ	ウ	ケ	ツ	ラ	グ
ス	ド	ウ	ホ	ウ	ビ
ニ	テ	ヤ	キ	ユ	ー

【267日目】

解答：徳利とお猪口

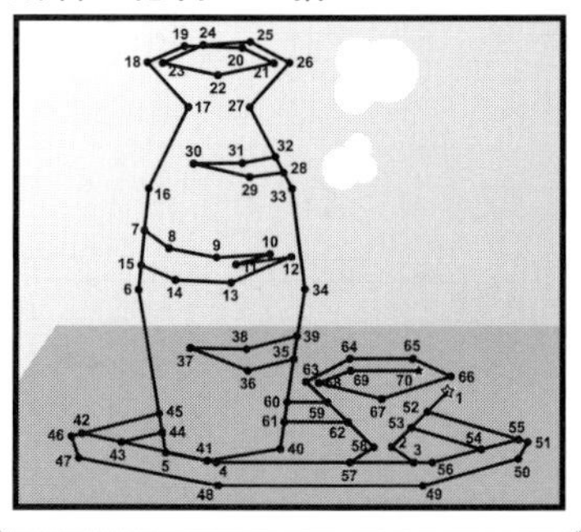

【271日目】

解答：宅・目・宿

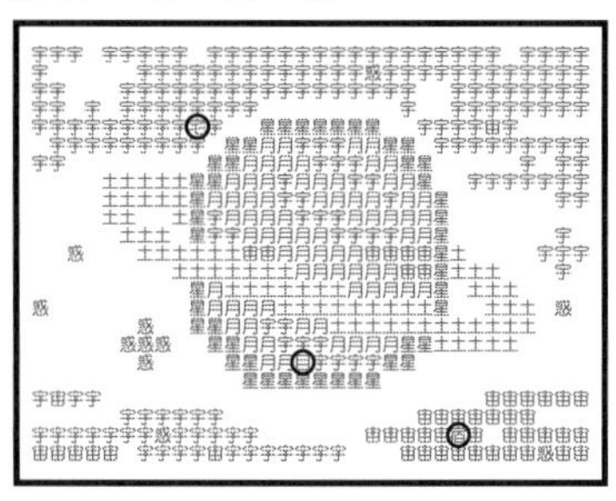

【273日目】

解答：ヘリコプター

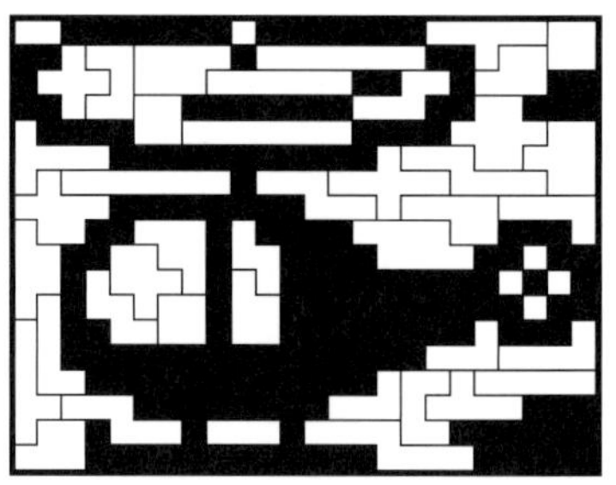

【275日目】

3	5	4	2	1	6
6	1	2	3	5	4
2	6	5	4	3	1
1	4	3	5	6	2
5	2	6	1	4	3
4	3	1	6	2	5

【276日目】

5	7	3	2	4	6	1	9	8
8	4	9	7	3	1	5	2	6
1	2	6	5	9	8	4	7	3
3	1	7	4	2	9	8	6	5
6	5	2	1	8	3	7	4	9
9	8	4	6	7	5	2	3	1
7	3	5	8	6	2	9	1	4
4	6	8	9	1	7	3	5	2
2	9	1	3	5	4	6	8	7

【277日目】

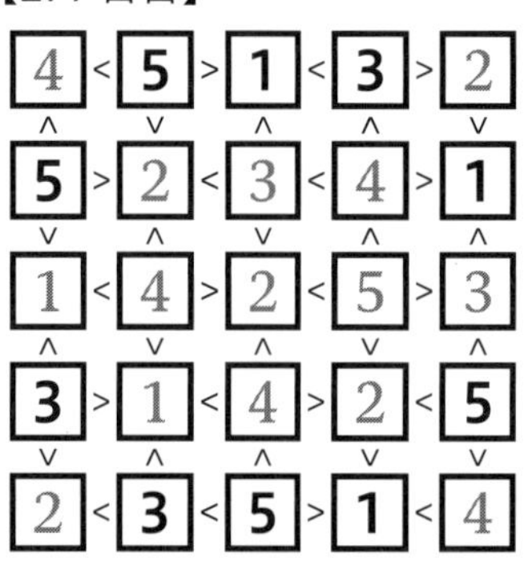

【278日目】

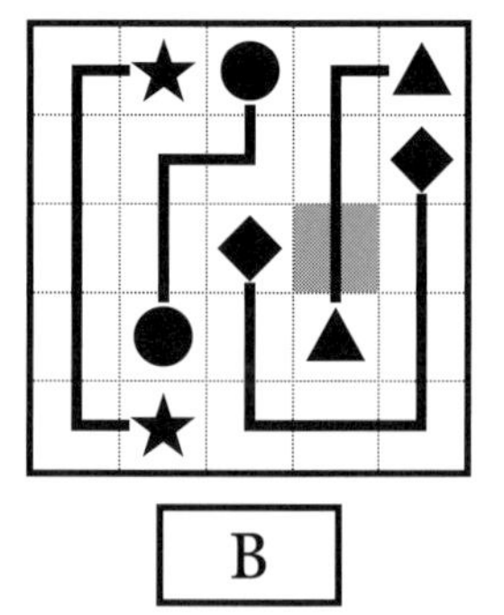

【279日目】

		[2]	5
+		7	[8]
	[1]	0	3

		5	4	[9]
+		[7]	8	6
	[1]	3	[3]	5

	[6]	1	2	[7]
−	3	0	[4]	9
	3	[0]	7	8

【280日目】

①

1	15	4	14
8	10	5	11
13	3	16	2
12	6	9	7

②

10	4	15	5
13	7	12	2
8	14	1	11
3	9	6	16

【281日目】

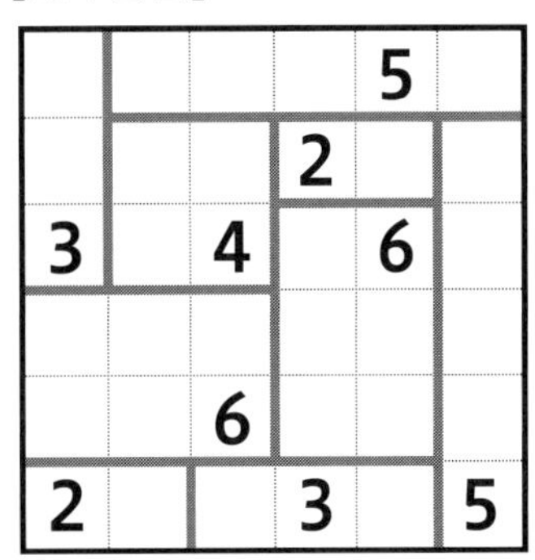

【283日目】

1ア	タ	2マ	■	3ロ
シ	■	4ト	5ツ	テ
6タ	7テ	■	8ア	ン
■	9レ	10シ	ー	ブ
11ロ	ビ	ー	■	ロ

【284日目】

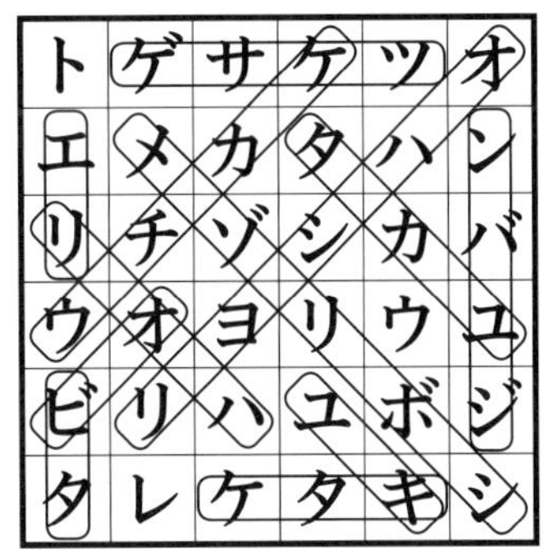

【285日目】

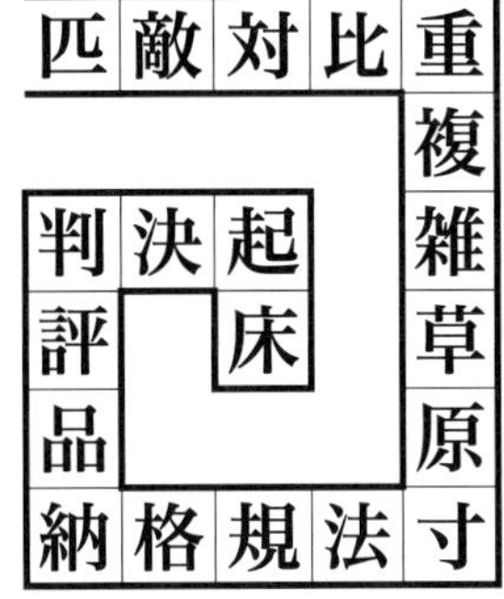

【286日目】

ハ	■	オ	ム	ス	ビ
ハ	ラ	ペ	コ	■	ジ
オ	ク	ラ	■	ア	ユ
ヤ	■	ハ	チ	ガ	ツ
■	ボ	ウ	■	リ	カ
エ	キ	ス	ポ	■	ン

【287日目】

1	5	4	6	4	9
■	9	■	0	■	■
■	6	4	9	1	■
6	3	■	■	7	6
8	■	■	1	■	7
6	2	5	6	■	0

【290日目】

帯番組	町奉行
大所帯	行進曲
無所属	曲線美
無機物	放物線

【292日目】

【295日目】

解答：玉子

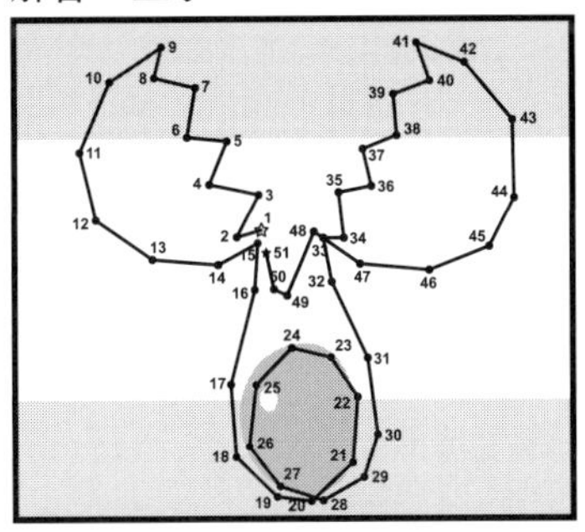

【299日目】

解答：海・鮎・汽

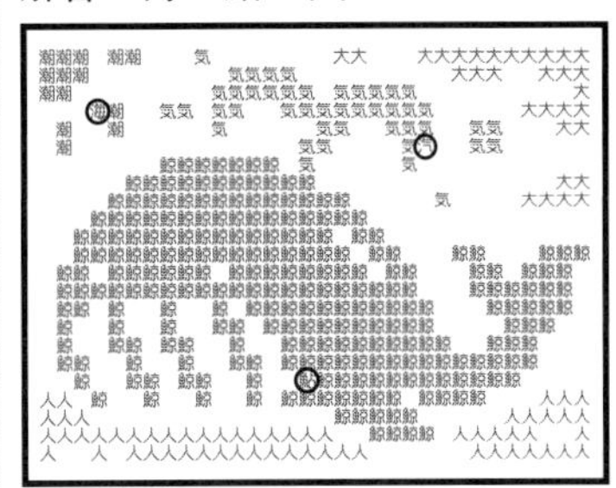

【301日目】

解答：カニ

【303日目】

2	1	6	3	5	4
3	5	4	6	1	2
6	4	5	1	2	3
1	2	3	4	6	5
4	6	2	5	3	1
5	3	1	2	4	6

【304日目】

1	6	5	4	7	2	3	8	9
7	3	2	8	6	9	4	5	1
9	8	4	3	5	1	2	7	6
4	2	9	7	1	8	6	3	5
8	5	3	9	2	6	7	1	4
6	7	1	5	4	3	8	9	2
3	1	7	2	9	4	5	6	8
2	9	8	6	3	5	1	4	7
5	4	6	1	8	7	9	2	3

【305日目】

3 < 4 > 2 < 5 > 1
v v ^ v ^
2 > 1 < 5 > 3 < 4
^ ^ v v v
4 < 5 > 3 > 1 < 2
v v ^ ^ ^
1 < 3 < 4 > 2 < 5
^ v v ^ v
5 > 2 > 1 < 4 > 3

【306日目】

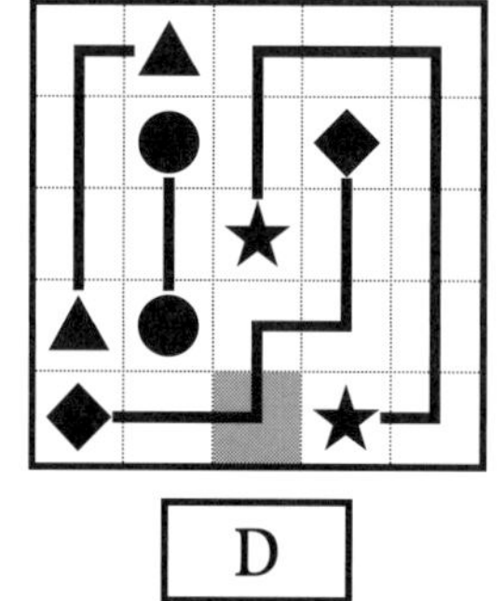

【307日目】

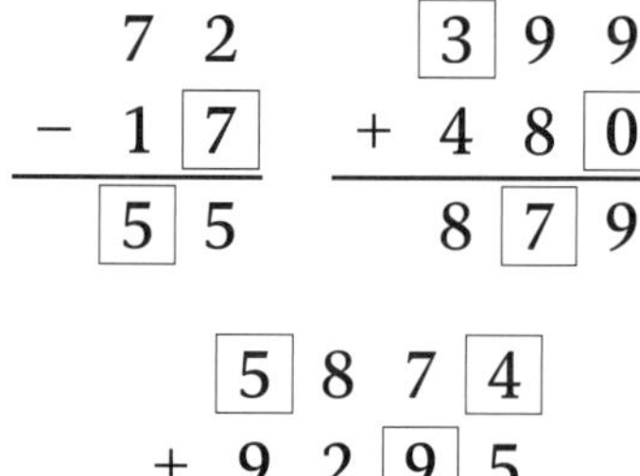

【308日目】

①

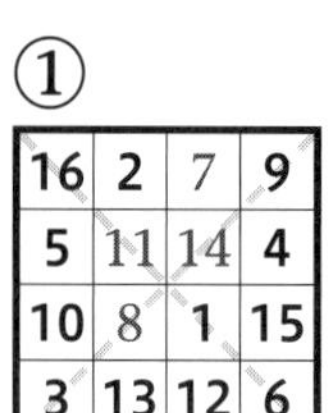

16	2	7	9
5	11	14	4
10	8	1	15
3	13	12	6

②

12	6	15	1
7	9	4	14
2	16	5	11
13	3	10	8

【309日目】

					4
	4		3		
			4		5
	9			2	
2			3		

【311日目】

1エ	2ラ	■	3イ	ヌ
■	4イ	5ケ	ン	■
6コ	ブ	シ	■	7ス
オ	■	8ゴ	ー	ル
9リ	ズ	ム	■	メ

【312日目】

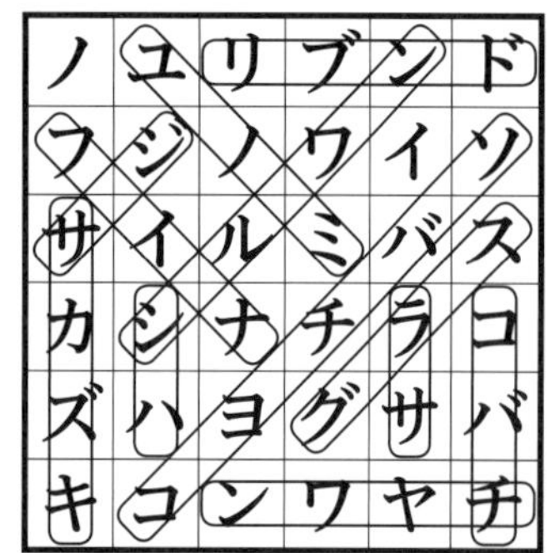

ノ	ユ	リ	ブ	ン	ド
フ	ジ	ノ	ワ	イ	ソ
サ	イ	ル	ミ	バ	ス
カ	シ	ナ	チ	ラ	コ
ズ	ハ	ヨ	グ	サ	バ
キ	コ	ン	ワ	ヤ	チ

【313日目】

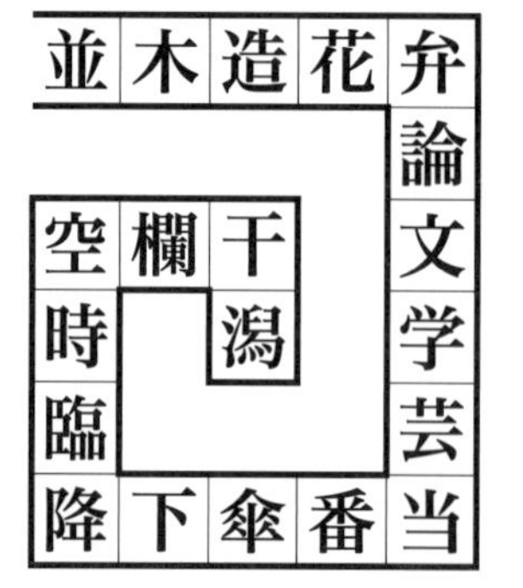

【314日目】

コ	ー	ポ	■	ピ	ザ
ネ	■	エ	マ	■	ブ
コ	ラ	ム	ニ	ス	ト
■	イ	■	キ	■	ン
ボ	タ	ン	ユ	キ	■
シ	ー	■	ア	ロ	ハ

【315日目】

8	2	5	1		2
0			9	0	7
2	3				
	5	7	2		8
1			4		3
5	8	4	6	9	6

【318日目】

力一杯　漂白剤

説得力　白地図

解説者　意図的

不可解　不本意

【320日目】

ア	ノ	ト	ー	ミ	ヅ
ピ	イ	バ	ル	マ	ツ
リ	オ	ト	フ	ラ	カ
ン	ン	ラ	ホ	ル	ス
ツ	ペ	シ	ン	ン	ラ
ト	ワ	ビ	バ	ル	リ

【323日目】

解答：イルカ

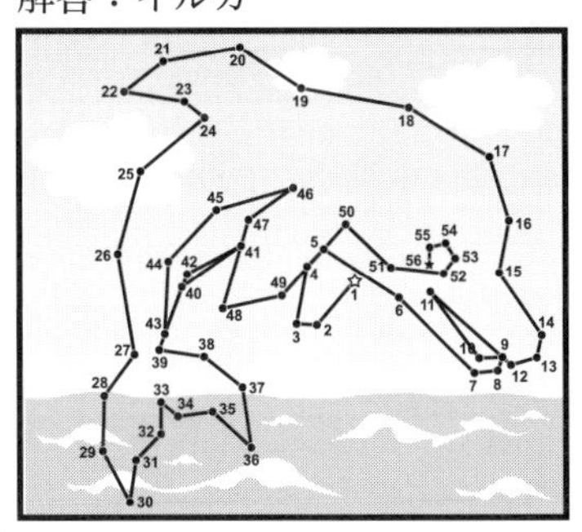

【327日目】

解答：笛・島・本

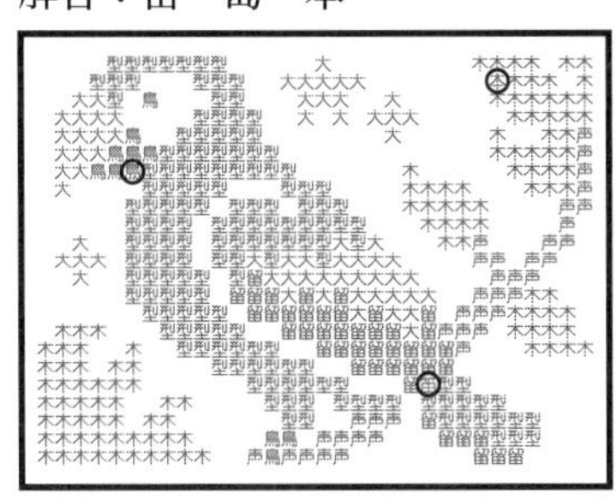

【329日目】

解答：コーヒー

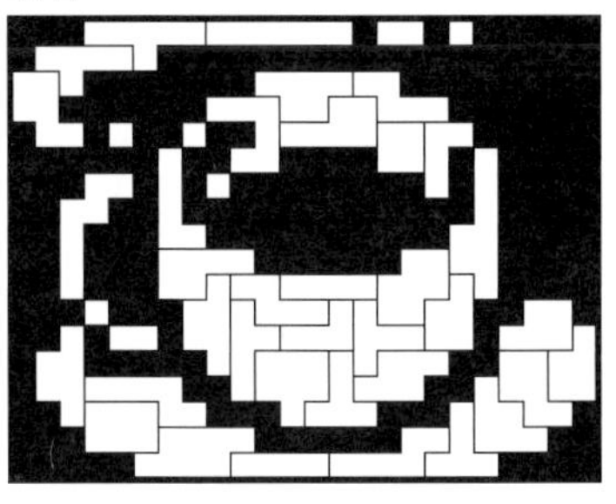

【331日目】

5	3	2	4	6	1
1	4	6	2	5	3
4	2	1	6	3	5
3	6	5	1	4	2
2	5	4	3	1	6
6	1	3	5	2	4

【332日目】

6	9	7	2	8	3	5	4	1
3	4	8	5	1	7	6	9	2
5	2	1	4	9	6	7	8	3
1	8	2	6	4	9	3	5	7
7	3	4	8	5	2	9	1	6
9	5	6	3	7	1	8	2	4
2	7	5	1	3	8	4	6	9
4	6	3	9	2	5	1	7	8
8	1	9	7	6	4	2	3	5

【333日目】

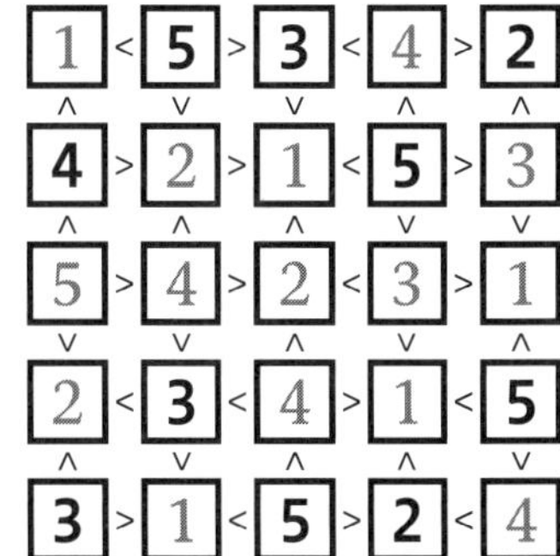

【334日目】

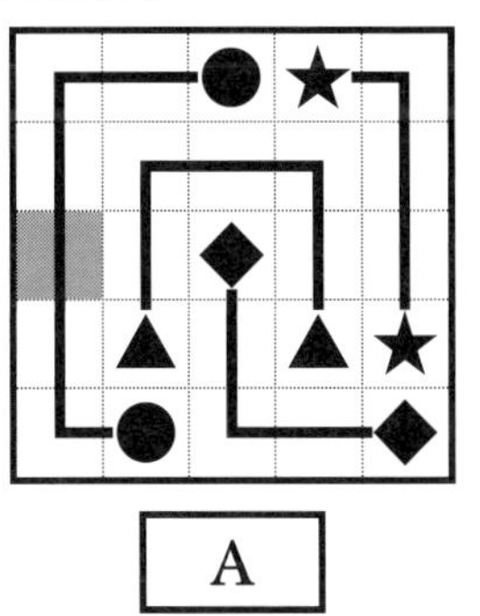

【335日目】

$$\begin{array}{r} 53 \\ +\ 92 \\ \hline 145 \end{array} \qquad \begin{array}{r} 167 \\ +\ 548 \\ \hline 715 \end{array}$$

$$\begin{array}{r} 8761 \\ +\ 2139 \\ \hline 10900 \end{array}$$

【336日目】

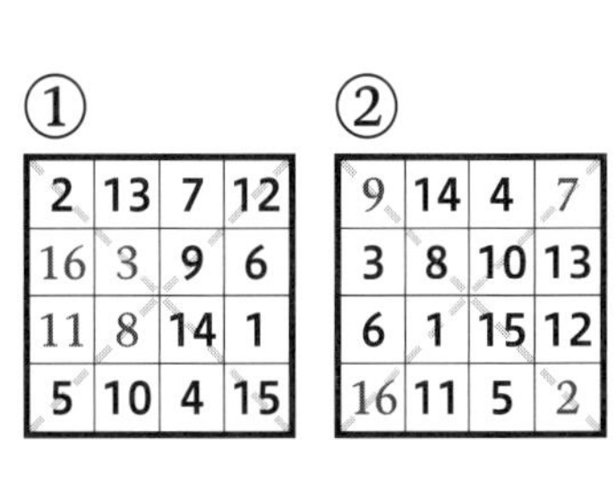

①

2	13	7	12
16	3	9	6
11	8	14	1
5	10	4	15

②

9	14	4	7
3	8	10	13
6	1	15	12
16	11	5	2

【337日目】

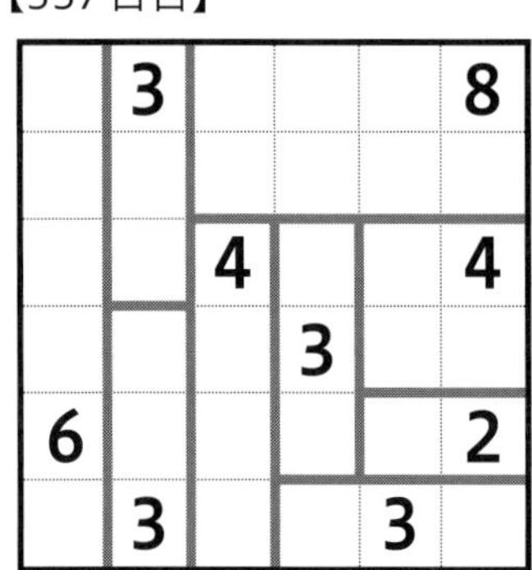

	3				8
		4			4
			3		
6					2
	3			3	

【339日目】

[1]カ	[2]タ	[3]ナ	■	[4]ソ
■	[5]イ	エ	[6]ミ	ツ
[7]ツ	マ	■	[8]ス	ギ
[9]ボ	ー	[10]ト	■	ヨ
ミ	■	[11]モ	ヨ	ウ

【340日目】

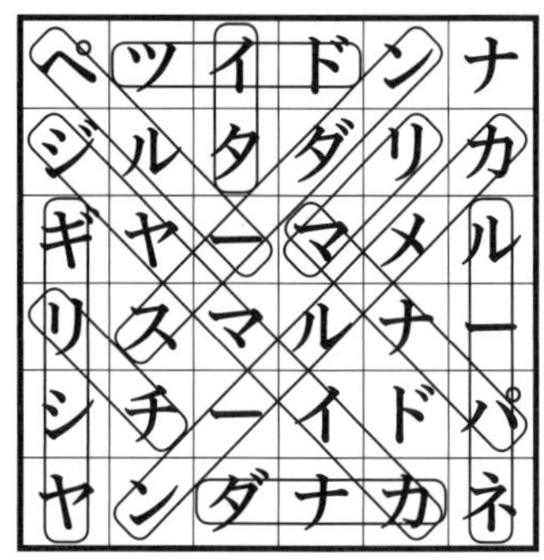

ペ	ツ	イ	ド	ン	ナ
ジ	ル	タ	ダ	リ	カ
ギ	ヤ	ー	マ	メ	ル
リ	ス	マ	ル	ナ	ー
シ	チ	ー	イ	ド	パ
ヤ	ン	ダ	ナ	カ	ネ

【341日目】

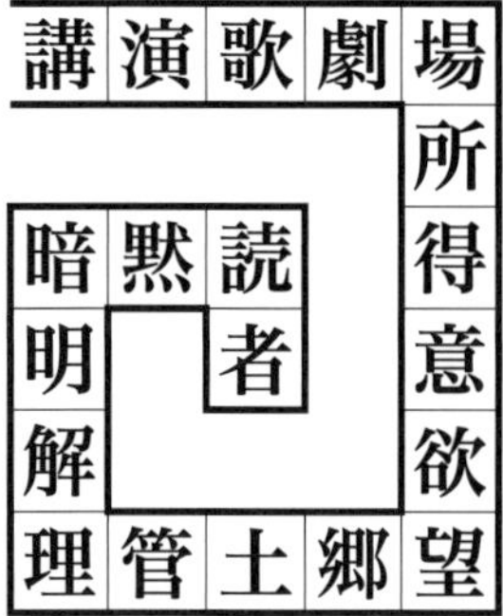

講演歌劇場
所得意欲望
理管土郷
解明暗黙読者

【342日目】

ハ	ハ	■	ウ	チ	ワ
ダ	ツ	イ	ジ	ヨ	■
■	ポ	■	コ	ウ	ホ
サ	ウ	ナ	■	オ	■
■	サ	ス	ペ	ン	ス
ケ	イ	ビ	■	パ	パ

【343日目】

8	■	7	9	6	4
4	8	1	■	■	6
■	9	■	8	5	1
1	4	■	3	■	2
5	■	7	0	9	2
2	0	2	■	■	3

【346日目】

国内線	度外視
仲間内	来年度
間奏曲	上出来
生演奏	出演者

【348日目】

ル	イ	タ	イ	ウ	ボ
ド	ヤ	カ	ン	ネ	ン
ン	ハ	ー	ト	ツ	ク
ブ	レ	ー	マ	ド	ン
ラ	ミ	キ	ン	ト	ラ
ー	エ	ン	ジ	ア	ド

【351日目】

解答：蓄音器

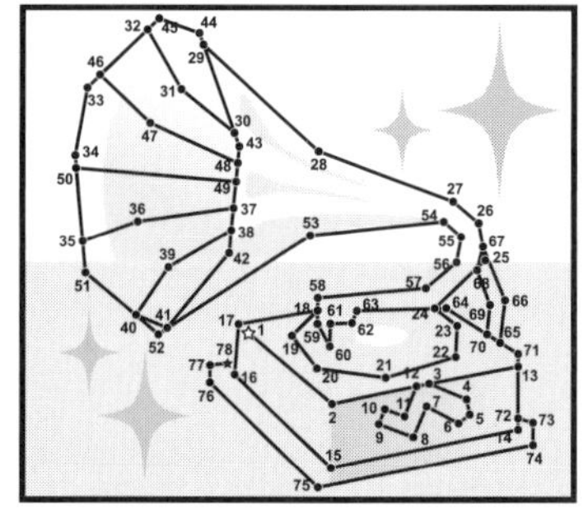

【355日目】

解答：驚・事・薬

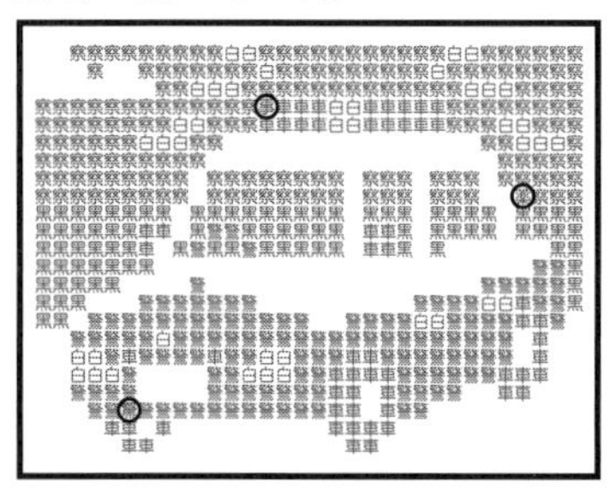

【357日目】

解答：コアラ

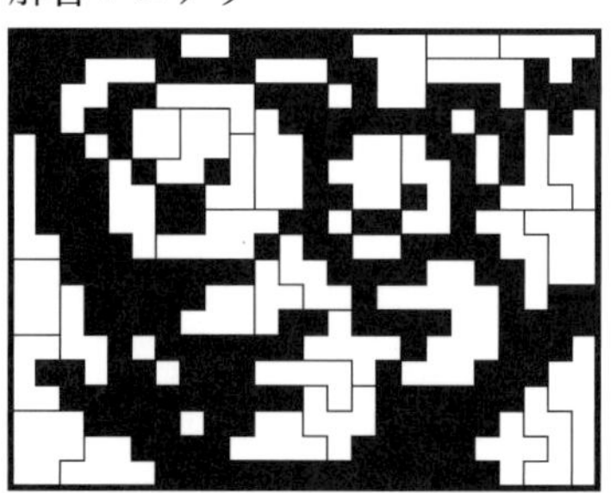

【359日目】

6	2	5	4	3	1
1	4	3	5	6	2
4	1	2	6	5	3
5	3	6	2	1	4
2	5	1	3	4	6
3	6	4	1	2	5

【360日目】

3	7	4	1	5	2	6	8	9
8	2	9	6	7	4	5	3	1
5	1	6	8	9	3	2	4	7
4	5	1	3	2	7	8	9	6
6	8	2	4	1	9	3	7	5
9	3	7	5	6	8	4	1	2
1	6	3	7	8	5	9	2	4
2	4	5	9	3	1	7	6	8
7	9	8	2	4	6	1	5	3

【361日目】

4 > 1 < 5 > 2 < 3
v ^ v ^ ^
2 < 4 > 1 < 3 < 5
^ v ^ ^ v
3 > 2 < 4 < 5 > 1
^ ^ v v ^
5 > 3 > 2 > 1 < 4
v ^ ^ ^ v
1 < 5 > 3 < 4 > 2

【362日目】

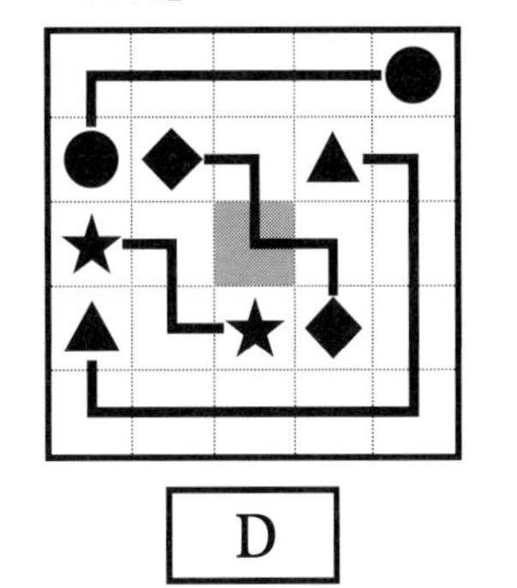

D

【363日目】

66 + 39 = 105

972 − 396 = 576

7418 − 2366 = 5052

【364日目】

①

16	7	9	2
10	1	15	8
5	14	4	11
3	12	6	13

②

1	8	12	13
14	11	7	2
15	10	6	3
4	5	9	16

【365日目】

			4		
3		6			
	2				5
		9		4	
					3

毎日５分楽しんで！
２回目は目標時間を
短くしてチャレンジ！

〈監修者〉

篠原菊紀（しのはら・きくのり）

公立諏訪東京理科大学情報応用工学科教授。1960年生まれ、長野県茅野市出身。東京大学教育学部卒業後、同大学院教育学研究科修了。「学習しているとき」「運動しているとき」「遊んでいるとき」など、日常的な場面で、脳がどのように活動しているかを研究している。子どもから高齢者まで、脳トレ、勉強法、認知機能低下予防などの著書多数、教材も多数開発。テレビや雑誌、ラジオなどを通じ、脳科学と健康科学の社会応用を呼びかけている。主な監修書に、『一生ボケない脳になる！　1日1分「脳トレ」366』『死ぬまでボケない脳になる！　1日1分「脳トレ」366』（ともにPHP研究所）など。

問題作成　株式会社スカイネットコーポレーション

装幀デザイン　村田 隆（bluestone）

組版・本文デザイン　朝日メディアインターナショナル株式会社

イラスト（P3、5、207）　さややん。

いくつになってもボケない脳になる！
1日5分脳トレパズル366

2020年3月24日　第1版第1刷発行
2023年3月27日　第1版第10刷発行

監修者　篠原菊紀
発行者　村上雅基
発行所　株式会社PHP研究所

京都本部　〒601-8411　京都市南区西九条北ノ内町11
〔内容のお問い合わせは〕教育出版部 ☎075-681-8732（編集）
〔購入のお問い合わせは〕家庭教育普及部 ☎075-681-8818（販売）

印刷所　図書印刷株式会社

ISBN978-4-569-84632-3